D1502947

Par un si beau matin

Denis Monette

Par un si beau matin

roman

Les Éditions
LOGIQUES

QUEBECOR MEDIA

Catalogage avant publication de Bibliothèque et Archives Canada

Monette, Denis

      Par un si beau matin : roman

      ISBN 2-89381-935-4

      I. Titre.

PS8576.O454P37 2005   C843'.54   C2004-941912-9
PS9576.O454P37 2005

Toute ressemblance avec des personnes vivantes ou ayant existé, des lieux ou des événements actuels ou passés, est pure coïncidence.

Révision : Michèle Constantineau
Correction d'épreuves : Bianca Côté
Mise en pages : Roger Des Roches – SÉRIFSANSÉRIF
Graphisme de la couverture : Gaston Dugas
Photo de la couverture : Masterfile
Photo de l'auteur : Guy Beaupré

LOGIQUES est une maison d'édition agréée et reconnue par les organismes d'État responsables de la culture et des communications. Nous remercions le Conseil des Arts du Canada, le ministère du Patrimoine canadien et la Société de développement des entreprises culturelles du Québec pour leur appui à notre programme de publication. Nous reconnaissons l'aide financière du gouvernement du Canada, par l'entremise du Programme d'aide à l'industrie de l'édition (PADIÉ), pour nos activités d'édition. Gouvernement du Québec – Programme de crédit d'impôt pour l'édition de livres – Gestion SODEC.

Les Éditions LOGIQUES
7, chemin Bates, Outremont (Québec) H2V 4V7
Téléphone: (514) 270-0208 • Télécopieur: (514) 270-3515

Distribution au Canada
Québec-Livres, 2185, autoroute des Laurentides, Laval (Québec) H7S 1Z6
Téléphone: (450) 687-1210
Télécopieur: (450) 687-1331

Distribution en France
Casteilla/Chiron, 10, rue Léon-Foucault, 78184
Saint-Quentin-en-Yvelines
Téléphone: (33) 01 30 14 19 30
Télécopieur: (33) 01 34 60 31 32

Distribution en Belgique
Diffusion Vander, avenue des Volontaires, 321,
B-1150 Bruxelles
Téléphone: (32-2) 761-1216
Télécopieur: (32-2) 761-1213

Distribution en Suisse
TRANSAT SA – Distribution Servidis s.a.,
Chemin des Chalets
CH-1279 Chavannes-de-Bogis, Suisse
Téléphone: (022) 960-9510
Télécopieur: (022) 776-3527

© Les Éditions LOGIQUES, 2005
Dépôt légal: premier trimestre 2005
Bibliothèque nationale du Québec
Bibliothèque nationale du Canada
ISBN 2-89381-935-4

À Irène, Micheline, Sylvie et Corinne,
quatre générations,
quatre femmes qui ont influencé
mes états d'âme

Prologue

Il y avait peu de monde dans ce restaurant sans prétention déniché au hasard dans un centre commercial. Jeanne avait commandé un filet de sole alors que Martial avait opté pour l'assiette de viande fumée avec frites. Le poisson laissait à désirer, les frites étaient sèches, mais ni l'un ni l'autre ne s'en plaignait. Ils mangeaient du bout des doigts, elle, tassant sur le bord de son assiette le brocoli dont la fraîcheur était pour le moins douteuse. Ils regardaient un peu partout, comme pour trouver un sujet de conversation, mais le hasard ne leur donna à voir qu'un jeune enfant, un garçonnet d'environ trois ans qui se comportait comme un petit homme aux côtés de sa maman. Jeanne lui fit signe de la main, l'enfant détourna les yeux, et c'est la mère qui rendit le sourire de politesse que le bambin retenait.

– Il me fait penser à Roger à son âge. Tu t'en souviens?

Martial, levant les yeux sur le gamin, lui répondit:

– Oui, peut-être, mais c'était Sylvain qui était sage à cet âge. Roger était agité… Il n'était pas facile en public, celui-là.

Ils étaient allés au cinéma en plein cœur de l'après-midi. Là encore, peu de gens, des retraités, quelques esseulés et des personnes sans emploi qui profitaient des matinées à rabais.

– Tu as aimé le film? osa-t-elle demander.

– Non, pas vraiment. On a tellement vanté les mérites de *American Beauty* que ça m'a déçu. Trop long et sans intérêt.

– Avoue qu'il y avait quand même d'agréables moments.

– Bah! si peu, et plus ça allait, plus ça se gâtait. Annette Bening est une fort jolie femme, mais lui, comme acteur... Et puis, à quoi bon, ça ne fait même pas un sujet de conversation, ce film-là.

Portant sa tasse à ses lèvres, Jeanne murmura:

– Tu en connais d'autres, des sujets? Ça fait une heure qu'on tourne en rond.

– Faut-il toujours parler? Si tu y tiens, il y a la promotion de Sylvain. Voilà de quoi se réjouir, Jeanne.

– Bien sûr, il gagnera plus cher, il pourra changer de voiture.

Martial Durelle, terminant son dessert, lui demanda sans tenir compte sa réplique:

– Tu as terminé? On peut partir? Ça sent la graisse ici, ça ne me semble pas hygiénique. Mademoiselle! je peux avoir l'addition s'il vous plaît?

– Elle est à côté de votre assiette et vous payez à la caisse! lança la serveuse en regagnant la cuisine.

Ils étaient de retour dans leur petite maison familiale de Montréal-Nord. Celle qu'ils avaient achetée alors que Jeanne était enceinte de Roger, l'aîné de leurs quatre enfants.

– Ouvre les fenêtres, Martial, il fait chaud à en mourir ici.

L'homme aéra les pièces; cette canicule de début de juillet était très inconfortable. Se calant dans sa berceuse, il alluma le téléviseur alors que Jeanne vérifiait si le répondeur ne contenait pas de messages. Aucun! «Pas encore, du moins», se disait-elle, espérant que sa sœur lui téléphone pour briser la monotonie. Ils regardèrent le bulletin de dix-neuf heures à LCN, souhaitant qu'il y ait autre chose que des mauvaises nouvelles, mais en vain. Éteignant l'appareil après le début d'un documentaire qui ne les intéressait pas, ils décidèrent de monter et de regagner chacun leur chambre après avoir échangé à peine quelques mots pour s'assurer que les fenêtres du bas étaient bel et bien fermées.

Installée dans son lit douillet, Jeanne s'était replongée dans un roman de Marie-Claire Blais qu'elle avait laissé sur sa table de chevet, alors que, dans la chambre à côté, son mari écoutait en sourdine de la musique classique sur la première chaîne. Quelques minutes plus tard, changeant son signet de page, elle l'entendit ronfler. «Sans doute le vin maison qui n'a pas passé, songea-t-elle. Ou peut-être les frites sèches, à moins que ça ne soit le dessert trop sucré…» Elle se leva, ferma tout doucement sa porte pour atténuer les râles qui persistaient et regagna son lit sur la pointe des pieds. Elle allait éteindre lorsque ses yeux tombèrent sur un joli bibelot, un papillon de porcelaine délicatement posé sur une rose rouge, le tout sur un pied de cristal. Elle sourit, une larme à l'œil; c'était le cadeau que lui avaient gentiment offert ses enfants le 14 juin dernier, alors qu'on avait fêté dans l'intimité ses soixante ans.

Ayant dormi plus que de coutume et humant de sa chambre le café que Martial avait préparé, Jeanne se leva en retouchant distraitement sa coiffure de la veille. Puis, s'étirant d'aise tout en se dirigeant vers la fenêtre, elle ferma les yeux et laissa les images du passé surgir devant elle. Un certain printemps de 1962, alors qu'attendant leur premier enfant ils avaient visité cette petite maison de Montréal-Nord, rue Garon, dans le but d'en faire l'acquisition, si possible. Ce charmant cottage qu'ils habitaient encore après toutes ces années. Parce que Martial, comme la plupart des hommes, était «indélogeable». C'est dans cette jolie demeure qu'elle avait élevé leurs quatre enfants, Roger, Carole, Sylvain et Julie, jusqu'à ce qu'ils quittent tour à tour le nid. Elle revoyait les enfants s'en donner à cœur joie dans la petite piscine gonflable qu'ils avaient installée dans la cour. Et Roger, plus turbulent, plus audacieux que les autres, qui allait avec ses amis cueillir des mûres dans le champ de monsieur Roussil. Sans la permission de ce dernier qui, d'ailleurs, n'aurait su que faire de tous les fruits qui poussaient dans ce lieu mal entretenu. Rouvrant les yeux, Jeanne pouvait apercevoir, comme alors, l'hôtel de ville avec ses briques rouges, ses grandes colonnes, et qui était la fierté du quartier. Un peu plus loin, elle voyait poindre le clocher de l'église Saint-Vincent-Marie-Strambi où ses quatre enfants avaient été baptisés. Lieu saint qu'elle fréquentait encore sans son mari qui, peu à peu, s'en était distancié. C'est là aussi que les quatre avaient fait leur première communion alors que tante Dolorès, l'unique sœur de Jeanne, s'amenait chaque fois avec un crucifix pour les garçons, un missel satiné pour les filles.

Tant de choses avaient changé depuis. Les champs n'étaient plus vacants. Ils étaient encombrés de gros «blocs à appartements», comme on disait naguère. L'air ambiant était devenu irrespirable, le quartier était même inquiétant le soir, mais Martial, malgré les suggestions de ses enfants, refusait de vendre et de quitter sa maison acquise au gré de ses économies. Jeanne aurait certes accepté un départ, un changement de vie; elle en soupirait encore. Mais pour ne pas déplaire à son mari, elle avait plutôt modifié le décor, retirant les tapis pour retrouver le bois franc veiné, tout en rhabillant les fenêtres plus légèrement, les délivrant ainsi des grosses draperies d'antan. Jeanne, toujours à la fenêtre de sa chambre, ouvrait, fermait les yeux, rêvait encore, lorsque Martial, du bas de l'escalier, lui lança sans hausser le ton:

– Tu devrais descendre, Jeanne, le café va finir par être amer.

Ils avaient effectué, comme chaque année depuis cinq ans, le long périple en voiture qui les menait à French River, un joli coin de l'Île-du-Prince-Édouard, où les attendait le modeste chalet loué pour leurs deux semaines de vacances annuelles, au début d'août. Plus de mille kilomètres et la petite Jetta noire avait, une fois de plus, tenu le coup. Jeanne aurait souhaité cette année faire le voyage en avion, mais Martial, imprégné depuis longtemps du panorama et des sautes d'humeur des nuages, avait refusé de se priver de ces menus plaisirs qui faisaient partie du rituel. Mais Jeanne avait trouvé le parcours pénible et démoralisant. Parce que trop long avec les arrêts, une nuit ici, une autre là, et un mari qui conduisait lentement, sans rien dire, écoutant sa musique classique et surveillant la route sans déroger de son extrême prudence. Heureusement, le lieu était encore aussi charmant et le proprio, en les accueillant, leur avait dit dans un piètre français qu'il avait déjà installé les deux chaises longues au haut de la colline qui surplombait la mer. Une vue magnifique qui enchantait Jeanne, mais qui laissait Martial indifférent. Un site splendide qui permettait d'admirer les levers comme les couchers de soleil dont les dernières lueurs se reflétaient sur la terre rouge des routes peu fréquentées.

Au loin, on distinguait le superbe phare du Cap Tryon que Jeanne regardait souvent de plus près avec les jumelles. Cette poésie, ce «mirage», comme Jeanne disait, toujours fascinée par ce que ses yeux découvraient, laissait son mari de plus en plus froid d'un séjour à l'autre. Il avait certes été ébloui par le premier lever de soleil aperçu il y a cinq ans, mais avec le temps, même le bruit des vagues sur les rochers l'incommodait dans ses réflexions ou dans l'écoute d'une œuvre de Schubert. Lui qui, pourtant, insistait encore pour faire le trajet en voiture, revoir les mêmes fermes, les mêmes auberges et trouver le moyen de s'interroger en cours de route devant un troupeau de vaches inhabituel.

Plus souvent qu'autrement, sa chaise longue était inoccupée et Jeanne revenait morose de la colline, n'ayant personne avec qui partager son envoûtement. Si son époux vieillissant n'avait plus d'intérêt pour ce coin enchanteur, pourquoi y venir encore? se demandait-elle. Martial n'aurait su quoi répondre, mais il était évident qu'il y revenait par habitude et que, malgré lui, il s'était attaché à ce petit chalet meublé. De la même façon qu'il était ficelé à sa maison de la rue Garon qu'il n'avait jamais voulu quitter. Tout, avec lui, devenait routine. Sa marche dans les rues de son quartier, son barbier une fois par mois, même jour, même heure, la même caissière chaque fois à la caisse populaire… Les guichets automatiques n'étaient pas pour lui. Jamais ils n'auraient pu remplacer la dame grassouillette, pas loin de la retraite, si charmante, si aimable. Une retraite qu'il redoutait non pour elle, mais pour lui. Qui donc allait prendre la relève à son guichet coutumier? Martial était ancré dans ses habitudes comme un vieux navire qui ne bouge plus de son port.

Et aujourd'hui, French River, le chalet, la terre rouge, l'accueil des gens des alentours. Toujours les mêmes, presque toujours les mêmes. L'Île-du-Prince-Édouard au mois d'août, c'était pour lui une date inscrite à son calendrier perpétuel. Même s'il profitait de moins en moins de ses séjours. Ne serait-ce que pour le parcours, c'était sacré dans... «son livre à lui». Mais il s'y rendait aussi pour faire plaisir à Jeanne, afin qu'elle sorte un peu du sommeil de sa vie.

Quatre jours s'étaient écoulés depuis leur arrivée dans les Maritimes et Jeanne devenait de plus en plus fébrile, voire angoissée, par le mutisme de son mari, son indifférence à tout ce qui les entourait, le nez dans son journal, sa musique en sourdine, ses siestes d'après-midi, ses promenades en solitaire le soir, alors qu'elle était déjà au lit ou presque. Irritée, sentant l'anxiété lui nouer la gorge, elle n'en pouvait plus de se retrouver seule sur une des deux chaises longues au sommet de la colline, l'autre étant désertée par celui qui devait l'occuper.

Or, en ce matin qui s'annonçait superbe, aux petites heures, elle lui demanda avant qu'il n'ouvre le journal de la veille:
— J'aimerais que tu viennes voir le soleil se lever... Tu veux bien?
— Bah!... pourquoi? Je l'ai vu cent fois, c'est...
— Martial, je t'en prie, viens! Il faut que je te parle! lui lança-t-elle sur un ton qu'il ne lui connaissait pas.
Étonné, il enfila une veste de laine et la suivit en lui disant comme pour s'excuser du refus:
— C'est frais le matin... Tôt comme ça...

15

Ils avaient pris place chacun dans leur chaise et avaient vu l'astre se lever dans toute sa splendeur. Martial, pourtant réfractaire, en fut si subjugué qu'il murmura:

– Ce lever-là, c'est le plus beau. Je n'ai jamais vu le ciel d'une telle couleur. Mais la brise qui vient de la mer, c'est plutôt frisquet, à l'aurore.

Jeanne ne parlait pas. Les yeux braqués à l'horizon, fixés sur ce soleil qui s'étirait paresseusement, elle tressaillait d'engouement. La terre du chemin devenait de plus en plus rouge et la mer se servait des rayons qui changeaient de ton pour s'en faire une palette d'artiste. Ce n'est que lorsque l'astre brilla de son or céleste que Jeanne soupira, s'évada du rêve et, regardant au loin en direction du phare, dit à son mari sans détourner la tête:

– Je crois qu'il serait sage qu'on se sépare. Le temps est venu, Martial, on n'a plus rien à s'apporter l'un l'autre.

Surpris, les lèvres entrouvertes, il lui demanda sur un ton hésitant:

– Tu crois? Tu penses?

– Il le faut. Nous allons mal vieillir toi et moi et nous allons lentement mourir d'ennui ensemble.

– Alors, nous en sommes là…, murmura-t-il.

– Oui, Martial, mais je veux que ce soit *notre* décision, pas seulement la mienne. Ne me dis pas que toi…

Il l'interrompit pour avouer sans toutefois la regarder:

– J'y ai déjà songé… J'attendais juste que ça vienne de toi.

– Pourquoi? Tu n'en aurais pas eu le cran?

– J'y ai songé il y a dix ans, Jeanne. Au moment où Julie a quitté la maison. Mais j'ai fermé les yeux, je ne voulais pas te faire de peine.

– Tu vois? Que de temps perdu…, laissa-t-elle tomber en soupirant.

Il se leva, marcha en rond et s'immobilisa pour ajouter:

— Et là, je n'y pensais plus, je nous croyais trop vieux. D'ailleurs, qu'est-ce qu'ils vont dire, Jeanne? As-tu pensé à eux?

— Les enfants? Pensent-ils à nous, eux? N'ont-ils pas leur vie à vivre? Non pas qu'ils soient ingrats, loin de là, mais tu sais, vient un temps où les parents se retrouvent au troisième plan. Ils ont leur carrière, leurs enfants…

— Justement, je pensais aussi aux tout-petits, Jeanne. Leurs grands-parents séparés…

— Martial! Je t'en prie! Nous avons tenu le coup pour nos enfants, nous n'allons pas lamentablement nous rendre jusqu'au bout pour nos petits-enfants maintenant! Voyons!

— Lamentablement, dis-tu? À ce point, Jeanne?

Retrouvant son calme, madame Durelle regarda son mari et lui débita d'un trait, d'une voix monocorde:

— Il y a longtemps que l'amour nous a fui, Martial. Longtemps que nous sommes séparés de corps. C'est venu des deux, j'en conviens, et tout s'est fait sans qu'on s'en rende vraiment compte. Je me disais que la tendresse serait la prochaine étape, puis l'attachement, l'habitude… Mais nous ne sommes pas encore vieux à soixante ans, Martial. Pas assez pour que la vie à deux ne soit faite que de résignation.

Il la regardait, n'osait l'interrompre et Jeanne, ayant retrouvé son souffle, poursuivit:

— L'important, c'est de reprendre sa vie en main pendant qu'il en est encore temps. Pas la refaire avec quelqu'un d'autre nécessairement, mais la régénérer, Martial. S'appartenir, ne plus dépendre, se libérer, ne plus avoir à faire de compromis. Et avant que l'un des deux tombe malade. Avant que l'autre se sente dans l'obligation de rester par compassion, tu comprends?

Il hocha de la tête et, pantois, répondit tout bas:

17

– Je veux bien, ce sera fait, mais tu t'arrangeras avec les enfants, Jeanne. Moi, je ne sais pas ce que je pourrais leur dire…

– Cherche un peu, prépare-toi, c'est notre décision, tu en as convenu. Il te faudra être aussi impassible que moi face au fait. D'ailleurs, nous n'aurons qu'à le leur annoncer, nous n'avons rien à expliquer. C'est de notre vie qu'il s'agit, Martial, pas de la leur, et c'est à deux que nous allons les affronter.

– Oui, on verra… Mais où comptes-tu aller? Et moi?

– Je ne peux pas répondre pour toi, mais moi, j'ai choisi d'aller vivre avec Dolorès dans son condo de l'Île-des-Sœurs. C'est grand, elle est seule et elle m'y attend.

– Parce qu'elle sait déjà? Tu l'as prévenue?

– Il le fallait bien, Martial. Toi, tu n'y songeais plus, mais moi, je mûrissais le projet. Nous allons voyager toutes les deux, je vais respirer…

– Tu étouffais de plus en plus avec moi, n'est-ce pas?

– Oui, et toi aussi. Nous sommes au bout de notre souffle…

– Est-ce que cela veut dire que nous allons vendre la maison?

– Il le faudra bien… Tu ne vas quand même pas l'habiter seul.

– Ma si jolie petite maison… Quarante ans de ma vie, Jeanne.

– De *notre* vie… mais nous devrons en faire notre deuil. On ne peut regarder en avant avec la tête en arrière, tu sais…

– Et moi, où vais-je aller?

– Ce sera ton choix, je ne m'en mêle pas. Je ne peux pas décider pour toi. Tu n'as que soixante-deux ans, Martial! Arrête d'agir comme si tu en avais quinze de plus.

– Mais je suis seul, je n'ai pas de parenté, moi, ni frères ni sœurs…

– Je t'en prie, ne joue pas cette carte-là, mon mari. Tu as toujours décidé de tout ou presque. Commencerais-tu à avoir peur? C'est moi qui étais dépendante et je le suis encore. Voilà pourquoi je m'en vais vivre avec Dolorès. J'ai tout prévu, il le fallait. Seule, je panique, c'est ma phobie. Mais toi, si fort…

– Oui, je sais, mais pris comme ça, au dépourvu… C'est quand même un choc…

– Moins pénible que de se regarder dépérir, tu ne penses pas?

– Tu as sans doute raison. Et puis, il y a les enfants… Je verrai ce que je ferai, mais je ne te ferai pas faux bond, Jeanne. J'assumerai ma part dans cette décision.

Elle le remercia d'un sourire puis, se levant à son tour, elle lui demanda:

– Tu veux rentrer? On redescend? Tu frissonnes…

– Je veux rentrer à Montréal, Jeanne, repartir au plus vite. Nous n'avons plus de raison de rester ici. Une autre semaine serait de trop. Qu'en penses-tu?

Elle acquiesça de la tête, heureuse que ça vienne de lui. Elle souhaitait revenir, dissoudre le lien et repartir ailleurs. Mais elle n'aurait jamais osé lui causer le moindre déplaisir. Il la précédait sur le petit sentier, elle le suivait et, à mi-chemin, elle s'arrêta pour se retourner et regarder les deux chaises longues. Le vent soulevait la toile de l'une d'elles. La sienne. Elle baissa la tête, la releva et ses yeux se posèrent encore sur la colline, les chaises, le soleil, et une larme humecta sa paupière. Jeanne venait de se rendre compte qu'elle ne reverrait jamais plus cette magie, que les chaises vides allaient l'être à tout jamais, au risque d'être emportées par une rafale. Martial, déjà bien en avance sur elle dans la côte du retour, s'immobilisa pour l'attendre et lui demander:

– Que regardais-tu? Tu étais si loin…

– Les chaises, la mer, le soleil, le ciel… Jamais je n'ai vu un si beau matin…

– Oui et c'est bien ce qui me désole.

– Pourquoi ? N'est-ce pas merveilleux, cette féerie?

– Oui, mais pour ce que tu avais à me dire, Jeanne, tu aurais pu attendre un jour de pluie.

Chapitre 1

Le retour au bercail s'était avéré fort long. Encore plus lent qu'à l'aller parce que Martial Durelle, encore ébranlé par la décision prise avec sa femme, avait souvent la tête ailleurs et redoublait de prudence. Jeanne, plus décontractée parce que soulagée de ce poids qu'elle avait sur le cœur, parlait le moins possible pour ne pas le distraire et, surtout, pour ne pas raviver une conversation qui risquait de lui être défavorable. Bien sûr qu'ils avaient quitté French River avec regret. Le proprio des chalets, les voisins immédiats, tous avaient été peinés de les voir partir abruptement sans en connaître le motif. Affable, monsieur Miller avait tenté de leur rembourser la deuxième semaine, mais les Durelle avaient refusé, alléguant que c'était là leur décision et qu'aucun impératif ne les forçait à quitter les lieux si brusquement.

Ils avaient traversé Charlottetown et emprunté la route qui les ramèneraient, tels des vagabonds, d'un petit motel à un gîte du passant, sans réservation. Il arrivait à Martial de paraître songeur, de regarder Jeanne, d'être sur le point de lui dire quelque chose, mais de se taire. Comme si la langue ne pouvait délier ce que le cœur retenait. Jeanne aurait aimé lui murmurer: «Ça aurait pu être autrement, tu sais…» Ce qui était sans doute vrai, mais elle n'en fit rien de peur que, soudainement, il s'y accroche. Car, malgré «leur décision», elle sentait que son mari aurait souhaité parlementer, ne serait-ce que pour sauver sa petite maison de la rue Garon.

Dernière journée du trajet et, alors qu'ils traversaient le Québec, Jeanne, les yeux rivés sur le paysage, revivait des images de son passé, alors que lui, silencieux, attentif, avait replacé le disque compact des œuvres de Schubert dans le lecteur pour écouter quelques symphonies, dont *l'Inachevée,* sa préférée. Perdue dans les méandres de ses pensées, Jeanne revoyait le jour où, en 1959, elle avait rencontré Martial, un jeune homme bien qui travaillait pour une firme d'assurance-vie, attitré aux remises lors des décès. C'était à la mort de sa mère que son père, sa sœur et elle avaient reçu le Martial Durelle à la maison pour la réclamation. Papiers en règle, elle avait senti que ce charmant garçon, de deux ans son aîné, l'avait regardée avec une certaine insistance. Elle, de son côté, n'avait pas été insensible à l'apparence et aux belles manières de Martial qui, sous prétexte d'avoir omis une signature, revint à la maison alors qu'elle était seule avec son père. Elle l'avait ensuite reconduit jusqu'à la sortie et c'est alors qu'il lui avait demandé, un peu gêné, si elle était libre et si, le cas échéant, elle accepterait une invitation de sa part. Prise au dépourvu, elle avait répondu qu'il serait préférable qu'il rappelle un peu plus tard, sans oublier d'ajouter qu'elle n'était pas désintéressée.

Un an et demi de fréquentation et, le samedi 15 octobre 1960, Jeanne Valance et Martial Durelle unissaient leurs destinées pour le meilleur et pour le pire. Dolorès, la sœur de la mariée, lui avait servi de dame d'honneur, alors que Martial, fils unique, n'avait que son père, encore vivant à cette époque, et quelques cousins et cousines pour partager son bonheur. Un mariage dans l'intimité mais, malgré le peu de convives, Jeanne avait choisi de se marier en blanc, avec une robe trois quarts en taffetas et un petit voile de mousseline au vent, retenu par un petit caluron de satin. Un léger goûter avait suivi et ils avaient ensuite emprunté la route de l'Ontario pour se rendre à Niagara Falls pour une lune de miel de quatre jours.

Ils s'aimaient, ils se regardaient avec tendresse, ils étaient beaux tous les deux, elle, une petite brunette aux cheveux courts et aux traits délicats, lui, un grand blond à la carrure d'athlète. Ils avaient à peu près les mêmes goûts. Il aimait la musique classique, Schubert de préférence, elle, les valses de Strauss en particulier. Elle adorait le cinéma français, lui préférait l'américain, mais ils se plaisaient à découvrir ensemble les vedettes de l'heure sur les deux continents. Faits l'un pour l'autre, pour la vie, comme on pouvait le dire en ce temps-là, Martial avait accepté de bon gré que Jeanne ne quitte pas son poste de réceptionniste dans un laboratoire. Du moins, jusqu'à ce qu'elle devienne enceinte, si Dieu décidait de leur donner des enfants.

Ils habitèrent la demeure de monsieur Durelle père, veuf depuis cinq ans, jusqu'à ce que Jeanne annonce à son mari que leur premier enfant était en route. Tel que promis, elle quitta son emploi pour mieux assumer son rôle de mère à venir et Martial, sans trop chercher, versa le montant initial d'une coquette petite maison, rue Garon, à Montréal-Nord. Un nid douillet rempli d'amour et d'espoir dans lequel naquirent tour à tour Roger, le 3 avril 1962, Carole, le 13 novembre 1964, Sylvain, le 11 juillet 1967, et la benjamine, Julie, le 2 décembre 1970. Puis, ce fut «boutique fermée». Madame Durelle ne voulait plus d'enfants et son mari, satisfait de sa progéniture, avait dit à sa femme: «De toute façon, nous n'aurions pas de place pour un de plus, ils sont déjà deux par chambre.»

L'auto venait de s'immobiliser dans l'entrée du garage et Martial, regardant sa maison, laissa échapper un soupir qui en disait long. Jeanne, faisant mine de rien, descendit et ouvrit le coffre de la voiture pour y prendre ses effets personnels. Son mari s'empara des bagages et, une fois le tout déposé dans le salon, elle lui dit:

– Ne réponds surtout pas si le téléphone sonne. Ça pourrait être un des enfants…

– Voyons! Ils nous savent en vacances jusqu'à la semaine prochaine! Et ils ont le numéro de notre portable. On ne peut pas faire les morts durant cinq jours. Imagine s'il y avait une urgence!

– Oui, tu as raison, il faut les prévenir de notre retour, mais sans leur parler de notre décision. Il faudrait trouver une autre raison…

– Laquelle? Que l'un de nous est malade? On ne peut pas leur mentir ainsi, Jeanne. Ce serait les inquiéter pour rien.

– C'est vrai! Mais je pourrais peut-être leur dire que Dolorès n'est pas bien, que j'ai préféré revenir pour elle?

– Non, ma femme. Tu vas les appeler et leur dire tout simplement, honnêtement, que nous avons décidé de nous séparer. Le plus tôt sera le mieux et j'en éprouverai un soulagement.

– Je suis incapable de faire ça au bout du fil, Martial. Je ne trouverais pas les mots…

– Alors, choisis l'un des enfants et invite-le au restaurant. Ensuite, la nouvelle va se répandre comme une traînée de poudre.

– Roger, peut-être?

– Heu! non. Je ne te le conseille pas. Avec son tempérament… Et comme il est professeur et très conservateur… Tu te vois recevoir une leçon en public? Moi, c'est le dernier à qui je voudrais l'annoncer. Je connais ses réactions.

Jeanne acquiesçait de la tête et songeait:

– Carole! C'est à elle que je vais le dire en premier. Entre femmes, ce sera plus facile. Et comme elle est compréhensive, celle-là…

– Pas sûr, moi! Pas à ce point-là! J'avais pensé à Sylvain, le plus doux, «l'agneau» comme tu l'appelais quand il était petit. Mais, d'un autre côté, tu as peut-être raison. Entre femmes, ce sera plus facile, je crois. Il y a bien assez de moi qui aurai à affronter les garçons. On a beau dire, mais qu'on le veuille ou non, c'est moi qu'ils vont blâmer, mes deux gars. Surtout Roger…

– Cesse de t'en faire, Martial. Ils ne vont quand même pas nous dire comment agir à notre âge. Et puis, le respect des parents, tu l'oublies?

– Non, pas une miette, mais je pense qu'il va prendre le bord ce respect-là, quand on va leur annoncer qu'on se sépare.

– Et si c'était à eux que ça arrivait, les aimerions-nous moins, nous deux?

– Non, sans doute, parce que ce serait plus normal si c'était eux, Jeanne.

La mère et la fille avaient convenu d'un rendez-vous dans un restaurant de la rue Saint-Hubert, au cœur de la Plaza, pour dix-huit heures. La veille, lors de l'appel de sa mère, Carole était restée perplexe. Elle se questionnait sur ce retour précipité de l'Île-du-Prince-Édouard, mais sa mère l'avait rassurée tout en lui rappelant de ne parler à personne de leur rencontre, sauf bien entendu, à Jean-Louis, son époux. C'est donc après une journée de travail dans le magasin grande surface où elle était vendeuse que Carole s'était présentée au restaurant où l'attendait sa mère. La bise faite, les mots d'usage échangés, elles commandèrent avant que l'entretien s'amorce. Et c'est Jeanne qui rompit la glace:

– Tu travailles toujours aussi fort? De bonnes journées?

– Si on veut, maman. L'été, c'est moins occupé, plusieurs personnes sont encore en vacances. Mais là, avec la rentrée des classes qui s'en vient, on va sûrement faire du temps supplémentaire.

– Et toi, tes vacances, tu les prends quand?

– Début octobre, Jean-Louis ne peut les prendre avant.

– Vous planifiez quelque chose? Un petit voyage?

– Heu… non, pas vraiment. Nous avons fait recouvrir un plancher dernièrement…

– Carole! Bon sang! Vous travaillez tous les deux, vous n'avez pas d'enfants, ne viens pas me dire que votre budget ne vous permet pas un petit voyage quelque part! C'est lui qui rechigne, hein? Toujours aussi près de ses sous, ton mari? Je ne sais pas comment tu fais…

– Maman! Tu ne m'as sûrement pas invitée ici pour me parler de Jean-Louis! De toute façon, lui et moi, ça va, on est bien…

– Parce qu'il t'a rendue pareille à lui, Carole! Tu es en train de devenir pingre, toi aussi! C'est contagieux, ce vice-là! Regarde-t-il encore si le papier de toilette se déroule trop rapidement? As-tu droit à plus d'un sachet de sucre qu'il pique dans les restaurants pour ton café maintenant? Ah! lui!

– Maman, je t'en prie, changeons de sujet et dis-moi ce qui t'amène ici. Pourquoi avez-vous écourté vos vacances, papa et toi?

Jeanne, reprenant son souffle après l'emportement passager, lui répondit tout en beurrant son pain:

– Tu es la première que je convoque, Carole, parce que je pense que tu comprendras. Tu as toujours été à l'écoute…

Avalant une cuillerée de son potage, Carole ne disait rien sans pour autant quitter sa mère des yeux.

– Tu ne me demandes pas ce qui se passe? chuchota la mère.

– Bien… je suis à l'écoute comme tu dis et, tantôt, je t'ai questionnée sur tes vacances interrompues et tu ne m'as pas répondu.

– C'est vrai, excuse-moi, j'avais la tête ailleurs, mais je ne te ferai pas languir plus longtemps. Ton père et moi, on se sépare, on se quitte. Voilà pourquoi nous sommes revenus plus tôt que prévu.

Carole faillit renverser sa cuillerée, mais camouflant sa stupéfaction, elle déposa l'ustensile dans le bol et répondit calmement à sa mère qui la fixait du regard:

– Je ne te crois pas. Tu blagues ou quoi?

– Je n'ai plus l'âge des plaisanteries, ma fille. Ton père et moi, nous nous quittons. Et sache que c'est là une décision que nous avons prise à deux.

De nouveau anxieuse, les mains moites, Carole s'écria:

– Maman! Voyons! Pourquoi? Vous vous entendez si bien…

– Bien sûr, on ne se dit plus rien! C'est le silence, Carole, l'absence totale de présence l'un à l'autre. Tout ça sous le même toit. On ne s'entend pas si bien comme tu dis. On se tolère, on s'endure et ton père, tout comme moi, n'a plus envie de cette vie à deux qui nous fait mourir d'ennui. C'est fini, Carole, le bail est terminé. Nous aurions pu le faire avant, nous aurions dû le faire, nous nous sommes retenus pour vous quatre, les enfants. Mais là, au seuil d'une vieillesse insupportable qui s'en vient, mieux vaut nous séparer et tenter d'être heureux chacun de son côté.

– Mais…

– Attends, laisse-moi poursuivre. Je te parlais de l'ennui et sache qu'il peut être mortel, ma fille. Alors, avant d'en arriver à exister ensemble dans une angoisse constante, nous avons discuté et en sommes venus à la conclusion que ce serait là la meilleure solution. Nous allons vendre la maison, nous partager les biens et je vais aller vivre avec Dolorès. Lui ne sait pas encore où il ira, mais c'est son problème, pas le mien. Et ça ne sera pas long, nous mettons la maison en vente dès demain.

– Sa petite maison? Maman! Papa ne vivait que pour elle. Il disait vouloir mourir là où nous avions grandi… C'est pas possible tout ce que tu me dis là. Je ne peux pas croire qu'il soit d'accord et que ce soit une décision des deux. Tu l'as sans doute convaincu…

– Tiens! La pierre! Je savais que je serais celle à qui on la jetterait! J'avais pourtant pensé que toi…

– Je ne lance rien, maman, je constate. Papa a toujours fait ce que tu as voulu. C'est toujours toi qui as tout dirigé à la maison. Il te remettait ses payes, tu lui donnais l'argent pour ses dépenses…

– Ça, c'était jadis, ma fille, quand vous étiez jeunes. Nous avions des dettes à honorer, je ne travaillais plus…

– Tu n'as jamais travaillé, il t'a toujours fait vivre, maman!

– Je ne peux pas croire que ces mots viennent de la bouche d'une femme! De ma fille en plus! Il m'a toujours fait vivre? Non, Carole, il m'a entretenue, lavée, nourrie, logée, pour que j'élève les quatre marmots que j'avais! Accrochés à mes jupes! Comme bien des femmes de mon temps. Mais toi, tu ne peux pas comprendre ça, tu n'a jamais eu d'enfants. Et tu sais pourquoi? Pas parce que tu n'en voulais pas, mais parce que ça aurait coûté de l'argent à ton avare de mari! Je sais qu'il a toujours tenu à ce que tu travailles. Il te fait déposer ton salaire dans votre compte conjoint et c'est lui qui gère tout. Le marché avec des bons de rabais, le détergent du *Dollarama,* les restes de pains de savon qu'il ramasse pour les faire fondre au micro-ondes et ensuite les mettre au congélateur…

– Maman! Assez! Où donc as-tu pris tous ces ragots-là?

– Chez toi, Carole. Pauvre petite fille… J'ai vu tes barres de savon de toutes les couleurs, trop grosses pour le porte-savon. J'ai vu ce que contenait ton garde-manger quand tu l'ouvrais. Je n'ai rien dit, mais j'ai tout vu. D'ailleurs toute la famille est au courant que Jean-Louis est le plus grand radin de la terre. On le connaît, tu sais…

Vexée, gênée, Carole regarda sa mère et baissa la voix:

– On s'éloigne du sujet, maman. Tu m'invites pour m'annoncer votre séparation et voyant que je suis quelque peu réfractaire, tu te défoules sur mon mari. Tu fais même son procès…

Piteuse, regardant autour d'elle, Jeanne avala une gorgée de vin avant de répondre:

– Tu as raison, Carole, mais je m'attendais à plus de compréhension de ta part. Ne vois-tu pas que ton père et moi… Écoute, ça fait dix ans que nous faisons chambre à part. Dès que Julie est partie pour être plus précise. Mais ça fait beaucoup plus longtemps que tout s'est éteint entre nous. Nous en étions au stade du compagnonnage quand, un certain matin, je l'ai forcé à me suivre et à prendre place dans la chaise longue au haut de la colline. Il fallait qu'on en finisse, qu'on dénoue le nœud avant qu'il soit trop tard. Nous n'avons pas voulu attendre que l'un des deux tombe malade, tu comprends?

– Oui, je comprends. Mais, que veux-tu, ça me dépasse, maman! Roger et Sylvain planifiaient déjà une soirée pour vos noces de rubis en octobre. Alors, imagine la surprise!

– Oui, je l'imagine. Mais ça vous épargnera des frais et ce sera plus honnête envers nous de n'en rien faire. Car, des noces de rubis dans l'état de notre couple, ce serait de la fumisterie. On ne fête pas ainsi un couple qui ne s'aime plus. Vous auriez dû vous en apercevoir, il me semble que c'était assez clair, non?

– Bien… si tu le dis, mais remarque qu'on ne s'attend pas à des effusions de la part de parents qui vieillissent. C'est plus discret…

– Carole! Ne joue pas les naïves, voyons! On ne se prenait même plus la main, ton père et moi. Il ne m'offrait même plus son bras. Plus distant, plus froid que cela, il n'y a… Non, je ne vois pas… Qu'importe! De toute façon, c'est fait, c'est irrévocable, et j'aimerais que ce soit toi qui l'annonces à tes frères. Ensuite, ton père et moi les affronterons. Surtout Roger que je vois d'ici monter sur ses grands chevaux, mais je l'attends de pied ferme, celui-là. Pour ce qui est de Julie, je m'en charge, je vais l'appeler.

– Je suis sûre que ça ne va pas la déranger, elle. La petite sœur qui, loin de nous aux États-Unis, se fiche pas mal de ce qui se passe dans la famille. On sait bien, elle est actrice! une actrice qui joue, comme disait Jean-Louis, dans le même petit théâtre du Rhode Island depuis cinq ans. Pour les mêmes spectateurs! Une actrice qui profite des largesses de Warren…

– Tiens! Langue sale, ton mari, en plus d'être pingre? Je ne suis pas certaine que Julie ne va pas sursauter. La petite «chouette» à son père va sûrement s'inquiéter pour lui. Il l'a bien gâtée, sa petite dernière, elle va sûrement se ranger de son côté. À moins qu'elle soit ingrate, comme dit ton mari.

Carole ne releva pas la remarque et, regardant sa mère, demanda:

– Tu ne crois pas qu'il serait plus sage que je parle à papa avant d'informer Roger et Sylvain de votre décision?

– Non, ton père ne veut pas avoir à s'expliquer avec qui que ce soit. Ni avec ses fils ni avec ses filles. Tu le connais? Il va rester muet. C'est moi qui tenais à vous en parler avant de passer aux actes. Alors, libre à toi de faire ce que tu veux maintenant. Et si tu préfères que ce soit moi qui le leur annonce…

— Non, maman, je vais le faire. Mais pas ce soir. Je vais commencer par digérer moi-même la nouvelle, je vais en parler à Jean-Louis et, demain, j'avertirai les autres.

L'addition avait été réglée et, soulagée d'avoir pu se dégager de cet aveu qui ferait boule de neige, Jeanne se leva, embrassa sa fille, puis la regardant se diriger vers sa voiture alors qu'elle-même hélait un taxi, elle l'interpella une dernière fois pour lui lancer de la portière entrouverte:

— Et tu sais, je ne retire rien de mes paroles concernant ton mari!

Le lendemain soir, Carole, une fois la stupeur maîtrisée, téléphona à Roger pour lui annoncer la nouvelle. Rentré de l'école secondaire où il enseignait, ce dernier était en train d'aider ses deux jeunes fils, Gabriel et Charles, à faire leurs devoirs, alors que son épouse, Line, rangeait les chaudrons propres dans le tiroir de la cuisinière. D'abord atterré, puis outré par les dires de sa sœur, il rétorqua:

— Bien, voyons! Sont-ils en train de devenir fous, ces deux-là? C'est sans doute passager, Carole. Un malentendu qu'ils vont vite régler.

— Désolée, mais maman semblait sérieuse. Ils ne seraient pas revenus une semaine plus tôt de French River juste sur un coup de tête.

— Aïe! Qu'est-ce qu'ils pensent? On a un nom, nous autres, des enfants! Et puis, voyons, à leur âge! Laisse-moi ça entre les mains, je vais tout arranger, je vais leur parler. Comme si ça se pouvait d'agir comme des enfants quand on est grands-parents!

Ayant raccroché, Roger regarda sa femme et lui murmura pour que les petits gars n'entendent pas:

– Sais-tu ce qu'elle vient de me dire, celle-là? Il paraît que le père et la mère veulent se séparer. Comme si ça se pouvait!

Line releva la tête, le regarda et répondit calmement:

– Moi, ça ne me surprendrait pas. Depuis le temps… Puis, connaissant ta mère, elle n'a pas l'habitude de jeter des idées en l'air. Pas facile de vivre avec ton père qui ne parle pas, qui ne bouge pas, qui lit sa *Presse*… Ta mère doit être au bout de sa corde.

– Sa corde? Es-tu folle ou quoi? Le père l'a toujours portée sur la main d'aussi loin que je me rappelle. C'est elle qui décidait de tout et lui, soumis, suivait comme un petit chien.

– Justement, Roger, c'est peut-être pour ça que la laisse a cassé!

– Va pas plus loin, j'ai pas envie de m'obstiner ce soir. C'est de mes parents qu'il s'agit, c'est moi qui les connais. Je vais m'arranger avec ça et crois-moi, si c'est sérieux, ça ne se fera pas! Ils vont me passer sur le corps avant! Maudit! À leur âge! Ça s'peut-tu?

Sylvain, de son côté, avait accueilli la nouvelle sérieusement. Analysant la situation de ses parents sous tous les angles, il tentait de leur donner tort ou raison. Pascale, son épouse, avait baissé le volume du téléviseur et Maude, leur fillette de trois ans, ne prêtant guère l'oreille, était occupée à jouer avec ses poupées avec qui elle faisait la conversation. Quand Sylvain rapporta les propos de sa sœur à sa femme, elle sursauta d'indignation.

– Tiens! Grand-papa et grand-maman qui se séparent! Ça va être beau pour la petite, ça! Moi, là, ta mère… Lui, ça va, mais elle!

– Ils sont quand même en âge de prendre leurs décisions. On n'a pas à s'en mêler. Ils ont sans doute leurs raisons.

– Épais! Tu gobes ça comme si de rien n'était, toi! Ton père et ta mère parlent de se séparer et tu ne lèveras pas le petit doigt pour les en empêcher. Je te reconnais bien, va! Faible, sans vertèbres…

– Je n'ai pas à juger mes parents, Pascale, je les respecte.

– Bien oui! Pourquoi ne pas leur embrasser les pieds un coup parti?

– Là, tu vas trop loin! Pourquoi je m'en mêlerais? Je n'ai pas à intervenir dans ça… Donne-moi juste une bonne raison de le faire.

– Pour l'honneur de la famille, voyons! Et pour la petite! Penses-y, c'est une Durelle elle aussi!

Pendant que Sylvain se taisait et que Pascale le morigénait, pendant que Roger vociférait et que sa femme comprenait, Carole, assise au salon avec son mari, clamait:

– Voilà! Ils sont avisés? Qu'ils s'arrangent avec eux maintenant!

Jean-Louis, calculant les intérêts de ses derniers placements, releva légèrement la tête:

– Ça veux-tu dire que tu n'as pas l'intention de t'en mêler?

– Je n'ai pas à le faire! C'est leur choix et je suivrai ça de loin. Je n'ai pas envie d'arbitrer, moi! Pourquoi me demandes-tu ça?

Indifférent à la situation, au revirement et à la séparation, mais flairant l'avoir et les pensions de son beau-père, il répondit doucereusement:

– Bien… parce que… Puis, aussi bien te le dire… Crois-tu que ton père serait intéressé à venir habiter avec nous?

Chapitre 2

Avant d'affronter ses fils qui habitaient tout près, Jeanne tenait à aviser elle-même la benjamine de la famille, qui vivait à Providence aux États-Unis, de leur décision de couple. Dès son réveil, après avoir avalé en vitesse un jus d'orange, elle regagna sa chambre avec le téléphone sans fil pour appeler Julie avant qu'elle ne parte pour une répétition ou autre chose. Madame Durelle eut de la chance puisque c'est sa fille qui répondit dès la première sonnerie, ce qui lui évitait de tomber sur la boîte vocale qu'elle redoutait. Après les bonjours et la surprise de Julie d'avoir sa mère si tôt au bout du fil, Jeanne la rassura promptement:

– Ne t'en fais pas, rien de grave, ton père va bien, moi aussi, toute la famille se porte bien.

– Mais tu m'appelles de la maison, maman? Et vos vacances?

– Nous les avons écourtées, je t'expliquerai tout ça dans un moment. Mais toi, comment vas-tu? Toujours heureuse avec Warren?

– C'est un homme merveilleux, maman. L'homme qu'il me fallait. D'ailleurs, pourquoi en douter? Tu l'as vu plus d'une fois...

– Oui, un être charmant dont je ne doute pas, loin de là, mais j'ai toujours craint votre différence d'âge.

– Voyons maman, il n'a que dix ans de plus que moi! Et tu sais, avec le temps, ça ne paraît même plus. Il a l'air si jeune, il est si beau…

– Bon, bon, tu es une inconditionnelle de ton homme, à ce que je vois…, répliqua la mère en riant.

– Non, non, il a ses défauts, j'ai les miens, on a nos différends, mais ça s'arrange. Tu sais, deux dans le même métier…

– Ta carrière, ça va? Ça comble tes besoins? Tu en es fière?

– Le théâtre, c'est ma vie, maman! Nous avons joué *Forty Carats* à guichet fermé durant deux mois. Ici, à Providence même! Une vieille dame nous a même dit que notre version était supérieure à celle qu'elle avait vue avec June Allyson, à New York, dans les années 70. Tout un compliment! Surtout venant d'une femme d'une femme qui a été jadis journaliste! Imagine! Et là, Warren vient d'écrire une pièce originale qui s'intitule *Together* et dans laquelle j'aurai, bien sûr, le rôle-titre. Le scénario est presque terminé et, selon lui, il est certain qu'avec quelque chose de neuf comme *Together,* nous courons la chance de la présenter à San Francisco et même à New York, *off-Broadway,* si elle obtient le succès escompté ici, à Providence.

– Et son ex-femme, pas de problèmes avec elle?

– Non, après nous avoir embêtés à quelques reprises, elle s'est évaporée. Elle vit maintenant à Dallas avec un type passablement riche. Warren en est délivré… Mais tu sais, ce harcèlement n'aurait pas pu durer, ils n'avaient pas d'enfants après tout. Un divorce sans enfants, ce n'est que la fin d'un contrat… Mais, dis-moi, tu ne m'as quand même pas appelée si tôt que pour me poser toutes ces questions. Tu as quelque chose à me dire, toi! Je te connais, maman, tu es assez prévisible…

– Pas toujours, ma fille! Et ce que j'ai à t'annoncer va te prouver le contraire. Écoute, Julie, j'irai droit au but, ton père et moi avons décidé de nous séparer.

Julie, au bout du fil, ne disait mot.

– Es-tu là? Tu ne réponds rien…

– C'est que… Ça ne me surprend pas, maman. Je commençais de moins en moins à croire que ça allait arriver mais, lorsque j'étais encore à la maison, j'ai maintes fois pensé que ce serait pour vous deux la meilleure solution.

– Nous étions en train de mourir d'ennui, Julie.

– Oui, je sais, et tu n'as rien à m'expliquer, maman. Il y a longtemps que je me suis rendu compte que vous n'étiez pas heureux ensemble. Papa avait cherché du réconfort auprès de moi… J'ai toujours été sa chouette depuis que je suis toute petite et je crois, qu'avec le temps, j'étais devenue sa bouée. Mais vous étiez à French River, comment cela est-il arrivé? J'avoue que c'est soudain… Surtout en vacances! Un paradis sur terre, selon toi.

– Oui, un magnifique panorama que j'admirais seule, Julie. Comme chaque fois. Deux chaises longues, une seule occupée chaque matin… Il faisait beau à en rêver et, pourtant, mon cœur a explosé. J'étais rendue au bout de ma tolérance, au bout de ma tendresse, à la toute fin de mon attachement. De fil en aiguille, d'un regard à un autre, j'ai rompu la glace et notre vie à deux a cédé sous nos pas. C'est fait, Julie. Ça se fera.

– Et lui, maman? Comment papa prend-il la chose?

– Assez bien. C'est notre décision, Julie, pas seulement la mienne. Je ne le quitte pas, il ne s'en va pas, nous mettons tout simplement un terme à notre union… pendant qu'il en est encore temps.

– Pour une nouvelle, c'en est toute une! s'exclama la fille. Mais je respecte ce choix, maman, je m'incline devant votre décision qui vous rendra peut-être plus heureux tous les deux. Vous avez élevé la famille, vous avez traversé plusieurs années sans amour ou presque, dans le seul but de ne pas nous blesser, il est normal que vous repreniez tout ce temps perdu chacun de vôtre côté.

— Ah! mon Dieu! Si seulement les autres réagissaient comme toi!

— Pourquoi en serait-il autrement? C'est votre vie, non? Alors…

— Carole semble compréhensive, mais je n'ai pas encore eu de nouvelles de tes deux frères. C'est elle qui avait la pénible tâche de les aviser hier soir. Ils vont sûrement surgir au bout du fil pour en savoir davantage. Toi, je préférais que tu l'apprennes de moi, avec mes mots, avec mon cœur.

— Maman! Comme si tu avais des comptes à me rendre! Moi, la plus jeune, celle qui vit avec un divorcé, selon Roger.

— Ah! lui! Il ne s'est pas encore manifesté, mais je le redoute celui-là!

— Maman, pour l'amour du ciel! Envoie-le paître! Il a toujours voulu diriger tout le monde! Son frère, ses sœurs, comme si nous étions ses élèves et lui le maître. Je suis certaine que les étudiants ne doivent pas l'aimer comme prof! Avec son air bête et arrogant…

— Je n'en sais rien, je ne le vois pas très souvent, mais sa pauvre Line lui semble soumise et ses enfants marchent à la baguette.

— Oui, mais pas ses parents! N'acceptez rien de travers de sa part! Dis-le à papa! Préviens-le!

— Si tu savais comme tu nous manques, toi. Ton père t'aime tant…

— Oui, je sais, et vous me manquez aussi tous les deux, mais là, si loin… Et qu'allez-vous faire? La maison, les meubles… Où allez-vous aller?

– Moi, c'est décidé, je vais aller habiter avec Dolorès, à l'Île-des-Sœurs, son condo est si grand. Crois-moi, c'est de bon cœur qu'elle m'y attend. Je vais vendre les meubles, ne garder que le nécessaire. En plus, comme je ne conduis pas et que Dolorès a une voiture, ça va régler un gros problème. J'ai beau prendre des décisions, je suis dépendante, tu sais. Sans sa proposition d'aller vivre avec elle, j'aurais peut-être attendu encore, je n'ai jamais vécu seule.

– Et papa? Que va-t-il faire?

– Je n'en sais rien, Julie, il devra se caser, faire son choix, je ne m'en mêle pas. Depuis le temps qu'il prétend être indépendant... On verra bien, mais chose certaine, nous vendons la maison.

– Ce qui doit lui crever le cœur, non?

– Oui, *a priori,* bien entendu, mais il a compris que c'était la seule solution. D'ailleurs, ton père ne vivrait pas seul dans cette maison devenue trop grande avec les ans, meublée de souvenirs. Ça le ferait dépérir. Nous allons vendre, nous partager les biens, partir chacun de son côté... Il va trouver à se loger, ne crains rien. Il a encore un vieil ami du temps de son travail qui va sûrement le conseiller. Et puis, vous autres, les enfants, vos idées...

– Envisagez-vous le divorce avec le temps?

– C'est drôle, mais tu es la première à poser cette question. Moi-même, je n'y ai pas songé. Ni ton père, ni Carole... Je te répondrais non, Julie. Juste une séparation de corps, chacun de son bord, sans rien déranger à tout ce qui avait été planifié advenant le départ de l'un avant l'autre. Ne plus vivre ensemble, que cela, je ne crois pas que ce soit trop demander à la vie après tant de compromis.

– Tu as raison, maman, et sache que je vous approuve de tout cœur. Écoute, il faut que je te laisse, j'ai une répétition en salle aujourd'hui, je n'ai pas encore pris ma douche… Sans parler de cet interurbain qui va te coûter passablement cher.

– Pas d'importance! Si tu savais comme je me sens soulagée de t'avoir parlé. Ton père sera lui aussi délivré d'un gros poids; il craignait tellement de te faire de la peine.

– Rassure-le, maman, et dis-lui que lorsque ce sera fait, il pourra venir se réfugier ici le temps de s'en remettre. Dis-lui aussi que je serais très heureuse qu'il vienne me voir sur scène. Warren serait également enchanté, il en parle toujours avec amabilité. J'y pense, dis à papa que j'aimerais qu'il soit auprès de moi au début de décembre alors que je fêterai mes trente ans. Dis-lui que «sa chouette» en serait comblée! Nous pourrions célébrer, boire du bon vin…

– Oui, je vais le lui suggérer, mais pas plus. Il te faudra l'appeler toi-même pour insister. Et pour le rassurer, l'épauler. Toi seule pourras le remettre sur pied, Julie. Ce n'est pas de gaieté de cœur que se fait une rupture. Il aura besoin de ton aide car, qu'on le veuille ou non, c'est toujours plus difficile pour un homme, une séparation. Surtout après tant d'années…

– Oui, je sais, voilà pourquoi il devra s'évader. J'y verrai, maman.

– Alors, embrasse Warren de ma part, et dis-lui que je lui souhaite toute la chance du monde avec sa nouvelle pièce.

– Et moi?

– Toi? C'est gagné d'avance, Julie! Tu as du talent à revendre!

Elles avaient raccroché, Julie, pressée par son horaire de la journée, et Jeanne, soulagée d'avoir gagné le cœur et la compréhension de sa benjamine qui, pourtant, avait toujours eu un faible pour son père malgré l'amour qu'elle vouait à sa mère. Ne venait-elle pas de le prouver encore une fois? N'était-ce pas lui qu'elle avait invité pour son anniversaire, sous prétexte de lui changer les idées? Jeanne avait fermé les yeux sur cette «préférence», car tout ce qu'elle souhaitait, c'était que sa petite dernière ne la tienne pas responsable de cet échec matrimonial, ce qui l'aurait atterrée. Mais non, aucun reproche, que son appui et sa bienveillance. Parce que la chouette à son père savait depuis toujours qu'il n'y avait jamais eu, entre Jeanne et Martial, une grande histoire d'amour.

Martial s'était levé après Jeanne et, préparant le café, avait entendu les dernières bribes de la conversation au téléphone. Avant qu'il demande quoi que ce soit, Jeanne prit les devants: «La petite a compris. Je n'ai pas eu à m'expliquer longuement avec elle.» Voyant qu'il ne réagissait pas, elle s'empressa d'ajouter: «Elle aimerait bien que tu ailles la visiter, en début décembre si possible, pour fêter ses trente ans avec elle.» Brassant son café pour en diluer le sucre, Martial répondit évasivement: «On verra, j'ai bien d'autres chats à fouetter d'ici là.»

Au cœur de l'après-midi, alors que Jeanne cherchait, parmi les nombreuses cartes glissées au fil des jours dans la fente aux lettres, le nom d'un agent immobilier, le carillon se fit entendre. Surprise, n'attendant personne, elle alla ouvrir pour se trouver face à face avec Roger et sa femme. Sachant très bien ce qui les amenait, elle était néanmoins déçue de voir apparaître sa bru dans le décor. Ce qui leur arrivait était strictement personnel et devait être discuté avec leurs enfants, pas avec les conjoints. Polie, elle les invita à passer au boudoir où elle leur servit le café alors que Martial, troublé par leur présence, tentait d'éviter le plus possible le regard de son fils aîné. Ce dernier, sans plus attendre, leur lança du haut de sa grandeur:

– J'ai pris congé cet après-midi, Line également. Je voulais qu'elle soit là. Les garçons sont en classe et je pense qu'on a des choses à mettre au clair avec vous deux, vous ne trouvez pas?

La mère, calme, détendue, souleva sa tasse pour la porter à ses lèvres et répondit:

– À mettre au clair? Non, Roger. À vous en informer seulement. Et comme c'est déjà fait, je te trouve bien solennel dans ton approche.

– Maman! Ce n'est quand même pas une mince affaire, ce que tu trames! C'est une séparation, bon sang! Ça mérite réflexion!

– C'est tout réfléchi, Roger, et ton père et moi n'avons pas besoin d'un conseil de famille pour avoir ou non votre approbation. C'est notre geste, notre décision, et je me demande bien de quel droit vous auriez à intervenir, Line et toi.

– Moi, je n'y suis pour rien, madame Durelle. Vous me connaissez? Je suis ici contre mon gré! J'avais dit à Roger…

– Tais-toi! lui lança ce dernier en la foudroyant du regard. Contente-toi d'être là, d'écouter et d'être témoin, c'est tout!

Martial qui n'avait rien dit depuis leur arrivée, s'emporta:

– Témoin de quoi? Depuis quand te mêles-tu de nos affaires, toi? On t'a demandé quoi que ce soit? Tu n'es pas à l'école devant tes élèves dociles, ici, Roger. Tu es sous notre toit. Ta mère t'a dit en deux mots que c'était notre décision? Tu n'as rien à ajouter. Tu n'as qu'à la respecter.

– Non, parce que je ne te crois pas, papa! C'est elle qui a décidé de cette séparation! Jamais tu n'y aurais songé! Pour toi, c'était à la vie, à la mort. C'est maman qui a tout planifié!

Jeanne allait répliquer lorsque le père, furieux, la précéda:

– Écoute-moi bien, toi! Tes affaires, pis dans ta cour! Tu as une femme, une famille? Occupe-toi d'eux autres! Des parents qui ont assumé leur devoir, ça n'appartient plus à leurs enfants. Ta mère et moi, on a fait assez de sacrifices pour tous vous mener à bon port sans penser à nous, qu'on a décidé de le faire maintenant. On se prend en main, elle et moi, on se dégage l'un de l'autre, on se libère, Roger. Et ne t'avise pas de blâmer ta mère pour ce qui arrive. C'est vrai que c'est elle qui a eu le courage de mettre les cartes sur table, mais ça faisait longtemps que j'y avais pensé. J'étais juste trop lâche ou, si tu préfères, je n'avais pas assez de cran pour l'affronter. Puis, j'avais peur de lui faire de la peine… C'est fait comme ça, un homme. Ça parle pas, ça endure en silence, ça angoisse et ça se rend malade à petit feu. Parce que ta mère, pour moi, ça ne voulait plus rien dire. Pas plus que j'étais nécessaire à son bien-être. Au contraire, c'est depuis qu'on a décidé de se quitter qu'elle a retrouvé le sourire et moi, un pouls normal. Est-ce assez clair?

Roger, estomaqué, ne savait plus quoi dire. Sa mère, troublée, bien que ravie du discours de son mari, avait laissé échapper une larme. Line, émue, sensible, regardait par la fenêtre. Le téléphone sonna, Jeanne regarda l'afficheur et dit à son mari: «Laisse sonner, c'est Carole, je la rappellerai plus tard.» Roger tournait en rond, serrait les poings devant la défaite et, pour ne pas s'avouer vaincu devant sa femme, reprit d'un second souffle:

– Et ta petite maison? Celle où tu voulais finir tes jours, papa?

– Oui, ça me rend triste, je l'aimais bien, mais j'en ferai mon deuil tout comme ta mère. J'ai fini par me dire que c'était de «l'attachement de vieux», ces choses-là. Je viens à peine de prendre ma retraite, j'ai encore de la sève dans les veines et puis, qui sait, il y a peut-être autre chose qui m'attend.

– Et toi, maman, c'est chez Dolorès que tu t'en vas? Comme si deux sœurs pouvaient être heureuses ensemble! Elle va te mener par le bout du nez! Moi, la tante Dolorès…

– Tu n'aimes personne, Roger! Pas même tes sœurs ni ton frère! lui répondit sa mère en guise de réplique.

– Bien, Sylvain, mou comme un ver de terre, la petite dernière qui se prend pour Vanessa Redgrave, et Carole, la bouche ouverte, soumise à son avare de mari… T'as su la dernière à leur sujet? Jean-Louis vient de s'acheter une Volvo flambant neuve! Payée *cash* à part ça! Lui qui gagne moins que moi à son petit poste à l'hôtel de ville et qui gobe les salaires de sa femme! Quand c'est pour lui, il se prive de rien, le radin! Mais c'est elle qui en pâtit. Savais-tu qu'il allait jamais chez le barbier, ce *cheap*-là? C'est elle qui lui coupe les cheveux avec ses ciseaux de cuisine bon marché. C'est vrai qu'avec sa calvitie… P'tite face de rat! Il l'empêche même d'ouvrir l'air climatisé de leur condo pour ménager l'électricité. Et pour sauver de l'eau chaude, ils vont prendre leur douche à la piscine de leur immeuble. Avec le savon et le shampooing qu'il pique dans les chambres d'hôtel quand on l'envoie sans raison à l'extérieur. Leur pharmacie est pleine de petites bouteilles de toutes sortes, de petits savons pis de verres de plastique pour ménager leur lave-vaisselle. Line a tout vu quand elle est allée chez Carole. Aussi…

– Roger, ça suffit, tu n'es pas ici pour déblatérer contre ta sœur. Et comme Carole est heureuse avec Jean-Louis…

– Elle est devenue aussi pingre que lui, maman! Ça s'attrape!

Line, regardant les tableaux sur les murs, se remettait péniblement de ses émotions. Surtout des rougeurs apparues à ses joues quand Roger avait dit que c'était elle qui avait tout vu, donc… colporté! Jeanne, retrouvant son aplomb, lui répéta:

– Tu vois bien que tu n'aimes personne, Roger. Tu viens de jeter ta hargne tour à tour sur les trois.

– Avec raison! Drôle de famille que la mienne… Mais j'aime ma femme et mes enfants, maman!

– Alors, grand bien te fasse, mon fils, parce qu'à t'entendre, nous ne sommes même plus de cet élan, ton père et moi.

– À part vous deux, voyons! On dirait que c'est moi qui suis en cause alors qu'on est ici pour votre séparation. Ça fait drôle, non?

– Si tu veux, mais il serait inutile de poursuivre cette discussion. Vous êtes au courant? Vous n'avez qu'à ne plus vous en mêler! les somma le père.

– Et vous ne perdrez pas vos parents pour autant…, murmura Jeanne.

– Bien, ça va être du joli, ça! Grand-maman qui va venir nous visiter puis, un autre jour, ce sera grand-papa. Imagine Gabriel et Charles…

– Non, là, tu vas trop loin! s'emporta le père. Gabriel et Charles sont vos enfants, pas les nôtres! Nous les aimons, mais ce sont nos petits-enfants, Roger, et ta mère et moi n'allons pas nous priver encore une fois d'être heureux à cause de votre progéniture. Des enfants de parents séparés, ça se sait à l'école, j'en conviens, mais quel enfant va être marqué et avouer aux amis que ses grands-parents ne vivent plus ensemble? Allons! Pense avec ta tête, Roger! Pour un enseignant, tu es loin d'avoir appris toutes tes leçons! Tu as sauté un cours ou deux, toi!

– Traite-moi donc d'abruti, un coup parti! J'ai toujours été ta bête noire, papa, je le sais. L'aîné! Celui à qui on ne passe rien! Et c'est toi qui parfois me trouves rigide avec mes enfants? Ce que je suis, c'est ce que tu as fait de moi! Je devais être parfait, moi! Donner l'exemple! Le service militaire, quoi!

Et quand je tentais d'être enjoué comme les autres, tu me dardais de ton regard sévère! La petite dernière, elle…

– Assez, Roger! Tu ne vas pas dérouler ma vie et tenter de régler des comptes avec moi aujourd'hui! Je pense avoir été un bon père…

– Oui, Martial, un très bon père! l'interrompit Jeanne, avant que le débat ne dégénère.

Puis, regardant son aîné, elle ajouta:

– On a tous nos torts comme parents, moi la première, mais quand on se dévoue avec son cœur… Et c'est ce qu'on a fait, ton père et moi.

Sentant une fois de plus la défaite et voyant son père se lever, les quitter et ouvrir le téléviseur du salon, Roger se leva à son tour.

– Viens, Line, on n'a plus rien à faire ici, nous autres.

Sa femme allait le précéder lorsque, se retournant, il lança à sa mère:

– Mais je suis loin d'être d'accord avec votre décision. On ne s'endure pas si longtemps pour se séparer sur un coup de tête. Les trois quarts du chemin de fait, à part ça! Et ne viens pas me dire, maman, que c'est partagé cette décision-là. Il n'y a pas un homme de son âge qui veut se retrouver tout seul. Les hommes de cette génération sont démunis, ils ne savent ni cuisiner ni comment faire fonctionner un lave-vaisselle. Non, ce sont les femmes, celles qui savent tout faire dans la maison qui veulent prendre le bord et abandonner leur mari à leur sort. Comme pour se venger de n'avoir eu que des enfants à élever. C'est pitoyable…

Jeanne, blafarde mais calme, le regarda droit dans les yeux.

– Tu juges ta mère, Roger. Va-t-en… avant de devenir vraiment méchant.

Il sortit rapidement pour se diriger vers sa voiture alors que Line, embarrassée, trouva le moyen de dire à sa belle-mère:

– Je n'y suis pour rien, madame Durelle. Je ne voulais pas venir et je suis de votre côté, moi. C'est votre droit…

– Si tu savais comme je te plains parfois, mais avec le temps, ça passera. Roger a quand même un bon fond… Embrasse les enfants.

La porte refermée, Jeanne retrouva son mari au salon et lui dit en laissant échapper un soupir de soulagement:

– Merci de m'avoir appuyée comme tu l'as fait. Sans toi, je me serais sentie maintes fois acculée au pied du mur. Celui-là…

Martial baissa le volume de l'appareil, leva les yeux sur elle et lui avoua:

– Tu sais, tout ce que je lui ai dit, je le pensais. Sauf une chose que j'ai lancée comme ça, pour le secouer.

– Ah oui? Laquelle?

– J'ai menti, Jeanne, quand je lui ai crié… que tu ne voulais plus rien dire pour moi.

Ils ne leur restait plus que Sylvain à affronter, celui que ses parents redoutaient le moins. Doux, affable, tendre, stable, il occupait le même emploi dans les bureaux d'Hydro-Québec depuis ses vingt ans. «Pousseux de crayon…» comme disait Pascale, sa femme ambitieuse qui aurait souhaité qu'il soit politicien, lui qui avait peine à s'exprimer durant les réunions hebdomadaires avec les collègues et le chef de service. Alors que Pascale, à l'emploi d'un magazine axé sur la société, s'élevait contre tout, le gouvernement comme le pape. Le feu et l'eau que ces deux là, selon ceux qui les regardaient vivre. Malgré leur petite Maude, à qui sa mère reprochait déjà d'avoir le caractère de chiffon de son père. C'est sur les instances de sa femme que Sylvain téléphona à ses parents pour tenter d'exprimer son mécontentement. Non de plein gré, mais de force. Parce que Pascale lui avait répété: «Remets-les à leur place! À leur devoir! Pour la petite qui porte leur nom!» Décidé, il prit une grande respiration et composa leur numéro. À ses côtés, sa femme avait promis de ne pas intervenir, de ne pas se manifester et, surtout, de ne pas l'influencer en quoi que ce soit.

C'est Martial Durelle qui répondit. Déstabilisé par le fait d'avoir son père au bout du fil, Sylvain ne se sentait plus aussi d'attaque. D'autant que son père l'accueillit avec complaisance.

– Qu'est-ce qu'il y a, mon grand? Tu appelles pour savoir s'il est vrai que ta mère et moi allons nous séparer? Alors, oui, c'est exact, et tu es le dernier avec qui nous allons en discuter, les autres ont tous appelé. Roger et Line sont même venus nous visiter.

Sylvain murmura:

– Ce n'est pas que ça me regarde, c'est votre vie, c'est juste que ça me surprend. Je ne pensais pas qu'on faisait cela à votre âge…

– À notre âge? Mais nous ne sommes pas octogénaires, mon grand! On entre à peine dans la soixantaine, ta mère et moi. En pleine possession de nos facultés et en bonne santé. Tu veux savoir autre chose?

– Heu! non… Mais la petite, c'est une Durelle, papa.

– Oui et après? La fille de Sylvain Durelle, pas de Martial.

Et le père de répéter le discours qu'il avait tenu à Roger au sujet de ses fils. Se rendant ensuite compte que Sylvain bégayait et s'empêtrait dans ses mots, il lui dit:

– Attends, je te passe ta mère, mon grand. Discute avec elle si tu veux, mais tu verras, ça ne changera rien.

Jeanne s'empara du récepteur et dérouta vite son fils dès le début.

– Écoute Sylvain, si c'est ta femme qui est derrière ça et qui te pousse à nous lancer ses dards à elle, dis-lui qu'elle perd son temps et de se mêler de ses affaires.

– Non, maman, ce n'est pas Pascale…

Entendant son nom, la bru sursauta et s'emporta:

– Tiens! La belle-mère pense que c'est moi! Alors, dis-lui que je trouve ça honteux ce qu'ils font! Pour la famille! Ils ne pensent qu'à eux, ils sont égoïstes! Pas même une pensée pour Maude, leur seule petite-fille!

Jeanne, ayant tout entendu, éleva la voix pour dire à son fils:

– Tu la fais taire, Sylvain, ou tu me la passes pour que je la remette à sa place, cette pimbêche-là!

– Non, non, maman, ce n'est pas ce qu'elle voulait dire…

– Tu veux savoir ce que j'en pense de ta femme? C'est une petite garce, Sylvain! Une femme haute comme trois pommes qui te mène par le bout du nez! Toi, un grand gars de six pieds qui, d'une main, pourrait l'écraser! J'ai toujours été contre ton choix, c'est une vilaine, cette petite peste-là! Tu aurais mérité beaucoup mieux! Si ce n'était pas de toi et de la petite, tu ne nous verrais pas chez toi. Nous faisons des efforts pour la tolérer, ton père et moi!

– Bon, bon, ça va, ne t'emporte pas, maman, ce n'est…

– Qu'est-ce qu'elle dit? cria Pascale. Elle parle contre moi, ta mère, non? Et tu ne me défends même pas! Tu peux me passer la ligne si t'es pas capable de lui faire face!

Sylvain, impatienté pour une fois, lui dit fermement en couvrant de sa main le récepteur:

– Plus un mot! Tais-toi et sors du salon, Pascale! Je savais que ça tournerait mal avec toi sur mes talons!

– Aïe! Change de ton! Tu parles à ta femme, Sylvain Durelle!

— Sors, que je te dis! lui lança-t-il avec des flammèches dans les yeux.

Étonnée de son emportement, un tantinet apeurée, Pascale sortit de la pièce pour retrouver sa petite fille dans la salle de jeux. Sylvain, reprenant l'appareil, dit à sa mère:

— Excuse-moi, maman, je suis seul à présent. Alors, c'est définitif, vous vous séparez, papa et toi?

— Oui, de plein consentement de part et d'autre. De plus…

Et Jeanne lui débita ce qu'elle avait raconté aux autres. La vente de la maison, son déménagement chez sa sœur Dolorès, la direction encore incertaine que prendrait son père, l'invitation de Julie à l'accueillir pour un certain temps, la compréhension de cette dernière, l'acceptation de Carole, l'obstination de Roger et, fatiguée, elle laissa échapper un soupir.

— Pardonne-moi, mais je suis épuisée. Répéter sans cesse depuis hier… Tiens, attends, je te repasse ton père.

Martial, plus détendu, reprit l'appareil.

— Tu as d'autres questions à me poser, mon grand?

— Heu… non, pas vraiment. Puisque c'est décidé. C'est votre vie, pas la mienne. Et comme je suis le dernier à vous appeler…

Martial qui aimait bien ce fils qui lui ressemblait sur plusieurs points, enchaîna:

— Ce sera mieux ainsi, crois-moi. Ta mère et moi avons besoin d'air tous les deux. Chacun de son côté, mon grand. Ce sont des choses qu'on constate avec le temps. Tout va bien, ne t'en fais pas. Et une séparation, dans notre cas, c'est seulement de ne plus vivre ensemble, mon gars. Mais nous serons sans cesse tes parents et nous serons toujours là pour toi.

Sylvain, secoué, ému, ne savait plus quoi répondre à son père. Après un grand soupir, sans même apercevoir Pascale qui le surveillait par l'embrasure de la porte, il termina en lui disant:

– Alors, papa, bonne chance. À tous les deux, bien entendu. J'espère que ça va bien aller chacun de votre côté. Dis à maman que je m'excuse de l'avoir épuisée. Et dis-lui que je vous aime bien tous les deux.

Apaisé, Sylvain avait raccroché et ne comptait pas rester soucieux face à l'inévitable qui se produisait. Il allait se lever lorsque Pascale fit irruption dans la pièce pour lui crier:
– Tu t'es laissé avoir, hein? Lui avec ses belles paroles, elle avec sa supposée fatigue. Épais! Lavette! Tu t'es laissé prendre dans leur filet sans même te débattre. Tu as mordu à leur hameçon comme une morue, Sylvain Durelle! Pas une seule objection de ta part, pas même un plaidoyer pour Maude qui aura à vivre avec des grands-parents désunis. Roger n'a pas dû se laisser faire comme ça, lui! Il a une colonne vertébrale, lui! Mais toi, plus guenille que ça, faut le trouver! Pas un mot plus haut que l'autre, pas la plus petite observation, tu leur as même donné ta bénédiction. En tout cas, des grands-parents séparés, finis ici! Porte fermée! La petite n'a pas à se rendre compte…
Elle allait poursuivre, s'envenimer davantage, lorsqu'elle le vit se lever, froncer les sourcils, la pointer du doigt et lui crier avec rage:
– Ta gueule! T'entends? Ta gueule, Pascale, ou je te…
Il se retint juste à temps, sortit en claquant la porte et monta à son bureau pendant que sa femme restait clouée sur place par la fureur qu'elle avait décelée dans les yeux de son mari. Pour la première fois de sa vie, elle avait eu peur. Encore sous le choc, elle se réfugia auprès de sa petite Maude qu'elle prit dans ses bras comme pour la protéger de son père, devenu, selon elle, complètement fou, hors de lui, avec les yeux sortis de la tête. Sylvain Durelle qui, depuis le début de leur union,

n'avait jamais haussé le ton. Sylvain qu'elle menait là où elle le voulait. Comme on le fait d'un gros «nounours» avec un bon-bon. Sylvain dont la douceur avait fait place à la rudesse. Son gros mouton qui, soudainement, avait rugi plus fort qu'un lion!

Chapitre 3

Jeanne avait du mal à dormir. Les événements de la veille se bousculaient et, quoique forte devant l'inévitable, elle se sentait remuée par les diverses réactions de ses enfants. Au point de se demander si elle n'aurait pas dû attendre encore un peu, laisser passer les noces de rubis... Mais non! Il ne fallait surtout pas célébrer cet anniversaire et feindre, l'un comme l'autre, de s'aimer comme au premier jour. C'eût été malhonnête d'afficher un sourire, de regarder son homme avec tendresse et de le quitter par la suite. Et aussi peu sincère de la part de Martial qui, le premier, s'était éloigné d'elle de corps et de cœur. Parce qu'elle avait la conviction de l'avoir aimé, du moins, affectionné plus longtemps qu'il ne l'avait fait.

Elle revoyait Roger, avec ses principes, tenter de renouer ce qui s'était délié. Lui qui, pourtant, faisait partie de la génération montante. Il avait parlé de «l'honneur» de la famille, de «leur nom», comme si une simple séparation allait lui enlever ses droits et sa fierté. Son père et sa mère qui s'éloignaient l'un de l'autre... Rien pour en faire un drame, mais elle sentait que, face à son aîné, c'était elle qui était blâmable. Parce que Martial, plus silencieux, affichait de temps en temps une mine défaite et soupirait devant eux telle une victime, même s'il s'emportait parfois pour soutenir sa femme dans cette «décision à deux». Il le répétait si souvent que ça pouvait donner l'impression d'une habile manipulation de sa part à elle. Mais de toute façon, et ça elle le savait bien, dans une telle situation, surtout à leur âge, c'est d'abord sur la mère que se posent les regards désapprobateurs.

Malgré tout, Jeanne ne dormait que d'un œil, malheureuse de rendre ses enfants mal à l'aise. Pourtant ils avaient leur vie, eux aussi, leurs hauts et leurs bas, et personne ne s'en mêlait, surtout pas elle et son mari. Pourquoi les jeunes auraient-ils tout le loisir de faire ce que la vie leur permettait, mais pas eux? Parce qu'ils étaient trop vieux? On ne se quitte plus après soixante ans? On n'a pas le droit de refaire sa vie ou de la poursuivre, libérés, avec des cheveux poivre et sel? D'où venait donc un tel édit? Était-ce une loi votée par les enfants à l'encontre des parents?

Jeanne soupirait, tournait d'un côté et de l'autre, tentant de vaincre l'anxiété qui la minait. Ah! si seulement ils avaient tous réagi comme Julie! Mais non, Roger avait haussé le ton, Carole ne semblait pas tout à fait d'accord malgré sa résignation et Sylvain, incapable de trouver les mots pour exprimer sa déception, faisait mine de comprendre même si sa femme, petit gendarme, avait tout fait pour le pousser à leur exprimer sa hargne. Elle n'y était pas parvenue parce que, Sylvain, trop bon gars, avait trop bon cœur pour oser peiner ses parents. Pas le Sylvain débordant d'émotion que sa femme traitait de chiffon.

Même la réaction de Julie, quoique rassurante, avait été trop simple, trop naïve, trop rapide pour que sa mère ne se rende pas compte que sa benjamine vivait en parfaite égoïste. Depuis toujours, et davantage maintenant qu'elle vivait au loin.

Julie, la petite dernière, ne se souciait de personne d'autre… que d'elle-même! Jeanne se prenait la tête entre les mains, tout s'entremêlait. Tantôt oui, tantôt non… Ne venait-elle pas de penser que, si tous avaient réagi comme Julie, tout aurait été plus simple? Voilà qu'elle l'invectivait maintenant en lui reprochant son vil égoïsme. Pourquoi ce brusque changement? Était-ce dû au fait qu'elle avait invité son père plutôt qu'elle pour son anniversaire? Peut-être mais, trop fière pour l'admettre, se rappelant la vie passée de la «chouette à son père», elle ne voulait pas démordre de l'opinion négative qu'elle avait d'elle.

Dès le cégep, tous les garçons tournaient autour de Julie. Blonde comme les blés, jolie et bien découpée, elle les invitait à la fréquenter pour ensuite les laisser tomber. Sans rien leur dire de plus que… «j'en aime un autre». L'un d'eux avait même voulu l'épouser, ce fut là un mot de trop. Le lendemain, il était sorti de sa vie. Les cours d'art dramatique, de danse, de chant, son père ne lui avait rien refusé. C'était la petite dernière, sa chouette, pour laquelle il s'était pris d'affection parce qu'elle avait du tempérament et, selon lui, du talent. Pourtant Julie ne réussit pas à se hisser au rang de vedette dans sa grande cité. Quelques figurations, un rôle de soubrette dans un théâtre d'été, une seule réclame publicitaire et plusieurs auditions échouées, elle qui misait aussi sur sa beauté. Un comédien parla d'elle à un autre à New York, et Julie s'enticha de ce dernier jusqu'à ce qu'elle fasse la connaissance de Warren Blake, un metteur en scène récemment divorcé. Opportuniste, elle misa sur ce bel homme de dix ans de plus qu'elle pour devenir «actrice» mais, cette fois, elle en tomba réellement amoureuse. Tel un mentor, Warren lui demanda de le suivre à Providence où il ferait d'elle une grande dame du théâtre.

De fil en aiguille, attentive, soumise à celui qui la dirigeait, elle devint bonne comédienne sans toutefois devenir une star. Dans *Un tramway nommé désir,* suivi de *La chatte sur un toit brûlant,* Julie Warren – nom de scène emprunté au prénom de son amant – recueillit quelques applaudissements. Comptant se rendre plus loin, espérant percer un jour à l'écran, elle ne se fiait qu'aux sages conseils de son conjoint. Loin des siens, délivrée des reproches de Roger, n'ayant plus à se préoccuper de rendre visite à sa sœur et à son époux, l'avare, elle téléphonait de temps en temps pour s'enquérir de leur santé à tous, surtout celle de «papa». Par reconnaissance pour l'avoir tant choyée. Mais elle ne s'était pas trop souciée de savoir s'il allait sortir délivré ou démoli de cette rupture. Julie, la petite chouette, avait juste songé, à la dernière minute, à inviter son père pour son anniversaire.

Jeanne s'efforçait à penser à tous les mauvais côtés de la petite dernière comme pour se donner bonne conscience. Pour tenter d'effacer un vague sentiment de culpabilité. Pour éviter l'angoisse qui menaçait de prendre la relève de son anxiété. Était-ce elle, Jeanne, qui avait mal aimé Martial? Peut-être aurait-elle pu, naguère, alors qu'il la trouvait si belle, si élégante, se rendre compte qu'elle ne lui était pas indifférente? Ne l'avait-il pas comblée de bijoux précieux, ne lui avait-il pas fait cadeau d'une étole de vison alors qu'il avait à payer à la maison, et quatre enfants à nourrir et à faire instruire? Pourtant, elle avait fait preuve de compréhension quand il avait dû faire tant d'heures supplémentaires pour joindre les deux bouts. Et de compassion quand il rentrait courbaturé… Et que dire de ce besoin de lui faire plaisir en lui cuisinant chaque semaine les cigares au chou qu'il aimait tant. Tout comme lui repasser ses chemises sans le moindre pli, parce qu'elle aussi était très fière de lui.

Non, ce n'était pas de l'amour que ces égards artificiels. Ils s'admiraient, certes, ils formaient un très beau couple, mais... Rien de brûlant, rien de charnel, sauf pour faire des enfants. De part et d'autre. Comme si la chimie de l'union, comme si le choc des pulsions, ne passait pas entre eux. Que des échanges maritaux, sans jamais le brin d'audace en plus ou la minute inhabituelle... Que le baiser du bout des lèvres et le «bonne nuit... toi aussi», échangé dos à dos. Et Jeanne, revivant toutes ces images, se consolait de *sa* décision. Tardive certes, mais pas trop. Juste à temps pour que l'automne de leur vie les parsème de feuilles d'un autre coloris. Juste à temps pour que le rideau tombe avant que la tringle cède. Pourquoi s'en ferait-elle? On n'allait tout de même pas lui reprocher d'être ingrate, pas après avoir élevé seule, la plupart du temps, quatre enfants. Non pas que Martial ne faisait pas sa part, mais avec la maison à payer, les vêtements des petits à acheter, les heures supplémentaires étaient indéfinies. Pourquoi serait-elle plus coupable plus que lui? Parce qu'elle avait osé mettre leur séparation sur la table alors que lui la retenait dans son cœur par crainte de la chagriner? Elle en doutait... Les hommes sont ainsi faits, ils laissent la femme foncer tête première dans la toile qu'ils ont tissée. Pour que, le geste accompli, ce ne soit pas sur eux que tombe le mépris. Pour donner l'impression, sans le laisser paraître, qu'ils sont abandonnés. Comme si une telle décision ne pouvait pas venir d'eux! Patients, ils laissent le plat mijoter jusqu'à ce que la femme soulève le couvercle de la marmite.

Et Jeanne, dans sa nuit presque blanche, entendait ronfler son mari. Martial, dans sa chambre, dormait à poings fermés alors qu'elle, à la levée du jour, tentait de se dissuader qu'elle était à l'origine de cet échec. Non! C'étaient les enfants qui, sans le vouloir, l'accablaient de ce tourment. Elle n'y était pour rien, Martial non plus, c'était là leur destin… Mais son cœur de femme et de mère ne pouvait, comme celui de son mari, se taire pour dormir toute la nuit. Pas le sien, pas ce cœur qui avait tant de fois souhaité trouver la paix avant de cesser de battre à jamais.

Après avoir fouillé dans toutes les cartes professionnelles des agents immobiliers qui les avaient tant de fois sollicités, Martial Durelle opta pour une femme dans la trentaine qui lui avait paru sympathique. Il lui demanda d'exiger un bon prix pour sa maison et, une fois le montant fixé, l'avisa que le prix serait ferme, qu'il ne baisserait pas d'un sou et qu'il n'était pas pressé de vendre. Exactement ce qu'il fallait pour qu'elle lui déniche un premier acheteur en trois jours. Un jeune père de famille de vingt-huit ans qui revint souvent; la seconde fois avec sa femme et leurs trois enfants en bas âge. Voyant qu'ils comptaient, comme ils l'avaient fait naguère, élever leur progéniture dans cette coquette maison, ils se laissèrent attendrir par le jeune couple guère fortuné, et leur cédèrent la petite maison de la rue Garon pour dix mille dollars de moins que la somme exigée. Et comme la petite famille voulait s'y établir le plus tôt possible, Jeanne promit de libérer les lieux pour le début de novembre, un peu avant l'hiver, pour qu'ils puissent s'installer sans subir la froidure et la tourmente.

«Voilà qui nous donnera le temps de voir à tout le reste…» lui avait murmuré Jeanne alors que, triste et distrait après avoir signé les premiers papiers, Martial regardait par la fenêtre sa petite cour où les enfants avaient tant de fois profité des balançoires et lancé des cris de joie dans leur piscine gonflée. Il revoyait aussi leur chien, Lucky, un épagneul qu'ils avaient eu durant quelques années et qui chassait les écureuils, les chats et les oiseaux, tous ceux qui osaient mettre une patte sur leur terrain. Lucky que Roger avait dompté, mais qui répondait davantage aux douceurs de Sylvain et aux sucreries que lui donnait Julie. Lucky qui, un jour, chassant un chat jusque dans la rue, s'était fait happer par une voiture. Mortellement. Sous les yeux des enfants. Ils versèrent tellement de larmes que Jeanne et Martial s'étaient juré de ne plus avoir d'animal à la maison. Seule Carole était restée indifférente. Peu attirée par les animaux, elle avait toujours ignoré le chien qui, flairant qu'elle ne l'aimait pas, ne s'en approchait pas. Carole qui, comme les autres enfants, recevait chaque semaine de son père une pièce de vingt-cinq cents pour une crème glacée, et qui préférait la glisser dans son cochon de plâtre. Comme si le hasard la destinait déjà à Jean-Louis qui allait lui soutirer un jour toutes ses épargnes accumulées.

Sortant de sa rêverie, Martial regarda sa femme.

– Tu comptes apporter quoi avec toi?

– Bien, le mobilier de ma chambre, mes bijoux, mes bibelots, mes vêtements et mes souvenirs, rien d'autre. Pour le reste, Dolorès a ce qu'il faut…

– Tu me laisses tous les autres meubles et les appareils électriques? Que veux-tu que j'en fasse?

– Je n'en sais rien, mais si tu loues un logement ou un appartement… Ou si tu t'achètes un condo… Tu n'as rien, Martial. Comme ça, tu auras tout ce dont tu auras besoin.

Réfléchissant un peu, le mari répliqua, songeur:

– C'est vrai que je peux faire tout ça… Mais je crois que je vais tout entreposer jusqu'à ce que je prenne une décision. Avant, je vais voyager… Il se peut que je fasse un saut chez Julie comme elle l'a suggéré. Je verrai…

Le sentant craintif et démuni face à son avenir, Jeanne préféra se taire et ne rien lui suggérer. Elle allait s'en séparer, alors de quel droit... Il se devait de s'assumer, décider, se prendre en charge. La maison vendue, elle ne se sentait déjà plus sa femme. Libérée d'elle-même et de lui, comme si les murs venaient de s'effondrer.

— Tu pars quand t'installer avec Dolorès?

— D'ici deux semaines, le plus tôt sera le mieux. L'atmosphère est de plus en plus lourde ici. Et ça te délivrera de ma présence jusqu'à ce que tu sois prêt pour ton départ.

— Je ne te pousse pas, Jeanne, tu peux prendre ton temps. Ce n'est pas d'hier que c'est lourd, comme tu dis...

Jeanne qui pourtant, lors de sa nuit blanche, se culpabilisait, avait dès le matin retrouvé son aplomb. Se sentant délivrée d'un poids et ayant repris le contrôle de la situation, elle lui répondit calmement tout en rangeant une soupière:

— Non, Martial, je partirai dès que possible. Et, crois-moi, il en sera mieux ainsi, car c'est à ce moment-là, loin l'un de l'autre, que nous recommencerons à respirer.

Dans la salle de bain, Roger se rasait et Line se maquillait, alors que les deux garçons faisaient la grasse matinée. C'était samedi, jour de congé pour les enfants. Congé aussi pour l'enseignant, qui suait de plus en plus dans cette école secondaire où il y avait, selon lui, tant de jeunes à mater.

— Ils vont finir par me faire crever, ces morveux-là! Mal élevés, mal éduqués... Tu n'as qu'à voir les parents et tu comprends tout, Line! Il y a même un père qui est venu me dire que j'étais trop sévère avec son fils. Une forte tête de quatorze ans! Un petit frais-chié qui ne veut rien savoir de l'autorité. Il me défie! Il s'est même allumé une cigarette dans la classe! Je l'ai sorti en lui empoignant le bras et le père menace de me dénoncer pour brutalité! Un petit tabar… qui me foutait des coups de pied! T'as vu? J'ai failli lâcher le juron au complet!

Voyant qu'il était de mauvaise humeur, Line n'osa pas lui reparler de ses parents. Croyant mieux faire, elle lui lança tout en appliquant son ombre à paupières:

— Carole aimerait qu'on aille souper chez elle ce soir.

— Avec les enfants?

— Non, que nous deux…

— Ça doit encore venir de lui, ça! Pis d'elle aussi! Ils détestent les enfants! Maudits chiches! Ils ont peur qu'ils mangent trop, qu'ils salissent leur sofa blanc, qu'ils dépensent trop d'électricité avec le téléviseur allumé! Non merci, pas pour moi!

— Roger! Ça nous ferait du bien de sortir à deux! Tu as des jeunes sur les bras toute la semaine et moi, j'en vois aussi à longueur de journée comme secrétaire à l'autre école, tu sauras! Sans compter Gabriel et Charles qui ne sont pas des anges!

Réfléchissant tout en s'aspergeant de sa lotion après-rasage, il lui demanda:

— Encore un spaghetti, je suppose?

— Heu… oui, mais ça n'a pas d'importance. Et ta sœur m'a demandé si nous pourrions acheter un pain croûté quelque part en passant.

— Qu'ils ne vont pas nous rembourser, c'est certain! Et puis, comme j'apporte toujours le vin, ça va leur faire un souper bon marché en chien!

— Arrête! Ils sont si seuls, Roger, personne ne les visite…

— Et pour cause! Pingres à mort, ces deux-là! Comment veux-tu qu'on les visite? Pas même une trempette avant le repas, juste du céleri coupé en cubes avec trois ou quatre biscuits soda. C'est même gênant de te servir, t'as l'air gourmand si t'en prends deux sur quatre! Et puis, ça va être quoi le dessert? Encore un gâteau en boîte d'une marque bâtarde, pas même un *Duncan Hines*! Je ne sais pas où elle les prend! Sans doute dans le carrosse où sont les produits d'écoulement. Pis un gâteau sans glaçage! C'est meilleur pour la santé qu'il dit, le maudit radin! Ou bien, c'est sa salade de fruits pas même fraîche dans laquelle elle dit mettre des kiwis. Pas «des», Line, un seul! Tu te rappelles la dernière fois? J'ai fini par trouver un petit morceau de son fruit vert dans le fond de ma cuiller! Pis ça va être le thé avec une poche pour quatre. De l'eau de vaisselle! Ce qui me choque le plus, c'est qu'elle est devenue aussi *cheap* que lui! Savais-tu que c'était elle qui lui coupait les cheveux? Il n'a jamais payé une seule coupe chez un barbier! J'veux bien croire qu'il lui reste juste quelques poils sur le caillou...

– Tu te répètes, Roger, tu reviens toujours sur ça et le pire, c'est que ça vient de moi! Bon, n'en parlons plus, nous n'irons pas! Si tu es pour passer la soirée à les observer pour ensuite les dénigrer...

– J'y peux rien, Line, ça saute aux yeux, ça me choque, ça me pompe!

– Alors, restons ici. On se fera un petit souper, il y a un film à la télévision...

S'approchant d'elle et lui encerclant la taille, il lui dit:

– Non, Line, on va sortir, mais on n'ira pas moisir chez l'avare. On va sortir juste tous les deux. Tu as raison, j'ai besoin de répit et toi aussi. Sans enfants pour un soir. Que dirais-tu d'un film au cinéma et d'un bon restaurant ensuite?

– Bien, ce ne serait pas de refus. C'est sûr que chez Carole...

– Oublie-la, rappelle-la, dis-lui qu'on était invités ailleurs, que tu n'en savais rien, que c'est moi qui avais accepté. Dis-lui ce que tu voudras, ça va juste les priver d'un pain croûté et de ma bouteille de vin.

Line esquissa un sourire et lui demanda:

– Tu as une idée pour le film? Quelque chose de spécial?

– Que dirais-tu d'aller voir *Les enfants du siècle*, avec Juliette Binoche? C'est l'histoire d'amour entre Alfred de Musset et George Sand. On en dit beaucoup de bien, un collègue l'a vu…

– Oui, ça me plairait. J'ai lu une bonne critique.

– Ta mère sera libre pour garder les enfants?

– Bien sûr, elle me l'a offert hier, quand je lui ai parlé de l'invitation de Carole. Et toi, tu as des nouvelles de la tienne, Roger?

– Non et je n'y tiens pas pour l'instant. J'ai retrouvé mon calme, ne me le fais pas reperdre. J'ai appris par Sylvain qu'ils avaient vendu la maison, que ma mère s'en allait bientôt chez sa sœur et que mon père ne savait pas encore ce qu'il ferait. Mais comme je ne compte plus ou si peu… Surtout pour lui! Pour l'instant, j'aime mieux respirer par le nez… Le mal est fait de toute façon.

– Quel mal? Leur séparation? Roger! Voyons!

– Bon, changeons de sujet, veux-tu? Tu as ton rendez-vous chez le coiffeur? Moi, chez mon garagiste et j'emmène les enfants. Et ce soir, dès six heures, la soirée va nous appartenir, Line. Rien qu'à nous avec un film d'époque. En plein ce que ça me prend pour oublier la gaffe de mes parents!

Jeanne avait demandé à son mari de ne pas être là le jour de son départ. Pour être moins mal à l'aise, pour ne pas sentir qu'elle le quittait. Il avait compris, il s'était absenté pour la journée. Il était même allé dans un musée, lui qui n'aimait pas les antiquités, et il avait flâné dans une galerie d'art contemporain, lui qui avait horreur des toiles abstraites, des fleurs en triangles ou des visages avec le nez dans le front. Il avait souvent consulté sa montre, avait soupé dans un petit restaurant du centre-ville et n'était revenu à la maison qu'en fin de soirée comme elle le lui avait demandé.

Dès que Martial poussa la porte qu'il venait de déverrouiller, il sentit le vide, l'absence. Par terre, dans le petit portique, la clé que Jeanne avait laissé tomber par la fente. Il la ramassa, la rangea avec les siennes, entra, et se rendit compte que c'était plus aéré, plus grand, sans trop savoir pourquoi encore. Il monta l'escalier, s'arrêta au tournant pour reprendre son souffle; une légère douleur d'angine venait de lui serrer la mâchoire inférieure. Cette angine qui le minait depuis quinze ans et qui se manifestait à l'effort ou lorsque l'anxiété le stressait. Comme en ce jour dans l'escalier, vers la chambre de Jeanne… Exactement ce qu'il fallait pour que les symptômes se manifestent.

La chambre de sa femme était vide. Pas un seul tableau sur les murs. Elle n'avait rien laissé de son petit univers privé des dernières années. Vidé de tout. Même du parfum dont l'arôme se dégageait le soir venu. La garde-robe ne contenait plus rien, aucun cintre tressé de nylon oublié par mégarde. Martial avait beau fureter, chercher, pas la moindre trace de celle qui avait partagé, avec lui, tout près de quatre décennies. Envolée, partie, la femme à laquelle il avait dit «oui» pour la vie. Devant le fait accompli, il ressentit un pincement au cœur. Car il savait, monsieur Durelle, qu'il devrait faire le deuil de cette compagne. Le deuil d'un amour éteint, inexistant, mais aussi d'un être cher encore vivant. Il redescendit à la cuisine, se fit couler un café et, s'apprêtant à ouvrir la radio pour capter un bulletin de nouvelles, aperçut une feuille de papier bleu, pliée en deux, placée en évidence près de la boîte à pain. Martial s'en empara, se tira une chaise, versa du lait dans son café et déplia la missive pour y lire:

Je te souhaite d'être heureux, Martial, comme je tenterai de l'être. Il était temps, grandement temps, pour l'un comme pour l'autre, de vivre et laisser vivre.
Jeanne

Il éprouva une drôle de sensation. Il sentit même un frisson lui parcourir l'échine. Mais, retrouvant sa fierté, troquant ses émotions contre sa masculinité, Martial Durelle mit la radio en marche, déplia son journal et s'évada dans le quotidien du monde perturbé. Guerres, attentats, crises, grèves, viols, procès, que les saletés des peuples qu'on disait en progrès. Puis, s'étirant d'aise, faisant mine d'être bien dans ce silence accablant, il se rendit au salon, ouvrit le téléviseur et installa la cassette du film *Valmont* qu'il allait revoir pour la troisième fois. Afin de fuir le temps présent, de s'évader de ce dur moment… Et parce que la belle Annette Bening y jouait un rôle de premier plan.

De son côté, Jeanne avait sauté dans un taxi dès que le camion avait quitté la maison avec ses meubles et ses vêtements. L'Île-des-Sœurs semblait bien loin de Montréal-Nord et ses édifices gigantesques comparés aux petites maisons de la rue Garon. Malgré la vie nouvelle qui s'offrait à elle, Jeanne ferma les yeux pour revoir sa coquette maison et laissa une larme humecter sa paupière. Elle se rendait compte que son cœur n'avait pas tout à fait suivi. Quelques morceaux étaient restés derrière. Au 11… Elle n'osait même plus prononcer son adresse. Parce que ça faisait mal, chemin faisant, de sentir qu'elle partait sans espoir de retour. Parce que ça la blessait, dans le premier tournant de l'Île, d'avoir à renier quarante années passées dans un nid tressé pour ses enfants. Et parce que ça l'ennuyait d'avoir à vivre dans les hauteurs d'un grand immeuble avec sa sœur aînée, déjà installée. Un havre nouveau, des odeurs inconnues, une présence différente qu'il lui faudrait apprivoiser.

Jeanne s'essuya les yeux, régla le chauffeur et, s'apprêtant à faire quelques pas en direction des grandes portes vitrées, vit sa sœur les franchir pour se précipiter vers elle.

– Toi, enfin! Je ne me suis mêlée de rien, je t'ai laissée régler ton problème, mais si tu savais comme je t'attendais! Tu aimes les alentours? Attends de voir ta chambre que j'ai fait repeindre en rose!

Souriant, ne laissant rien paraître du désarroi qui la chavirait, elle embrassa sa grande sœur en lui disant:

– Dolorès! Que toi et moi! Comme autrefois…

Elles montèrent en bavardant attendre les meubles et, une fois dans l'appartement, épuisée, Jeanne demanda à Dolorès:

– Ce fut une rude journée. Tu n'aurais pas un petit remontant?

– Bien sûr, répondit l'aînée. Que dirais-tu d'un doigt de Dubonnet?

Le lendemain soir, rue Garon, alors que Martial se préparait un léger souper, la sonnerie du téléphone retentit.

– Papa? C'est Carole! Ça va bien?

– Oui, ma fille, et toi?

– Assez bien, je travaille toujours, la santé est bonne…

– Jean-Louis se porte bien?

– Oui, oui, en pleine forme! Il se prépare mentalement pour notre voyage à Cuba, cet hiver. Nous avons déniché des prix extraordinaires! C'est sûr que nous n'allons pas rester dans les grands hôtels, on nous a suggéré un petit motel avec cuisinette.

– Je vois, à bon compte… tout en profitant du soleil. Mais pourquoi Cuba? Vous avez toujours opté pour la Floride.

– Bien sûr, mais c'est moins achalandé, m'a-t-on dit, et moins humide. Et comme il y a une piscine et des spectacles gratuits… Crois-le ou non, papa, mais le *package deal* nous coûte moins cher que trois jours à Miami, avion compris! Et je compte apporter des victuailles, des conserves, tout ce qu'on ne trouvera peut-être pas là-bas. C'est Jean-Louis qui a pensé à ça.

– Bon, bien, tant mieux pour vous deux, ça va couper l'hiver un peu…

– Mais je t'appelais pour autre chose, papa. Jean-Louis aimerait que tu viennes souper à la maison samedi. Tu es libre?

– Heu! je pense… oui, sans doute.

– Allons, n'hésite pas, ça va te changer les idées et je vais te cuisiner les choux farcis que tu aimes tant. Je les réussis…

– Non, pas ça. J'en ai mangé toute ma vie et ce plat appartient à ta mère, Carole, pas à toi. Autre chose si tu veux bien…

– Bon, dans ce cas, ce sera quelque chose de pas compliqué. À la bonne franquette comme on dit. Tu aimes les pâtes avec une sauce rosée?

– Oui, oui, n'importe quoi, ne te casse pas la tête.

– Et Jean-Louis a découvert de bonnes petites biscottes chez Provigo. C'est moins engraissant que le pain. Tu vas voir, tu voudras les adopter. La semaine dernière, on en offrait une boîte en échantillon aux clients.

– J'irai, je serai là, Carole, mais je ne vais pas veiller tard.

– D'accord, papa, le temps d'un souper, de piquer une jasette.

– Ça va, mais là, il faut que je te laisse, il y a une émission que je ne veux pas manquer à Radio-Canada.

– Parfait, papa. Bonne soirée et bonne nuit.

– Toi de même, ma fille. À ton mari aussi.

Alors que tout semblait fixe du côté de Jeanne qui donnait et recevait peu de nouvelles des siens, Martial, avec l'aide de l'agente immobilière, avait déniché un joli condo à vendre ou à louer, boulevard Henri-Bourassa, dans le même quartier auquel il était habitué. Mais il préféra louer avec option d'achat. Un bel appartement avec cuisinette, salle à manger, vaste chambre, salon et salle de bain, ainsi qu'un grand balcon du côté du soleil. Bref, un condo pour deux qu'il allait occuper seul. Compréhensive, sachant qu'il était séparé et que cela n'était pas facile à son âge, c'est avec empressement que l'agente avait trouvé ce nouveau gîte où il pourrait emménager dès qu'il le voudrait. Il pria donc la jeune femme d'avertir les acheteurs de sa maison qu'ils pourraient en prendre possession plus tôt que prévu sans frais additionnels. Car Martial était plus qu'heureux de pouvoir offrir ce surplus de bonheur à cette petite famille qui lui tenait à cœur.

Il dormit beaucoup mieux la nuit suivant la signature de son bail. Il allait garder ses meubles, habiter encore Montréal-Nord, se rendre chez le même nettoyeur, le même barbier, la même chaîne alimentaire. En un mot, il n'allait pas avoir à déroger de ses habitudes si bien ancrées. Et ce qui le rendait fier de lui, c'est qu'il avait tout fait, tout organisé, sans l'aide de ses enfants un peu trop portés à le considérer comme... vieillissant.

Le samedi prévu pour le souper, il sauta dans sa voiture en fin d'après-midi et se rendit chez sa fille et son gendre qui l'attendaient avec impatience. Joyeux, il embrassa Carole, serra la main de Jean-Louis, et tous deux furent surpris de le trouver aussi enthousiaste. Prenant place dans le fauteuil qu'on lui avait indiqué, il remarqua que le divan blanc qu'ils avaient depuis deux ans était recouvert d'une jetée pour ne pas le salir. De plus, comme si jamais personne ne s'y était assis, les coussins du dos et des sièges n'étaient pas enfoncés. Encore neuf, le divan! Tout frais sorti du magasin! Jean-Louis avait pris place dans une chaise berçante usée et Carole dans un fauteuil de coin placé sur un bout de tapis pour ne pas égratigner le plancher. Sur la petite table du salon, elle avait mis dans un plateau quelques biscuits secs de blé entier, des bâtonnets de céleri et des marinades dont les restes retourneraient vite dans le pot.

Martial, les connaissant, souriait. Il se rappelait les paroles célèbres de Roger les concernant: «Plus *cheap* que ça, tu meurs!» Et comme sa fille semblait avoir épousé le style de vie du radin, il ne pouvait pas trop la plaindre. D'ailleurs, lui aussi se souvenait du cochon de plâtre qu'elle ne brisait que lorsqu'il était plein à craquer. De là, ses économies se rendaient dans son compte à la caisse populaire. Il se souvenait aussi que lorsque Sylvain, adolescent, empruntait cinq dollars à Carole, il devait lui rembourser cinq dollars et demi. «Pour le principe!» disait-elle, tout en déposant ce petit intérêt dans son compte. Alors, à vivre avec Jean-Louis, elle était devenue non seulement encore plus économe, mais aussi pingre que lui. Ce qui avait fait dire à Roger: «Plains-la pas, papa! Qui se ressemble s'assemble!»

– Tu prendrais bien une bière en attendant le souper, papa?
– Oui, merci, ça va me désaltérer.
– Hum… c'est que…, lança Jean-Louis, faisant mine d'être mal à l'aise.
– Que quoi? lui demanda Carole. Tu n'en as pas acheté?
– Oui, bien sûr, mais j'ai complètement oublié de les mettre au frigo, Carole. Elles sont encore dans la dépense. Je

suis désolé, monsieur Durelle, vous qui l'aimez très froide... Mais j'ai du *Ginger Ale*, si ça peut faire l'affaire.

– Ça va aller, Jean-Louis. En autant que ça soit rafraîchissant.

Carole ouvrit le réfrigérateur, sortit le deux litres à moitié vide et en servit un demi-verre à son père. Puis, causant de tout et de rien, on n'osa pas lui parler de Jeanne ni des autres membres de la famille. Du moins, pas avant que le souper soit servi. À table, Martial retrouva devant lui les marinades, les bâtonnets de céleri, les biscottes «échantillons» en petite quantité dans une soucoupe, la margarine et une minuscule assiette à dessert avec un peu de fromage râpé et une cuiller. Carole avait déposé son petit vase de fleurs séchées habituel au milieu de la table et avait placé, à côté de chaque assiette, une serviette de table de qualité insérée dans une bague. Monsieur Durelle reçut son assiette de spaghetti avec un tantinet de sauce rosée qu'il eut peine à mélanger pour colorer ses pâtes. Prenant une biscotte qu'il avala d'une bouchée, il allait en saisir une autre quand il se rendit compte qu'il n'en restait plus qu'une. Chacun avait pris sa biscotte, ce qui voulait dire que le plus gourmand allait s'emparer de la dernière. Martial n'en fit rien et se rendit compte à la fin du repas, qu'elle était retournée dans la boîte. Jean-Louis avait déposé sur la table une bouteille de vin rouge déjà ouverte.

– C'est pour le laisser respirer, expliqua-t-il.

Martial voyait bien que la bouteille n'était pas pleine, qu'un verre ou deux manquaient, mais il se contenta de le penser sans rien dire. Son gendre versa le vin dans les verres. Deux doigts à peine pour chacun. Deux gorgées, pas plus. Martial leva son verre pour le porter à ses lèvres et remarqua que le vin était clair, sa robe jeune le trahissait. Le Brouilly de Jean-Louis ne contenait pas, il aurait pu le jurer, son vin capiteux d'origine. Le goûtant, il se rendit compte qu'en bouche l'attaque n'était pas subtile. Il était sûr que c'était de la «piquette», un vin pas cher acheté au dépanneur et transvidé dans une bouteille de Brouilly déjà bue.

Car le bon, le beau, n'était que pour Jean-Louis. Aucune privation pour lui, d'autant plus que cette bonne bouteille lui avait été offerte par un collègue. Une bouteille vide qui avait sûrement servi maintes fois depuis. Encore aujourd'hui, même pour son beau-père et sans que Carole s'en offusque. Martial ne reprit pas une autre gorgée et, sans se demander pourquoi il restait un fond de vin dans le verre de son beau-père, Jean-Louis ne lui offrit même pas un autre doigt de son «poison». Martial déplia la serviette pour s'essuyer les lèvres, mais Carole lui cria:

– Non, papa, pas celle-là! C'est juste une décoration. Regarde, tu en as une en papier de l'autre côté.

Déposant la serviette si précieuse, il s'empara de celle de papier et, la regardant, lui demanda:

– Tiens! Des petites serviettes carrées comme dans les boîtes en métal des restaurants à patates frites! Ça se vend en magasin, ce format-là?

– Heu! oui, c'est Jean-Louis…

Embarrassé, ne voulant pas avouer qu'il les prenait en quantité dans les restos des centres commerciaux, Jean-Louis fit dévier le sujet et, généreux soudainement, lui demanda:

– Encore un peu de vin, monsieur Durelle? Du thé, peut-être?

Et le savoureux repas de sa fille se termina avec une gelée au citron en poudre et un petit biscuit sec. Rien de plus, rien de moins. Ils passèrent enfin au salon sans que Carole ait expliqué qu'elle ne permettait pas qu'on se serve des serviettes de coton pour ne pas avoir à les laver. Car, Jean-Louis, comme de raison, limitait les brassées, pour ménager l'eau chaude et le savon.

De retour dans son fauteuil, Martial avala les dernières gorgées de son thé tiède, déposa sa tasse et regarda sa fille.

– Toi, tu as quelque chose à me demander, Carole.

– Nous, devrais-je dire, et j'aimerais mieux que Jean-Louis…

– Je vais vous expliquer ce que nous avons en tête, Carole et moi, monsieur Durelle, et nous sommes certains que ce sera la plus belle décision de votre vie.

– Allez, je vous écoute.

– Alors, sans le moindre détour, nous vous proposons de venir habiter avec nous.

– C'est que…

– Non, ne dites rien, laissez-moi poursuivre. Je vous étale tout notre plan et, ensuite, vous aurez tout loisir d'y songer. Mon bureau pourrait devenir votre chambre, il ne me sert pas, et vous pourriez vendre votre voiture, j'ai la mienne, nous n'aurions qu'à partager les dépenses. Avant d'aller travailler, Carole préparerait votre dîner et elle s'occuperait aussi de votre lessive. Bien entendu, vous achèteriez votre savon, bref, tout ce qu'il vous faut au quotidien. Sauf pour le gîte et la nourriture puisque vous nous verseriez une pension. Par contre, l'électricité serait payée à deux, les assurances feu et vol, les taxes, le téléphone… Imaginez! Vous n'auriez qu'à payer la moitié de ce que vous payez actuellement. Tout serait organisé. Un coin du frigo pourrait servir à votre bière, une tablette du garde-manger pour vos petites gâteries, vos papiers-mouchoirs, vos rouleaux de papier de toilette… Et vous vous sentiriez en sécurité avec nous, monsieur Durelle. Vous savez, un homme de votre âge, seul, sans défense… Somme toute, si vous acceptez notre proposition, nous serons fiers de vous avoir à la maison. Votre téléviseur pourrait être dans votre chambre, vous pourriez jouir de votre intimité…

– C'est que…

– Attendez, une dernière chose! Il est évident que durant nos petits voyages, votre charge serait augmentée. On ne peut quand même pas régler à deux ce que vous consommerez seul. Comme l'électricité, le téléphone, l'eau chaude… Vous me suivez, n'est-ce pas?

Carole, sans dire un mot, regardait son père dans l'espoir d'une réponse positive. Voyant que son gendre était à bout de souffle, Martial demanda:

– C'est fini? Tu as débité tout ce que tu avais à me proposer?

– Oui ou presque, à vous la parole maintenant.

Martial, se levant, les mains dans les poches, les regarda tour à tour et leur lança:

– Ce que je tentais de vous dire depuis le commencement, c'est que je viens de louer un joli condo. À Montréal-Nord, dans mon quartier! J'y emménage d'ici quinze jours.

Bouche bée, déçus, Carole et Jean-Louis échangèrent un regard béat. Ce qui permit à Martial Durelle d'ajouter:

– Et si tu m'avais permis de t'interrompre dès le début, Jean-Louis, je t'aurais fait épargner… une pinte de salive!

La mi-octobre se pointa, les déménageurs se présentèrent et, moins de trois heures plus tard, Martial s'installait dans son condo frais peint. En quittant sa petite maison de la rue Garon, il avait senti sa gorge se serrer, mais il avait pris une longue respiration pour camoufler son trouble. Il était parti sans se retourner après avoir laissé tomber, dans la fente aux lettres, la dernière clé de son havre de paix de tant d'années. Le lendemain, le jeune couple la trouverait et elle servirait à ouvrir, comme au temps des Durelle, la porte d'entrée du nid d'amour de leurs enfants. Avec d'autres cris, d'autres joies, d'autres peines.

Tous avaient appris dans la famille que le paternel s'était loué un superbe condo avec option d'achat. Ce qui avait fait dire à Roger: «Il est plus débrouillard que je le pensais.» Et à Sylvain: «Je suis content pour lui, il ne va pas se sentir dépaysé.» Jeanne avait su par Carole que Martial avait déménagé seul, qu'il avait refusé leur proposition et elle avait dit à Dolorès: «Heureusement qu'ils ne l'ont pas convaincu, il aurait crevé de faim avec le radin!» Puis, en levant son verre de Dubonnet, elle avait ajouté: «En autant qu'il soit heureux, Dolorès! Parce que son plus grand drame n'était pas de me perdre, mais de quitter son quartier. Et tu vois? Il s'est arrangé pour y rester!» Dolorès n'avait rien répondu. Elle sentait que sa sœur n'était pas tout à fait heureuse de ce dénouement. Peut-être aurait-elle souhaité que Martial paye un peu plus pour tout ce temps perdu? Qui sait, peut-être l'enviait-elle de le savoir encore tout près de tout ce qui avait été, alors qu'elle en était si loin? Parce que l'Île-des-Sœurs, pour Jeanne…

Le téléphone avait sonné, Martial s'était empressé de répondre, c'était Julie qui l'appelait de Providence. Excitée, emballée, elle lui avait dit:
– Tu as un beau condo? Tu vis seul? Tu n'es pas déprimé, au moins…
– Non, Julie, je suis en pleine forme, et toi?
– Heureuse comme ça ne se peut pas, mais dis-moi, papa, ça te plairait de venir te changer les idées quelques semaines avec moi? Pour mon anniversaire! Warren serait ravi et tu pourrais me voir sur scène. Alors, est-ce possible pour toi?

– Sur un ton comme celui-là, comment te refuser cette joie, répondit-il en riant. Tu peux compter sur moi pour ton anniversaire, ma chouette. Tu me manques beaucoup, tu sais.

Chapitre 4

Déjà la mi-novembre, et Martial foulait du pied les feuilles mortes de la jolie ville de Providence dans le Rhode Island. Warren s'était fait un plaisir de l'accueillir, lui qui ne l'avait rencontré qu'une seule fois lors d'un bref séjour à Montréal, et Julie, folle de joie, s'était jetée dans ses bras en s'écriant:

– Dieu que tu as l'air en forme, papa! Toujours le même!

– Oh non! ma chouette… La soixantaine, c'est un peu navrant, tu sais. C'est comme une boussole qui, sans merci, t'avertit que tu as plus d'années derrière que devant.

– Allons donc, tu es aussi beau qu'avant! Tu es resplendissant!

– Très aimable à toi, Julie, mais il me faut être plus lent, faire moins d'efforts. L'angine n'est pas un mal qui s'évapore.

– Alors, on va bien prendre soin de toi, Warren et moi. Viens, suis-nous…

– Ça n'a pas de sens de m'héberger, je vais déranger, je pourrais aller m'installer au Holiday Inn, tu sais.

– Papa! Tu es ici pour trois semaines ou presque! Et nous avons une chambre pour toi! Ne t'en fais pas, nous t'attendions, nous avons tout préparé. Dis-lui, Warren!

– *Of course!* Et nous sommes contents, baragouina Warren dans un français martelé.

Ils roulèrent moins de quinze minutes avant de s'immobiliser devant un charmant petit cottage rehaussé de persiennes jaunes.

– Ça me rappelle un peu la devanture de notre maison de la rue Garon.

– Tu l'as encore en tête, n'est-ce pas? Elle est ancrée…

– Quarante ans, Julie! Quarante années à y vivre, ça ne s'oublie pas du jour au lendemain. Vous êtes partis l'un après l'autre, mais ta mère et moi…

Il s'arrêta. Sans s'en rendre compte, il venait de parler «d'elle» alors qu'il s'était juré de ne même pas mentionner son nom. Mais encore plus que la maison, Jeanne avait été sans cesse présente, jour après jour, ancrée en lui elle aussi.

– Tu sais, tu n'étais pas née quand j'ai acheté la maison. Je dois en faire mon deuil mais, ce qui me console, c'est de l'avoir vendue à une gentille petite famille qui y trouvera beaucoup de joie.

– Comme tu vois, la roue tourne, papa. Nous y passons tour à tour et, après eux, ce sera une autre petite famille. Seules les maisons ne bougent pas. Regarde la nôtre! Nous en sommes les quatrièmes propriétaires, Warren et moi. Allez, entre, ne te gêne pas, tu es ici chez toi. Viens voir ta chambre, tu pourras y déposer tes bagages. Tu as fait bon voyage?

– Bien sûr. L'avion n'était pas bondé et le vol a duré un peu plus d'une heure. Ce qui est mieux que de conduire toute la journée.

– Et plus en sécurité que sur les routes. Tu prendrais une bière, papa? Warren en a mis plusieurs au réfrigérateur hier soir.

– Ce ne serait pas de refus. Pour me détendre, du moins.

Ils passèrent le reste de l'après-midi à échanger de bons souvenirs et, avant le souper, Warren se retira dans son bureau pour les laisser en tête-à-tête. Quoique plusieurs la disaient égoïste ou indifférente, Julie adorait son père. Il l'avait tant choyée, tant aidée en lui permettant de suivre de nombreux cours. Elle avait toujours su qu'elle était sa préférée, mais elle n'exploitait pas la situation. Assise à ses côtés, lui tenant la main, ce que Carole n'avait jamais osé faire, elle lui rappela avec mélancolie:

— Il m'arrive encore de penser au chalet de grand-papa à Saint-Hyppolite. J'aimais tellement y passer mes étés quand j'étais petite.

— Il te gâtait beaucoup. Il te berçait, te contait des histoires…

— Tu te souviens? Il m'avait défendu d'enlever la mousse verte sur les roches. C'était doux comme du velours et grand-papa m'avait appris à en admirer la beauté. Et il avait interdit à Carole de retirer l'écorce des bouleaux. C'était un grand amant de la nature.

— Et vous aviez tant de plaisir à vous baigner au Lac en Cœur. Quel joli nom c'était… Mais il était vraiment en forme de cœur.

— Dommage que le feu ait ravagé ce beau chalet.

— Oui, mais c'était mieux que ça arrive en hiver. Ton grand-père est mort sans en avoir rien su. Il aurait eu tant de peine. Ce chalet, c'était sa raison d'être.

— Et le terrain que tu avais vendu, ne devions-nous pas le racheter avec le temps? Tu nous en parlais…

— Oui et je l'aurais fait éventuellement. Au nom du souvenir. Mais là, avec ce tournant que prend ma vie. Et puis, avec l'âge…

Julie se leva, se servit un scotch sur glace et, timidement, lui demanda:

– Ça va, depuis votre séparation? Je sais que tu ne veux pas que j'en parle, mais juste un peu, papa. Pour savoir où tu en es...

– Oui, ça va, Julie. C'est encore récent, mais le choc s'estompe graduellement. Tu sais, on n'enterre pas quarante ans de vie à deux aussi facilement. Je ne sais pas trop pour ta mère, mais comme elle vit avec Dolorès, je présume que l'absence n'est pas un poids.

– Et pour toi, papa?

– Ce n'est pas l'absence que j'ai eu à vaincre, Julie, mais le silence, la maison sans vie. On ne se parlait guère, ta mère et moi, mais on s'entendait bouger, vaquer à nos occupations. Après son départ, il n'y avait plus que le tic-tac de l'horloge. Les premiers jours, j'ai mis ma musique de côté pour écouter des débats à la radio. Comme font tous les êtres qui vivent seul. Pour avoir l'impression qu'il y avait quelqu'un d'autre dans la maison. Dans mon nouvel appartement, avec les voisins de palier, les bruits qui m'entourent, j'ai remis Schubert dans la fente à compacts. Et c'est là, ailleurs, dans un nouveau décor, que je me suis senti peu à peu renaître. Parce qu'il fallait me délivrer de tout ce qu'avait été mon existence.

– Tu emploies un terme vague... Tu ne dis pas «ma vie».

– Non, parce qu'avec ta mère, pour moi comme pour elle, c'est une existence que nous avons traversée ensemble. Vivre, c'est être heureux, c'est partager, c'est...

Il allait dire s'aimer, mais il se retint, constatant qu'il allait trop loin.

– C'est quoi d'autre, papa? Tu t'es arrêté...

Il se pencha vers elle, la saisit dans ses bras et lui dit:

– C'est assez, ma chouette. Tu me fais trop parler. Je n'ai plus rien à ajouter. Et tu m'avais promis…

– Oui et je m'en excuse, papa, mais ma crainte, c'était de te voir malheureux. Je voulais être rassurée…

Lui tapotant la main, Martial lui dit d'un ton affectueux:

– Alors, sois-le, Julie. Ton père se porte bien. Et si tu me parlais de toi, maintenant? Ta carrière, ta vie amoureuse…

– Ma carrière? Ça roule rondement bien, papa, et je suis très contente que tu sois là, car il ne nous reste plus que deux représentations de *Together* à donner. Demain soir, j'ai un billet pour toi dans la troisième rangée. Enfin, tu verras ta fille…

– Pour la première fois, ma chouette, et ce sera un beau moment. Ça fait longtemps que je rêve de te voir sur scène. Il paraît que tu es une vedette par ici?

– Oh! c'est un bien grand mot! On me reconnaît parfois dans la rue, on me sourit, mais Providence, ce n'est pas New York, tu sais.

– Ça viendra, sois patiente. Un pas à la fois. Et Warren, ça va toujours bien avec lui? Il semble si affable, si gentil…

– Oui, mais nous avons nos différends de temps en temps. Tu sais, un couple dans le même métier, ce n'est pas toujours évident. On travaille constamment ensemble et comme c'est lui qui dirige et qui écrit les scénarios… Pas facile d'être la comédienne et la conjointe à la fois. Je ne suis pas toujours d'humeur…

– Tu as encore ton petit caractère à ce que je vois. Ça ne change pas?

– Je m'améliore, je fais des compromis, mais je ne me laisse pas marcher sur les pieds pour autant. Je ne suis pas Carole, moi!

– Ah! ma chouette, ne me parle pas d'elle. Pauvre fille! Et son Jean-Louis… N'avoir qu'une vie à vivre et la passer avec lui. Soumise de plus en plus, à part ça, et près de ses sous tout comme lui. Il l'a bien eue!

– Remarque qu'elle n'a jamais été dépensière, papa. Elle empruntait le linge de maman pour ne pas avoir à s'en acheter. Souviens-toi de tous les intérêts que Sylvain lui a versés pour des petits emprunts par-ci, par-là. Nous en rions encore lorsque je lui en reparle. Mais elle était la seule à pouvoir le dépanner. Roger dépensait au fur et à mesure et moi, comme j'étudiais… Mais elle, la tirelire toujours pleine… Ne la plains pas trop, papa, ne dis pas «pauvre fille». Ils sont faits l'un pour l'autre, ces deux-là. Je te laisse te reposer maintenant, j'ai le souper à préparer. Tu aimes le poulet en casserole? Warren en raffole et je le réussis fort bien.

La salle était remplie aux trois-quarts pour l'avant-dernière représentation de *Together*, comme on pouvait le lire sur l'affiche, avec les photos de Jeff Scott et de Julie Warren, suivies des noms des interprètes des rôles secondaires. Ce qui rendait monsieur Durelle fier de sa fille. Confortablement assis au centre de la troisième rangée, le très cher père de la vedette principale allait enfin voir sa fille à l'œuvre. Le rideau s'ouvrit sous les applaudissements et Martial fut ravi de voir Julie faire la première son entrée sur scène. Cheveux blonds épars, jolie robe de mousseline verte, elle était certes très belle à regarder et n'avait rien à envier aux stars américaines. Martial, qui comprenait l'anglais à la perfection, suivait la trame de l'histoire sans difficulté. Une comédie empreinte de bons sentiments, un scénario léger mais captivant. Néanmoins, au fur et à mesure que les tableaux se succédaient, il remarquait que sa fille était inégale dans son rôle. Elle récitait, elle n'était pas naturelle, et ça le décevait. D'autant plus que le comédien qui lui donnait la réplique était exceptionnel et que l'autre comédienne, dans un rôle de soutien, lui était nettement supérieure. Les gestes de Julie avaient l'air calculés et sa voix, trop aiguë dans les moments tendres, brisait le charme du romantisme qui aurait dû s'en dégager.

Derrière lui, une femme murmura à son mari: «*She is not that good, something is wrong with her acting.*» Et elle s'était arrêtée parce que Martial s'était presque retourné pour la faire taire. Non pas parce qu'elle avait tort, mais parce que ça le blessait de voir sa chouette être démolie de la sorte. Mais il se rendait bien compte que Julie ne serait jamais une vedette. Pas plus aux États-Unis qu'elle n'avait pu l'être à Montréal. Elle n'avait pas, selon lui, la grâce, l'assurance et le talent d'une... Annette Bening.

À la toute fin, alors que les comédiens venaient s'incliner devant le public, les applaudissements fusèrent pour les acteurs de second plan, mais lorsque Jeff et Julie se présentèrent main dans la main, ce fut plus faible, timide, poli. Ce qui était désolant pour celui qui avait incarné avec brio le jeune amant de la femme de son patron. On applaudit Warren à tout rompre lorsqu'il se présenta, et le rideau tomba sur un *Together* mitigé à cause du peu de talent de sa fille.

De son banc où il attendait qu'on le rejoigne, il pouvait entendre les commentaires qui étaient loin d'être élogieux à l'endroit de Julie. Un monsieur, souriant, avait dit à sa compagne: «*Quite pretty, though, but...*» et il perdit la fin de la phrase, sans doute négative, dans le tumulte de la foule. Julie sortit enfin de sa loge, descendit les marches et se précipita dans les bras de son père qui faisait les cents pas dans l'allée.

— Et puis? Tu as aimé, papa? J'ai tenté de me surpasser, te sachant là, tout près, sans pour autant te regarder pour ne pas me déconcentrer.

— Tu as été très bien, Julie, répondit-il en la serrant dans ses bras. Et Warren a écrit une belle pièce. Ça devrait connaître un succès à Boston, Philadelphie ou ailleurs. J'ai beaucoup apprécié.

– Enfin, tu auras vu ta fille à l'œuvre! Et tu pourras en parler à toute la famille! Tu vois? J'avais raison de persister! Vois où j'en suis, papa!

Pendant le trajet du retour, Martial remarqua que Warren ne parlait pas beaucoup, qu'il semblait soucieux, préoccupé. C'est à peine s'il répondit merci avec un léger sourire lorsqu'il le félicita pour sa pièce. Julie, encore sous le coup de l'émotion d'avoir joué devant son père, ne s'apercevait pas de l'ennui de son conjoint. Elle parlait, parlait sans arrêt, gesticulait sans cesse, et monsieur Durelle finit par la calmer en lui demandant:

– Et demain, c'est la dernière? Tu dois avoir hâte!

Mais avant que Julie réponde, Warren laissa tomber avec un soupir de soulagement:

– *Yes, and thank God!*

Ils prirent un dernier verre à la maison, Julie causait avec son père, lui remémorant certains passages de la pièce où elle s'était trouvée extraordinaire. Constatant que Warren était contrarié, épuisé aussi sans doute, il prétexta être fatigué et se retira dans sa chambre qui était à deux pas de celle de Warren et Julie. Sans le chercher, il pouvait saisir, discerner que les tons de voix s'élevaient de l'autre côté. Retenant son souffle ou presque, il put entendre Warren dire à Julie en anglais:

– *Not true! You were awful! Anyway, this part was not for you!*

Le reprenant en français pour mieux faire jaillir sa colère, Julie lui cria:

– Tu n'avais qu'à la donner à une autre, dans ce cas-là! Et si tu n'es pas content, trouve-toi une autre comédienne pour Boston!

Warren tenta de lui faire entendre raison, lui proposa de travailler derrière la scène, de devenir coproductrice, adjointe, mais elle s'emporta:

– Je ne suis pas venue jusqu'ici pour être une assistante, Warren! Je suis une actrice, moi! Et je vise plus loin que Providence, tu sauras!

La faisant baisser le ton, lui indiquant du doigt que son père n'était qu'à deux pas, il lui demanda d'être juste un peu plus naturelle pour la dernière représentation, de s'imprégner de son personnage et de le livrer comme si elle était seule avec Jeff sur scène, sans aucun spectateur, sans personne d'autre qu'eux… Elle ne répondit pas, le bouda le temps de se mettre au lit pour finalement le menacer qu'il allait regretter de la décrier de la sorte. Le jour où elle serait célèbre à Hollywood!

Martial éteignit sa lampe de chevet et, songeant à sa fille, connaissant sa chouette, il se demandait si, vraiment, Warren aurait à regretter quoi que ce soit. Parce qu'il sentait que le couple qu'ils formaient était beaucoup plus fragile qu'on voulait bien le laisser voir.

Néanmoins, monsieur Durelle profitait allègrement de son séjour à Providence. Pendant que Julie et Warren travaillaient en studio, il allait arpenter les rues du voisinage, causait avec les voisins et se rendait au petit centre commercial, tout près, pour y boire un café. Bref, dans ce coin qui ne lui était pas familier, il se sentait moins seul qu'avec Jeanne à French River. Parce qu'il s'appartenait, qu'il n'avait de comptes à rendre à personne et qu'il n'avait pas à soutenir les regards désapprobateurs de son «ex-femme». Libre comme l'air, il avait l'impression d'avoir rajeuni de dix ans. L'anxiété s'était dissipée, l'angine se faisait moins présente et un sourire illuminait son visage, celui-là même que Jeanne avait décrit à sa sœur comme... une face de carême.

Avec Julie et Warren, il était allé visiter la galerie d'art *Capitol* et, le soir, ils avaient vu le *Fire Water Place,* un endroit superbe, un spectacle unique, des bouquets de flammes jaillissaient de la rivière, avec une odeur de bois brûlé. C'était extraordinaire! Ils avaient mangé dans plusieurs restaurants, mais Martial avait surtout apprécié les mets italiens de chez *Viola* et l'agneau du *Gracie's Bar,* là où il avait commandé le vin le plus cher.

Un après-midi de la fin de novembre, Julie lui avait suggéré:

– Viens, je t'emmène visiter le *Providence Place Mall,* ça vient d'ouvrir récemment et c'est entouré de très jolies boutiques.

Ils s'y rendirent. C'était unique! Grandiose! Monsieur Durelle, qui n'aimait pas tellement magasiner, s'en fit une joie dans le seul but de voir sourire sa chouette. Elle ne lui avait plus parlé de théâtre, c'est à peine si elle lui avait dit que, le dernier soir, la salle était comble et qu'elle s'était donnée corps et âme. Ce dont le père doutait, ayant entendu Warren lui redire, se croyant seul avec elle: «*This part is really not for you! Don't insist!*» Ce qui voulait dire qu'elle avait été égale à elle-même, comme la veille et les autres soirs depuis des mois. Ce qui revenait à dire, songeait Martial, que sa fille aurait réussi davantage comme esthéticienne – un cours parmi tant d'autres – que comme comédienne. Il en était navré, sachant à quel point elle croyait en elle-même, mais il ne pouvait blâmer Warren qui risquait de perdre *off-Broadway* à cause d'elle. Alors qu'avec une actrice de la trempe d'Annette Bening...

– Regarde, papa! Viens, entrons! C'est la plus grosse bijouterie du *mall*.

Martial la suivit alors qu'elle se dandinait d'un comptoir à l'autre et, s'arrêtant devant les bagues, elle s'écria:

– Regarde celle-là! Quelle merveille! Une turquoise entourée de diamants. Ma pierre de naissance…

– Tu l'aimerais, ma chouette? Tu veux bien que je te l'achète?

– Papa! il n'en est pas question, ça coûte une fortune, ce bijou-là!

– Allons, laisse-moi te l'offrir pour ta fête, Julie. Je suis sérieux, je ne savais pas quoi t'acheter…

– Mais, c'est beaucoup trop cher!

Il fit signe à la vendeuse de la leur faire voir de plus près et, comme elle se glissait à l'annulaire de sa fille sans qu'on ait à l'agrandir ou à la réduire, il dit à la dame.

– J'aimerais l'avoir dans un écrin de velours, cependant.

Faisant fi du prix élevé de la bague, il présenta sa carte de crédit, régla la facture, s'empara du petit sac qu'il glissa dans sa poche et dit à sa fille:

– Tu ne l'auras que le jour de ta fête, ma chouette, Je te l'emballerai et je te l'offrirai au souper en présence de ton amoureux.

– Papa! Tu es merveilleux! Si tu savais comme je t'aime!

Heureux de pouvoir la choyer comme il le faisait autrefois, mais gêné par les effusions, surtout en public, il se contenta de lui répondre:

– Moi aussi, ma chouette. Alors, on est prêts pour un café quelque part maintenant? Ça nous réchaufferait. C'est frisquet dehors.

Glissant son bras sous le sien, elle l'entraîna jusqu'à l'escalier mobile:

– Tout juste en bas, papa. Il y a au moins dix restaurants!
On choisira le plus charmant.

Le samedi 2 décembre 2000, jour des trente ans de Julie,
c'est au restaurant *Camille's* que Warren réserva une table
pour trois. L'après-midi même de son anniversaire, tout en lui
promettant une surprise au restaurant, il lui avait offert des
roses rouges qu'elle avait disposées dans un vase. Vers seize
heures, alors qu'elle se maquillait pour la soirée, Julie reçut
un appel de sa mère qui s'écria au bout du fil:

– Bonne fête, ma fille! Et tous mes vœux de bonheur!

– Oh! merci, maman! Voilà que j'entre dans la trentaine,
ça me fait tout drôle! Tu sais que j'ai de la visite, n'est-ce pas?

– Bien sûr que je sais et j'espère que tu passes de bons
moments avec lui. Voilà pourquoi je ne te donnais pas de nouvelles, je ne voulais surtout pas déranger.

– Allons donc! Vous n'êtes quand même pas en guerre
tous les deux… murmura-t-elle.

– Non, mais remarque que tu aurais pu appeler, toi.

– J'étais occupée comme une folle, maman! C'était les
dernières représentations de notre pièce. Je n'ai pas eu une
minute à moi, il fallait répéter sans cesse et…

– Bon, bon, ça va. En passant, ta tante Dolorès t'offre ses
vœux. Elle est à ses chaudrons, elle prépare le souper.

– Remercie-la chaleureusement. Au fait, ça semble bien
aller vous deux.

– Ensemble? À merveille! Mais on reparlera de tout cela,
veux-tu? Tu dois sûrement sortir ce soir… Au fait, si tu n'as
pas reçu mon cadeau, c'est que j'ai dû en retarder l'envoi.
Line et Roger ont tenu à y ajouter le leur et, apprenant cela,
Carole et Jean-Louis ont aussi glissé leur présent dans le
colis. Sans doute pour sauver les frais de livraison, ces deux-

là! Mais tu devrais tout recevoir lundi. Ça te fera d'autres surprises, Julie. Ce soir, avec Warren et ton père…

– Oui, je sens que je vais être choyée. Warren a réservé
une table dans un joli restaurant que papa va aimer. J'étais
justement à me préparer.

– Alors, continue, je ne te retiens pas, et tous mes vœux une
fois de plus. Sois heureuse, c'est tout ce qui compte, Julie.

– Merci, maman, et embrasse tante Dolorès pour moi.

Le soir venu, lorsque le trio fut attablé dans ce charmant
petit restaurant, Warren s'empressa de commander un bon vin
rouge importé d'Italie, le préféré de Julie, et après que chacun
eut choisi son plat, il remit à Julie un petit cadeau enveloppé
dans un papier nacré, retenu d'un chou orangé. L'ouvrant mi-
nutieusement, elle découvrit, sous la ouate, une jolie perle de
culture au bout d'une chaînette en or. Un bijou pur et discret,
à l'image de l'homme qu'il était. Elle le remercia, l'embrassa
et le pria d'attacher le fermoir de la chaîne qu'elle venait de
passer à son cou, alors que la perle tombait tout doucement
dans l'encolure de sa robe rouge.

Martial Durelle était embarrassé. Quoique joli, le bijou offert
par Warren était modeste à côté de la bague qu'il s'apprêtait
à lui offrir. Pour en amenuiser le choc, il tendit le présent à sa
fille tout en disant à Warren:

– Ce ne sera pas une grande surprise, c'est elle qui l'a
choisie.

Mais lorsque Julie ouvrit l'écrin de velours bleu et que
Warren aperçut la bague de grand prix qu'il contenait, il resta
bouche bée, puis, poli, s'exclama en disant à monsieur Durelle:

– Vous avez eu bon goût! Je veux dire… Je crois que Julie
vous a fait dépenser de gros sous, ajouta-t-il en riant nerveusement.

Car il venait de se rendre compte que «papa» gâtait sa «chouette» à outrance. Julie, admirant l'or ciselé du contour de la bague et la regardant à la lueur de la chandelle de la table, dit à son père:

– Merci, papa. Elle est de toute beauté! Encore plus belle, seule, que lorsque je l'ai vue parmi les autres dans le présentoir du joaillier. Regarde l'éclat de la turquoise et le scintillement des diamants. Crois-moi, jamais je n'oublierai mes trente ans!

Elle se leva, embrassa son père, admira encore sa bague et dit à Warren:

– Elle est unique! Jamais personne n'en aura une semblable. On nous l'a dit, tu sais… Quelle merveille!

Tout en oubliant, malheureusement, la petite perle qui se balançait de gauche à droite au bout de sa chaîne. Ils rentrèrent après avoir copieusement mangé et Martial, devinant le malaise de son «gendre», préféra se retirer aussitôt. Restés seuls, Julie et Warren optèrent pour un dernier café avant le coucher. Dès qu'ils furent dans leur chambre, elle s'empressa de ranger précieusement la bague dans son écrin, alors que la perle de culture se retrouva parmi les babioles qui traînaient sur la commode. Et Julie se coucha sans même apercevoir l'une des roses, tombée du vase, que Warren tentait de replacer.

Le lundi suivant, c'est une assez grosse boîte que *FedEx* livra à sa porte. Comme ils étaient sortis, Martial signa pour le colis. Rentrée plus tôt que Warren, Julie déballa ses cadeaux et s'exclama devant une jolie veste de laine noire rehaussée de motifs piqués or. Le cadeau de sa mère avec une carte bien choisie. Puis, de la part de Line et Roger, une très belle nappe de dentelle. Sylvain n'avait rien envoyé, sa petite peste de femme détestait sa belle-sœur. Enfin, tout au fond du contenant, un autre présent: une boîte de chocolats aux cerises de la part de Carole et Jean-Louis. À l'endos, sur le cellophane, le prix était resté collé: 1,19$ avec, juste en dessous: «vente finale». Le tout accompagné d'une petite carte de souhaits à cinq pour un dollar dans laquelle Julie put lire:

Sucre-toi le bec, ils sont très bons! Et tous nos vœux!
Carole et Jean-Louis

Martial avait hoché la tête, mais Julie avait souri.

– Je sais ce que tu penses, papa, mais ils ont au moins eu le cœur d'y penser.

– Reste à voir! En autant que les chocolats soient frais, parce que c'est ce que Jean-Louis offre à Carole chaque année… à Pâques!

Deux jours plus tard, alors qu'il déjeunait avec sa fille et que Warren dormait encore, Martial lui annonça:

– C'est demain que je repars, ma chouette. Le temps a vite passé…

– Déjà? Tu aurais pu prolonger ton séjour, tu sais.

– J'aimerais bien, mais il y a les autres, Noël qui vient… Je ne sais trop comment ça va se passer, mais je vais quand même choyer Gabriel et Charles ainsi que la petite Maude. Et puis, j'ai assez pris de place ici, Julie, il est temps que je vous laisse à votre vie et à vos projets, Warren et toi. Remarque que je suis resté plus longtemps que prévu…

– Oui, je sais, papa, mais tu vas me manquer. Si tu savais comme ça fait du bien de retrouver un membre de sa famille quand on est loin. Bien sûr qu'il y a Warren et que j'aime vivre dans le Rhode Island, mais une partie de mon cœur est restée là-bas, tu sais. On n'oublie pas toutes ces années facilement… Si seulement j'avais le temps de m'y rendre plus souvent, mais avec le métier d'actrice…

– Invite ta mère, Julie. Ça lui ferait plaisir.

– Je doute fort qu'elle change ses plans, car Dolorès et elle comptent passer les Fêtes à Nassau, aux Bahamas. C'est du moins ce qu'elle m'annonçait dans ma carte de souhaits.

– Ah oui? Surprenant. Le temps des Fêtes… Loin des enfants… Voilà qui ne ressemble guère à ta mère. C'était un rituel…

– Oui, papa. Avant, jusqu'à l'an dernier, mais depuis votre désunion, bien des choses ont changé. Même pour toi, papa. Jamais tu n'aurais accepté de venir me visiter avec elle et, vois, tu es là depuis presque un mois.

– Heu! oui, tu as raison. On rattrape le temps perdu quand on se sent bien dans sa peau. Et c'est sans doute ce qu'elle fait, elle aussi…

– C'est drôle, en arrivant, tu refusais qu'on parle d'elle.

– Je le fais par comparaison, Julie. Une étude des comportements, rien de plus. Et je me rends compte que nous avons fait le bon choix tous les deux.

– Tu en es vraiment sûr, papa? Tu n'en doutes pas, parfois?

– Si j'en ai douté, ç'a été de courte durée. Jusqu'à ce que je retrouve une respiration qui ne soit pas artificielle. Tout comme elle.

C'est avec tristesse que Martial Durelle alla reprendre l'avion qui le ramènerait à Montréal. Comme Warren avait un rendez-vous d'affaires, c'est Julie qui l'avait conduit jusqu'à l'aéroport.

– Tu as été gentil de venir me voir, papa. Tu m'as vraiment fait plaisir.

– Tout le plaisir a été pour moi, voyons! J'ai pu te voir sur scène, t'applaudir, et toi, tu m'as eu sur les bras durant tout ce temps-là. Imagine!

– Allons, tu es si facile à vivre… Tu te contentes d'un rien!

– Pas toujours, ma chouette. Avec toi, oui, mais pas avec tout le monde.

Il l'étreignit dans ses bras et sentit qu'elle aurait voulu y rester blottie comme lorsqu'elle était une petite fille, en quête de protection et d'affection. Il se dégagea tout doucement, l'embrassa une dernière fois sur le front et franchit la barrière des passagers alors qu'elle lui soufflait un baiser avant de repartir en direction de sa coquette maison. En attendant le départ, Martial tenta sans résultat de lire un journal. Il était pensif, soucieux. Il avait senti, les derniers jours surtout, que la relation battait de l'aile entre Warren et Julie. Il craignait que, tôt ou tard, ils ne se lassent l'un de l'autre. Ils vivaient déjà comme un vieux couple et leurs différends devenaient de plus en plus fréquents. Il était sûr que Julie était une entrave à la réussite de son scénariste et conjoint. Elle était certes jolie, mais son peu de talent obstruait le chemin dont il rêvait. Boston, Chicago, Philadelphie, New York, San Francisco, tout ce que Warren tissait dans ses ambitions et que Julie démolissait avec ses piètres performances. Même Jeff Scott, le jeune acteur qui avait tenu le rôle de son amant dans *Together*, avait dit à Warren en quittant sa troupe pour une autre: «*Sorry, pal, but she's the problem.*»

Le temps des Fêtes se manifestait déjà et, Roger, l'aîné, s'était une fois de plus emporté lorsque sa femme lui avait appris que sa mère et Dolorès allaient passer les Fêtes aux Bahamas. Il avait tenté de ranger Carole de son côté, mais sa sœur lui avait répondu:

– Écoute, elle n'a pas à se sacrifier pour nous, elle l'a assez fait. Il est temps qu'elle rattrape le temps perdu.

Vociférant de plus belle, Roger avait aussitôt répliqué:

– On sait bien, vous n'avez pas d'enfants, vous autres! Qu'elle soit là ou pas, ça change rien. Mais nous, avec Gabriel et Charles, c'est pas correct, ce qu'elle fait là. Elle aurait pu attendre, partir en janvier...

Mais comme Line le regardait d'un air lui intimant de se mêler un peu de ses affaires, Roger avait écourté la conversation et dit à sa sœur:

– Ça va se passer chez nous quand même! Si on n'a plus de parents, on va tenter de faire tenir le reste de la famille ensemble. On vous attend pour le souper du 25, Jean-Louis et toi. Line va faire des billets pour l'échange de cadeaux; on fera ça au bout du fil. Et puis, si papa accepte d'être là, ça va compenser. Mais je ne la comprends pas encore, la mère! Je veux bien croire qu'elle ne voulait plus rien savoir de lui, mais nous? Et nos petits? On n'a pas à payer la note de «leur décision», de «sa décision» à elle, parce que tu sais ce que j'en pense, hein? Le père n'aurait jamais fait ça de lui-même!

Monsieur Durelle avait, bien sûr, accepté l'invitation de Roger à se joindre à eux pour le souper de Noël. Mais il avait insisté auprès de son fils pour qu'il ne soit pas question qu'on discute «d'eux» pendant cette réunion familiale, pas même avec «le vin aidant» comme excuse. Il avait acheté des cadeaux pour les garçons, des jeux pour leur *Nintendo* suggérés par leur mère et, pour la petite Maude, une poupée de chiffon et un joli service de vaisselle. Pour ses enfants, rien, car il faisait partie, tout comme eux, de l'échange de cadeaux. Il avait pigé le nom de Pascale, sa bru détestable, à qui il avait choisi d'offrir deux billets pour le cinéma et un bon d'échange de 25$ pour un souper dans un restaurant. La veille, le 24 au soir, Julie l'avait appelé de Providence pour s'enquérir de sa santé, s'informer s'il ne se sentait pas trop seul... Elle lui avait dit avoir posté des cartes de souhaits aux autres et offert ses vœux à sa mère avant qu'elle parte pour Nassau. Tout allait bien pour elle... selon elle. Warren était à San Francisco avec Jeff Scott qu'il avait convaincu de rester avec la troupe, et ne comptait rentrer que le 28 décembre, ayant des choses à régler avec un important directeur de théâtre.

– Mais pourquoi n'es-tu pas allée avec lui, Julie? Tu vas passer Noël toute seule...

– Il fallait que Jeff soit là, il devra passer une audition, tenter de les impressionner, et comme Warren compte sur lui... Moi, j'irai passer Noël chez Mia et son mari. Un couple tout à fait charmant. Tu te souviens de celle qui tenait le rôle de la bonniche? C'est elle, Mia...

Ce que Martial comprenait, c'est que leur couple s'étiolait de plus en plus. Et il aurait pu jurer que Julie n'était pas dans les vues de Warren pour le rôle principal de *Together* à San Francisco. Ce qui allait être pour elle un choc et une humiliation et, sans doute, la première coche de leur rupture.

Le souper de Noël chez Line et Roger s'annonçait calme et agréable. Line, joliment coiffée et maquillée, avait revêtu une robe rouge brodée de filaments simili or. Belle, grande et mince, elle avait gardé cette fierté esthétique que son mari, hélas, avait quelque peu perdue. Pas trop lourd encore, mais affichant un petit ventre, Roger grisonnait déjà et se souciait peu de sa tenue vestimentaire. Pantalon bien pressé, il n'avait enfilé qu'un chandail gris à col roulé, rien de plus. Les deux enfants, par contre, étaient en tenue de grande soirée, un choix de leur maman.

Grand-papa Durelle arriva le premier dans son plus bel habit du dimanche. Pas neuf, mais pas usé. Avec une chemise blanche et une cravate à pois jaunes sur fond noir. Toujours grand et svelte en dépit de ses soixante-deux ans, il avait certes belle apparence. Sylvain s'amena vêtu d'un complet gris et d'une chemise sport, alors que Pascale, sa peste de femme, juchée sur des talons de quatre pouces et portant une robe trop ajustée pour ses rondeurs, avait l'air... d'un petit baril! Cheveux courts à la garçonne, anneaux de gitane aux oreilles et maquillée à outrance, elle n'avait pas omis de faire de Maude une princesse de conte de fées, avec une robe de velours bourgogne lui tombant jusqu'à la cheville. Sur ses cheveux bouclés comme ceux des poupées anciennes, elle avait épinglé une si grosse boucle de satin qu'on aurait dit... un cadeau!

Enfin, Carole et Jean-Louis arrivèrent, dans les mêmes vêtements que de coutume. Lui, avec son éternelle cravate rouge, sa chemise blanche, son complet gris, n'étonna certes personne. Elle, avec sa petite robe noire et son boléro beige, sans bijoux, les cheveux frisés dur, était proprette mais pas coquette.

Tout semblait parti pour bien se dérouler et personne n'osait parler de la grand-mère, l'absente de la soirée. Pas plus que de Julie qu'on n'avait pas revue aux soupers de Noël depuis trois ans. Pascale se mordillait la langue, laissait échapper des soupirs, se retenait avec peine... Elle aurait tant voulu, après deux verres de vin, cracher tout son venin sur l'indifférence de sa belle-mère, mais Sylvain l'avait prévenue: «Un mot de trop et je te plante là! Je t'avertis, Pascale, un seul mot et je repars avec la petite!»

Lors de l'échange des cadeaux, chacun sut y mettre du sien, offrir quelque chose de bon goût, faire plaisir à la personne choisie, sauf Carole et Jean-Louis. Il fallait s'y attendre, selon Roger, mais cette fois, ils s'étaient surpassés dans l'art de «gratter les cennes» pour les étrennes. Jean-Louis, qui avait pigé le nom de Sylvain, remit à son beau-frère une petite brosse à vêtements de cinq centimètres sur huit, dont le manche en métal doré était déjà terni. Sans doute un présent du... *Dollarama!* Carole, aussi pingre que lui, avait offert à sa belle-sœur Line, l'hôtesse de la soirée, celle dont elle avait choisi le nom, une crème à main et un gel de douche, le tout déposé sur une grosse éponge verte. Une éponge qui n'allait pas du tout avec le décor bleu de la salle de bain de Line. Après leur départ, Line, en rangeant les bouteilles, put lire en dessous de chacune d'elle: «Vente interdite». Exactement ce qu'on retrouve sur les échantillons. Roger, sacrant, fulminant, s'écria: «Ça s'peut-tu être pingre pis effrontée comme ça? D'où est-ce qu'elle sort, celle-là? On n'a pas été élevés comme ça!»

À Nassau, ce même jour, installée sous un parasol au bord de la mer avec Dolorès, Jeanne était songeuse. Loin des siens par défi beaucoup plus que par indifférence, elle regardait les vagues et se rappelait ses Noëls d'antan, alors qu'après la messe de minuit à l'église Saint-Vincent-Marie-Strambi, toute la famille se réunissait dans la petite maison de la rue Garon afin d'ouvrir, au pied du sapin, les cadeaux destinés à chacun des enfants. Avec aussi tante Dolorès et son mari, alors vivant, le grand-père paternel et un cousin de Martial avec sa femme. Bref, une maison pleine! Avec de la joie, des rires, de la bière et du bon vin, de la dinde et des tourtières. Un très beau temps déjà si loin. Un temps quasi heureux où elle et Martial se toléraient... pour les enfants. La voyant à la dérive, les yeux fixant le néant, Dolorès se rapprocha:

– Tu penses à la famille, hein? Ton cœur n'est pas tout à fait ici, n'est-ce pas?

Laissant échapper un soupir, Jeanne se confia:

– Je mentirais si je prétendais le contraire. C'est le premier Noël que je passe sans eux… Et je sais que je leur fais de la peine. Ça me crève le cœur, Dolorès, mais il le fallait. Tant et aussi longtemps que je sentirai le blâme que sur moi, il en sera ainsi. Le plus injuste, c'est qu'ils ne se donnent même pas la peine d'analyser la situation, de constater… Paraît-il qu'une mère n'a pas le droit. Un père, oui, pas une mère. On ne permet rien à une mère, pas même un rêve qui sorte de l'ordinaire. Lui, par contre, on le plaint, on compatit et on en prend soin. Même Julie qui s'est fendue en quatre pour lui! Une mère, c'est coupable, Dolorès, et c'est condamné sans procès. Par ses propres enfants! Parce que j'avais, selon eux, tout pour être heureuse avec leur père. Même si, depuis vingt ans, je me sentais crever petit à petit avec lui. Même si nous nous aimions si peu, lui et moi, sans le leur dire, évidemment, sans trop le démontrer. Quel rôle ingrat que celui d'une mère… Dévouée à ses enfants toute sa vie, elle retrouve un second souffle et ne récolte que leur mépris.

– Tout de même, Jeanne, tu exagères… Sylvain, Carole…

– Peut-être, mais n'empêche qu'aucun d'entre eux, pas même Sylvain, ne m'a dit: «je suis content pour toi, maman», sachant que je venais passer les Fêtes ici. Pas un seul ne m'a souhaité bon voyage, pas même Julie à qui j'ai parlé la dernière. Mais je suis certaine qu'ils ont tous regardé leur père avec fierté quand ils l'ont vu arriver pour le souper. J'ai pourtant fait parvenir de beaux cadeaux aux petits, j'ai comblé Gabriel et Charles de présents, Maude également. J'ai fait parvenir mes vœux à chacun de mes enfants et, à ce jour, pas le moindre mot, pas un merci, pas un appel…

– Ils attendent peut-être que tu le fasses, Jeanne. C'est Noël…

– Non, ils savent où je suis, ils ont le nom de l'hôtel, ils ont des cellulaires, l'Internet… C'est à eux d'appeler leur mère, c'est à eux de s'informer de ma santé, de mon bien-être. C'est à eux de me dire qu'ils m'aiment pour que je puisse leur répondre: «moi aussi», du fond du cœur. Pas même une carte de Noël, Dolorès!

– Qu'ils auraient eu à te poster d'avance? Pas facile…

– Non, virtuelle!

L'avion venait de se déposer au sol et les deux sœurs Valance, Dolorès et Jeanne, avaient déjà hâte de retrouver leur climat et leur appartement de l'Île-des-Sœurs. Après avoir récupéré leurs bagages, elle s'engouffrèrent dans un taxi et revinrent à la maison bronzées par le vent du Sud, mais épuisées par le vol, les passagers et la foule des aéroports. Elles ne rêvaient plus que de tranquillité, du moins pour quelque temps, de pantoufles aux pieds, de leur café au lait du soir, du téléviseur et de son vaste choix. Jeanne aimait la grande musique, Martial la lui avait fait apprécier pour tant d'années, mais elle ne se limitait pas pour autant et s'emballait aussi devant certains artistes populaires. Pas tous, bien sûr, mais elle avait quelques préférences, comme Diana Krall et son jazz langoureux, ainsi que Bruno Pelletier, qui était justement en ondes, et dont elle appréciait le timbre de voix.

Elles eurent à peine le temps de tout ranger que Dolorès remarqua:

– Il y a un ou deux messages dans la boîte vocale. Tu veux les prendre?

– Tu peux le faire, Dolorès, ils ne sont pas toujours pour moi.

– Bon, si tu insistes, mais pour les appels que je reçois, moi…

L'aînée interrogea la boîte vocale et, chose faite, dit à sa sœurette:

– Le premier, c'était pour confirmer mon rendez-vous médical et le second, c'est Carole qui veut que tu la rappelles dès ton retour.

Fronçant les sourcils, Jeanne fut navrée de constater que seule Carole avait pensé à elle durant sa courte absence. Personne d'autre!

– Je la rappellerai demain, je suis trop fatiguée. Ça peut sûrement attendre…

– Sans doute, le ton n'avait rien d'alarmant, lui répondit sa sœur.

Et ce n'est que le lendemain, sachant que sa fille était en congé, qu'elle appela Carole en fin de matinée.

– Maman! Tu as fait un bon voyage?

– Oui, du beau temps, du soleil… C'était certes différent, mais il me manquait l'ambiance. Tu sais, Noël sous les palmiers, ce n'est pas comme un Noël dans la neige avec les sapins et les guirlandes. Et toi, ça va?

– Oui, tout est sous contrôle. Tout le monde va bien.

– Vous avez soupé chez Roger? Ça s'est bien déroulé?

– Oui, sauf que tu nous manquais, maman. Même moi qui te soutiens et te comprends, j'aurais préféré te voir à nos côtés.

– Ton… ton père était là?

– Oui, papa est venu, ce qui a fait plaisir à Roger. Mais ce n'est pas parce que vous êtes séparés que, dans les grandes réunions…

– Quand ce sera vraiment nécessaire, Carole. Nous ne nous sommes pas claqué la porte au nez, mais pour le moment il est préférable qu'on s'habitue à être chacun de son côté. Il y a une adaptation à faire, tu sais. Ce n'est pas parce qu'on a fait un bon choix qu'il ne faut pas ensuite avoir à l'assumer. Lui comme moi! On n'enterre pas quarante années sans quelques égratignures. Avec suffisamment, puis, de moins en moins d'amour, ce fut un long voyage que celui-là...

– Avec tout ce que tu dis, maman, je ne comprends pas que vous n'ayez pas échangé un seul mot depuis votre séparation. Pas même un coup de fil pour vous enquérir l'un de l'autre.

– Alors, comme tu vois, nous avons un deuil à vivre, lui et moi. Il faut sans doute avoir notre âge pour comprendre ces choses-là. Tu sais, avec la sagesse et la sérénité...

– Ce qui n'empêche pas les bêtises, maman! laissa échapper Carole.

– Ai-je bien entendu? Tu viens...

– Excuse-moi, maman, c'est sorti tout seul, je me suis mal exprimée. Je voulais plutôt dire: ce qui n'empêche pas les naufrages. Tu sais, parfois, le mot mal choisi devient le mot de trop. Pardonne-moi, ce n'est pas ce que je voulais dire.

Jeanne soupira, préféra ne pas s'aventurer plus loin et demanda à sa fille:

– Et là, tu voulais que je te rappelle pourquoi au juste?

– C'est que Jean-Louis et moi aimerions que tu viennes souper avec nous au jour de l'An. Tante Dolorès pourrait t'accompagner...

– Il me faudra lui en parler, mais si elle décide de ne pas suivre, j'irai seule, Carole. Ta tante est fatiguée, sa tension est élevée...

– Bon, comme il te plaira, maman, mais si ça ne te dérange pas, Jean-Louis aimerait que tu apportes un bon vin blanc. Il dit que tu t'y connais mieux que lui...

– Oui, oui, ça va, j'ai compris. Mais ne te casse pas la tête avec un souper élaboré, ma fille, surtout si nous ne sommes que trois.

– Non, rien de compliqué, maman, j'ai acheté un petit panier de poulet; je vais faire des vol-au-vent. J'ai aussi une enveloppe de soupe aux nouilles et, pour dessert, des biscuits au citron. Comme tu peux voir, un repas léger, rien pour perturber l'estomac.

Jeanne la pria d'attendre au bout du fil et s'informa pour savoir si Dolorès serait, oui ou non, de ce souper. Cette dernière, s'en excusant, refusa l'invitation, préférant le repos de sa berceuse après le tumulte des Bahamas. Ayant raccroché, Jeanne lança à sa sœur dans un demi-sourire:

– Heureusement que tu as refusé si poliment, Dolorès, parce qu'à quatre, tu n'en aurais pas eu pour ta creuse dent!

L'année 2001 se leva sur un lundi anticipé par tous ceux qui attendaient la véritable naissance du vingt et unième siècle. Jeanne reçut, au bout du fil, des souhaits de Julie, mais non de Warren qui était absent, de Sylvain, mais non de sa femme et de Line, mais non de Roger qui laissa à son épouse le soin de lui transmettre les siens. L'après-midi venu, elle sauta dans un taxi pour se rendre chez Carole. Tel que prévu, ils ne seraient que trois, les autres allaient s'éparpiller chez les beaux-parents ou rester sagement à la maison.

Jeanne avait apporté une bouteille de Saint-Véran, sachant que son gendre calerait la moitié de ce très bon vin blanc. Elle avait aussi rapporté des souvenirs des Bahamas qu'elle tenait à leur offrir. Une tasse à café pour lui, un joli tablier brodé pour elle. Pour ne pas être en reste, ils lui firent cadeau d'une minuscule bouteille d'une eau de toilette inconnue. «Sans doute un échantillon…» pensa Jeanne. Carole lui avait dit en retirant le bouchon: «C'est nouveau! Vois comme ça sent bon! Il t'ira à merveille!»

Ils mangèrent, causèrent de tout et de rien et Jeanne, ne voulant rien gâcher de leur souper, ne fit aucun reproche à qui que ce soit concernant Noël. Elle ne désirait pas d'intermédiaires. Jean-Louis, affable, plus éloquent le vin aidant, avait dit à sa belle-mère:

— Vous allez voir, c'est nous qui allons vous choyer, madame Durelle.

— Pourquoi dis-tu cela? Est-ce que je fais pitié, selon toi?

— Bien non, voyons, mais comme c'est de Carole que vous êtes le plus près...

— Erreur, Jean-Louis! Je n'ai pas de préférence! Mes enfants sont mes enfants et je les aime tous tout autant! Un cœur de mère, tu sais...

— Bien, ce n'est pas ce que je voulais dire, madame Durelle...

— Alors, ne dis plus rien et bois ton vin, lui murmura Carole, câline.

Pourtant, tout ce que Jean-Louis voulait dire, c'était que Carole et lui allaient «s'occuper» d'elle. Ce qu'ils n'avaient pu faire avec le beau-père. Pour que, d'un côté ou de l'autre, ils soient un jour favorisés par l'héritage en retour de tous leurs gestes d'amour.

Jeanne, fatiguée, ayant hâte de retrouver son lit, réclama un taxi pour retourner chez elle. Carole s'offrit pour la reconduire, mais Jean-Louis s'interposa en disant à sa femme:

— Le réservoir est vide ou presque, Carole. J'ai oublié de faire le plein d'essence et, comme, ce soir, tout risque d'être fermé...

— Appelle-moi juste un taxi, ma fille! De toute façon, conduire le soir avec tous les dangers que cela comporte...

— Remarquez que c'est moi qui s'en serait chargé, belle-maman!

— Non, je n'aurais pas voulu, Jean-Louis! Pas après avoir fait honneur à mon vin... jusqu'à la lie!

Jeanne descendit du taxi, poussa la porte de l'immeuble et emprunta l'ascenseur pour se rendre à l'appartement. Ouvrant sans faire de bruit, elle fut très surprise de voir que Dolorès, encore dans sa berceuse, regardait à la télévision ce qui semblait être un film. Étonnée que sa sœur ne se retourne pas pour lui parler, elle s'approcha et remarqua qu'elle avait les yeux fermés, la tête appuyée sur le coussin qui soutenait l'épaule. La poussant légèrement pour ne pas la réveiller brusquement, elle vit le corps s'affaisser sur le bras de la chaise et la main de sa sœur choir d'un coup sec de sa poitrine jusqu'à la cuisse.

Pétrifiée, saisie, Jeanne se retint après un meuble puis, avec courage, s'approchant une seconde fois, elle appela: «Dolorès, Dolorès…» et se pencha vers son visage pour se rendre compte qu'elle ne respirait plus. La main tremblante, les traits crispés, elle s'empara du téléphone et après avoir appelé le 9-1-1, elle composa avec difficulté le numéro de sa fille:

– Oui, allô? répondit cette dernière qui venait de s'assoupir.

– Carole? C'est moi… Je viens de rentrer, je suis…

– Maman! Qu'est-il arrivé? Pas un accident! J'aurais dû insister!

– Non, non, c'est ta tante Dolorès… Elle était au salon…

– Reprends ton souffle, voyons! Elle est malade?

– Non, Carole, elle est morte! Dans sa berceuse! Subitement!

Chapitre 5

Un jour froid et humide que ce jeudi 4 janvier 2001, alors que la dépouille de Dolorès Valance, qui avait repris son nom de jeune fille depuis son veuvage, était exposée dans un complexe funéraire. Jeanne avait fait publier dans les journaux la photo de sa sœur bien-aimée, pour que ses amis d'antan puissent venir aussi lui rendre un dernier hommage. Julie avait sauté dans un avion dès qu'elle avait appris la nouvelle et avait décidé de s'installer dans l'appartement de l'Île-des-Sœurs avec sa mère pour ne pas la laisser seule dans son désarroi. Elle avait toutefois refusé d'occuper la chambre de la défunte où tout était resté intact. Julie donnait comme raison le respect qu'elle devait à sa tante, pour ne pas avouer qu'elle avait peur des morts.

Martial était venu, avec Line et Roger, offrir ses condoléances à son épouse. Il l'avait embrassée légèrement sur les deux joues et l'échange verbal avait été bref. Cherchant à savoir s'il pouvait lui être d'une certaine utilité, il s'était fait répondre par Jeanne: «Non, ça ira, Carole et Julie m'ont déjà offert leur appui.» Le lendemain, sitôt le service religieux terminé, il s'était retiré sur la pointe des pieds. Il ne tenait pas à assister au goûter que Jeanne avait organisé. Il ne voulait plus croiser son regard, se remémorer les bons et les mauvais moments. Julie avait certes insisté pour qu'il reste, mais il avait refusé: «Non, ce sera mieux ainsi. Ta mère va être plus à l'aise avec juste vous autres autour d'elle et quelques invités. Je crois que ma présence la gênerait…» Et c'était exactement ce que Jeanne souhaitait. «Qu'il parte! Qu'il s'efface!» Pour ne pas avoir à soutenir les regards des enfants et des gens posés sur elle et… lui! Pour ne plus voir l'interrogation dans les yeux de Roger ni entendre les murmures de Pascale, sa bru à qui elle avait à peine adressé la parole. Le brunch fut de courte durée, et Roger s'était tenu loin d'elle malgré les efforts de Line pour les rapprocher. L'urne contenant les cendres de Dolorès reposait dans sa niche et les convives, un à un, regagnaient leur voiture en maugréant, foulard au cou et bonnet de laine enfoncé: «Ça s'peut-tu mourir le jour de l'An!» L'humidité de cette journée des funérailles, avec les vents forts qui s'y ajoutaient, traversait de part en part les plus coriaces.

Julie était rentrée avec sa mère et toutes deux, les jambes allongées, se remettaient de leurs longues heures passées debout à jaser avec la famille et les amis. Un dernier café chaud et la fille, regardant sa mère, lui demanda:

– Que comptes-tu faire maintenant?

– Je n'en sais rien encore… Vendre, peut-être? Rester ici, redécorer… Je me doutais bien que j'étais son unique héritière, elle n'avait que moi, pas d'enfants, un mari enterré depuis longtemps… Mais je t'avoue que je ne pensais jamais qu'elle était si à l'aise. Elle était très secrète sur son avoir. Ce qui me peine, c'est qu'elle n'ait rien laissé à Carole. C'était pourtant sa filleule.

– Une filleule qui n'a guère invité sa marraine souvent! C'est à peine si elle prenait de ses nouvelles une fois par année!

– Elle l'avait quand même invitée pour le souper du Nouvel An, avec moi.

– Par politesse pour toi, maman, parce que tu vis sous son toit, mais sans doute en espérant qu'elle refuse, ce que Dolorès a fait. Tu vois? Par avarice, elle et Jean-Louis ne l'ont jamais choyée ni fréquentée, la croyant sans doute peu fortunée, et là, ils perdent ce qu'ils auraient pu récolter. Remarque que s'il avait su qu'elle était pour mourir subitement... Ah! celui-là! Pas même une gerbe de fleurs, pas même une messe! Elle, tout comme lui, bien entendu! Une carte du *Dollarama* qu'ils ont déposée dans le plateau. Au même titre que la femme de ménage qui venait une fois par mois. Une étrangère, pas riche, ça se comprend, mais eux! Et tu es peinée parce que tante Dolorès ne lui a pas laissé d'argent? Elle les avait sans doute sentis de loin, ces radins! Jean-Louis doit s'en mordre les doigts! C'est plus fort que moi, maman, mais le beau-frère, je ne suis pas capable! Sa petite face de souris, ses petits yeux gris de serpent, sa cravate rouge, même chez Urgel Bourgie!

– Laisse, Julie. Carole s'en accommode fort bien, tu sais.

– Oui, chaque guenille... J'arrête! Par respect pour ma sœur! Mais tu sais ce que je veux dire, non? Une autre que je ne peux pas digérer, c'est Pascale! L'as-tu vue me regarder de haut? Avec ses cinq pieds juchés sur des talons aiguilles... Petite gueuse! Je me demande comment Sylvain peut faire...

– Julie! Ça suffit! Par respect pour ta défunte tante! Nous sommes dans son salon, sa chaise est encore chaude...

– Maman! Pas ça! J'ai la chair de poule! Si tu veux que je passe la nuit ici, mieux vaut ne plus me parler d'elle! Même si je suis certaine que tante Dolorès serait de mon avis. Mais tu as raison, je devrais me taire, car je ne prise pas davantage l'attitude de Roger.

– Cesse de t'en faire, Julie, ne te préoccupe pas de ton grand frère, je m'en charge. Dis, tu vas revoir ton père avant de repartir?

– Heu! j'y comptais. J'aimerais… C'est-à-dire qu'il m'a invitée à dîner au restaurant demain. Mais si cela te contrarie…

– Non, non, vas-y, ma fille! Ton père n'a que toi, tu as toujours été sa «chouette» et, que Dieu m'entende, il aura dans sa vie au moins une personne qu'il aura profondément aimée: toi, Julie.

– Il ne faudrait pas exagérer, maman. Vous avez quand même comptés l'un pour l'autre.

– Oh! si peu, ma fille, si peu! Mais ça n'a plus d'importance. Le temps nous a fait signe et nous avons maintenant tous deux une seconde chance…

– Pour refaire votre vie? C'est ce que tu veux dire?

– Non, pour la poursuivre en toute liberté, Julie. Que cela! C'est la plus belle grâce que le Ciel pouvait nous octroyer. À lui comme à moi. Nous somme libres, sans animosité… Mission accomplie.

– Tu ne m'as toujours pas dit ce que tu songeais faire, maman.

– Je n'en sais rien, je vais laisser le temps passer… Je vais me départir de tout ce qui appartenait à Dolorès et faire, de sa chambre, une chambre d'amis. Tiens! Peut-être serais-tu plus tentée de venir me visiter avec un nouveau mobilier? Ce qui me ferait plaisir, Julie. Car, petite fille à son père ou pas, je t'aime autant que lui, tu sais.

– Maman! Comme si j'en doutais!

Jeanne et sa fille s'étreignirent et, à ce doux contact, Julie sentit, sur sa joue, une larme glisser de la paupière de sa mère.

Le lendemain soir, c'est au *Pen Castel,* un charmant petit restaurant du nord de la ville, que Martial convia sa fille. Un endroit chaleureux: jolies tables drapées de nappes blanches, verres à vin élancés, lumière tamisée, musique de fond classique, on aurait dit la salle à manger d'une auberge champêtre. Martial adorait le filet de bison qu'on y servait. Mais en ce soir particulier, au lieu de commander le vin corsé qu'il aimait pour accompagner son plat, il avait demandé un Beaujolais, plus léger, pour accompagner les médaillons de veau que Julie avait choisis. C'était tranquille, peu achalandé à cause du froid qui sévissait encore.

À une table voisine, un homme d'un certain âge discutait littérature avec un collègue. Sans doute un auteur avec son éditeur, d'après les quelques bribes de conversation perçues par Julie. Plus loin, une jeune femme avec un homme plus âgé qu'elle qui, main dans la main, échangeaient à voix basse tout en dégustant du vin blanc. Les regardant, Julie songea: «Pourvu que le patron du restaurant ne me prenne pas pour la maîtresse de mon père...» Mais elle n'avait pas à s'inquiéter, Martial était connu à cet endroit. Il y était d'abord venu avec sa femme pour y revenir ensuite, régulièrement, seul. On connaissait son histoire... Trinquant à la santé de sa fille, monsieur Durelle lui demanda:

– C'est confortable chez ta mère? Tu t'y sens à l'aise?

– Oui, quoique je le serais davantage si je n'avais pas devant les yeux, intacte, la chambre de tante Dolorès. Tout est encore en place, tu sais... Et moi, les morts...

Martial afficha un sourire:

– Ne crains rien, ils sont moins dangereux que les vivants, ma chouette. Mais je suis surpris que Dolorès n'ait pas demandé à être enterrée avec son mari. Incinérée… Curieux de sa part…

– C'était pourtant ses dernières volontés. Maman prétend que tante Dolorès avait une peur bleue de se réveiller dans son cercueil. C'était sa hantise, paraît-il… Mais changeons de sujet, veux-tu? Moi, les dépouilles… Qu'elle repose en paix.

– Et que dire de son avoir… C'est un bel héritage pour ta mère.

– Oui… et que vous auriez pu vous partager elle et toi. Quand…

– Excuse-moi de t'interrompre, mais n'ajoute rien; j'ai tout ce qu'il me faut, Julie. Des pensions, des fonds de retraite, des placements, des économies… Et comme ta mère n'a rien voulu de mon avoir, je m'en faisais un peu pour elle. Là, je suis soulagé. Avec l'argent de Dolorès et un luxueux condo, elle n'aura plus à s'inquiéter de rien. Remarque que ta mère a eu la moitié de l'argent de la maison mais, nonobstant ce fait, si elle avait été mal prise un jour, je ne l'aurais jamais laissée dans la gêne. Mais orgueilleuse comme elle l'est, elle aurait préféré mendier plutôt que d'accepter mon aide. Si seulement elle s'appliquait à moins dépenser. Mais, de quoi je me mêle…

– Qu'importe! Je vais la surveiller papa, je vais y mettre mon nez. Avec tous les rôdeurs autour des femmes qui se retrouvent seules, tous les escrocs qui viennent les arnaquer, je vais lui recommander de redoubler de prudence.

– Mais tu es si loin, Julie. De Providence à l'Île-des-Sœurs…

– Il n'y a qu'un coup de fil à passer. Je vais me rapprocher d'elle de cette façon. Plus régulièrement, plus souvent. Pour sa sécurité aussi, car je ne voudrais pas que Jean-Louis…

– Tu ne l'aimes pas ton beau-frère, hein?

– Je le déteste! C'est un vil petit égoïste avec des yeux hypocrites! Il ne s'intéresse qu'à ce qui lui rapporte. Il renifle l'argent comme un chien flaire un os! Et dire qu'elle, si belle naguère, s'est entichée de ce petit chauve aux dents jaunes! Elle qui aurait pu…

– Il faut croire qu'ils ont des points communs, Julie. Ta sœur ne délie pas trop les cordons de sa bourse, elle non plus. Elle remplit encore ses cochons qu'il faut défoncer pour ouvrir, tu sais. Mais laissons, passons. Dis-moi, ça va, Warren et toi?

– Oui, ça va, papa. Warren a réussi à faire accepter sa pièce à San Francisco. Ça va prendre l'affiche en mai qui vient.

– Et… et tu y tiendras le même rôle?

– Heu! non, j'ai cédé ma place. Je vais m'occuper des costumes, des décors, je serai *back stage* cette fois, je n'avais plus envie de ce rôle. Je l'ai joué tant de fois…

– Julie… Tu me dis la vérité? risqua le père avec douceur.

Elle baissa les yeux, tourna de sa fourchette un champignon dans sa sauce, et avoua:

– Non, pas tout à fait, papa. Warren préférait que ce soit une autre. Une tête d'affiche pour attirer plus de monde. Et Jeff était d'accord.

– Toujours dans les parages, celui-là?

– Oui et c'est grâce à lui s'ils ont obtenu San Francisco. Jeff a passé l'audition avec brio; le directeur du théâtre l'a même invité à souper. Et là, Warren et lui sont partis à New York afin de tenter de conquérir *off-Broadway*. Si ça fonctionne, je reprendrai le rôle, papa. Ce sera la chance de ma vie! Parce que, de New York, tout s'ensuit, tu saisis?

La routine semblait vouloir reprendre le dessus. Julie était repartie pour Providence et monsieur Durelle, sachant son ex-femme à l'aise, avait regagné son condo avec un poids de moins sur les épaules. Car il avait réellement craint qu'un jour, malgré la part de la maison qui lui avait été versée, Jeanne revienne la main tendue pour en avoir encore plus. Le samedi 10 février, Carole l'avait appelé pour l'inviter à souper, mais il s'était désisté en grommelant: «Voyons! Avec la tempête de grêle, de verglas et de pluie d'hier, qui donc veut sortir aujourd'hui? Il y a des branches cassées partout!» Ce qui l'arrangeait. Il n'aurait pas à répondre à son gendre qui questionnait sans cesse son compte en banque. Il reprit plus gentiment: «On se reprendra si tu veux bien. Ce soir, je vais me détendre, lire un peu et fureter dans les films à la télé…» Ce que sa fille avait accepté sous le regard inquisiteur de son mari.

Chez Roger et Line, ça n'allait pas. Le professeur, épuisé par ses élèves, n'avait plus de patience avec ses deux fistons, Gabriel et Charles. Au point que Line avait eu à s'emporter, elle si calme, si soumise. Pour le distraire, pour le sortir de son irascibilité, elle lui avait suggéré d'appeler sa mère, d'arrêter de jouer les fortes têtes avec elle, et de l'inviter à souper. Réfléchissant, se sentant quelque peu repentant, il accepta de composer le numéro de sa mère, que Line venait de lui mettre sous le nez. Et c'est calée dans un fauteuil, un roman ouvert sur les genoux, que Jeanne décrocha le récepteur de l'appareil.

– Oui, allô?

– Maman? C'est Roger.

Jeanne, stupéfaite, restait muette au bout du fil.

– Tu es là? Je ne…

– Oui, je suis là. Que puis-je faire pour toi?

– Mais rien voyons! C'est plutôt moi qui devrais te poser cette question!

– Ah oui? Depuis quand? C'est à peine si tu t'es informé de moi une ou deux fois depuis le temps des Fêtes. Et pas à moi, à Carole!

Il sentait qu'elle devenait agressive, ce qui l'irritait au plus haut point.

– Écoute, maman, je n'aime pas le ton et je t'appelais juste pour...

– Si c'est pour une invitation, Roger, c'est non! Désolée pour Line et les enfants, mais on ne salit pas sa mère comme tu l'as fait pour ensuite s'en informer comme si de rien n'était. Sans être rancunière, je n'oublie pas, moi! Et puisque ton père est devenu celui qu'on plaint, celui qu'on considère, invite-le donc, lui!

– N'empêche qu'il a été plus près de ses enfants ces derniers temps que tu as pu l'être, maman! Séparée de lui, tu t'es fondue dans la foule, toi! Tu as même oublié qu'une famille, unie ou pas...

– Arrête ou je raccroche! Qu'est-ce que tu as dit, Roger? Ton père a été plus près de vous que j'ai pu l'être? J'ai bien entendu, n'est-ce pas? Alors, tu as du culot, mon fils! J'ai passé toute ma vie avec quatre enfants accrochés à mes jupes! J'ai sacrifié toutes ces années par amour pour vous autres, par devoir et par dévouement. Ce n'est pas ton père qui se penchait sur tes maladies d'enfant, Roger! C'était moi qui te berçais toute la nuit. Et c'est encore moi qui t'ai secoué jusqu'à l'université, qui t'ai encouragé à devenir professeur. Comme tous les hommes de son temps, ton père était absent! Bien sûr qu'il travaillait fort, qu'il mettait le pain sur la table, mais ce n'était pas lui qui s'occupait de tes vaccins, de tes problèmes scolaires, des difficultés de Carole, du peu d'efforts que fournissait Sylvain. C'est moi qui, à bout de souffle, vous poussais dans le dos! Il n'en avait que pour sa «chouette», ton père, sa petite dernière! Il la choyait, il partait et c'était moi qui héritais des crises de cette enfant gâtée quand je lui refusais ce qu'il lui permettait! Et tu oses me dire qu'il a été plus près de ses enfants? Tu as du front!

— Je voulais dire depuis votre séparation! Tu n'avais pas à tout me remettre sur le nez! Je parlais...

— Tu parles trop, Roger! Trop et sans réfléchir! Quand nous nous sommes séparés, ton père et moi, je comptais bien me retrouver à vos yeux sur le même pied d'égalité. Mais non! C'est moi qu'on a blâmée! C'est moi qu'on a montrée du doigt! Toi le premier, Roger! Carole a fait mine de comprendre, mais je me suis vite rendu compte qu'elle voyait son père comme une victime. Sylvain ne dit rien, sa petite garce de femme s'en charge, elle! Et Julie, même si elle semble rester neutre, s'est rapprochée comme jamais de son père. Elle l'a invité à séjourner chez elle pendant près d'un mois! Elle l'a même traité aux petits oignons en échange d'une bague... Non, je ne devrais pas dire cela, je m'emporte, mais n'empêche que j'ai été mise de côté par chacun d'entre vous et, avec le temps, j'ai appris à vivre avec ce blâme. Et là, on me rappelle! Carole et Jean-Louis sentaient sans doute l'odeur de l'argent que Dolorès m'a laissé...

— Ce qui n'est pas mon cas! On gagne bien notre vie, Line et moi, et si tu crois que c'est pour ça que je t'appelle...

— Non, bien sûr, pas toi, mais ce n'est guère plus respectable de laisser sa mère se sentir coupable que de flairer son héritage. Non, Roger! Je n'irai pas chez toi, je n'irai plus chez toi! Tu m'as déçue, tu m'as profondément blessée, tu m'as même fait pleurer. Aujourd'hui, je règle mes comptes. Je me suis endurcie, j'ai compris bien des choses et je ne serai plus jamais la mère au cœur grand ouvert que tu as connue. Parce que ton ingratitude m'a fait comprendre que je t'avais sans doute bercé en vain jadis…

– Aïe! Je ne suis quand même pas un monstre!

– Non, mais tu es dur, Roger! Tyrannique! Même avec Line et les enfants! Tu veux toujours dominer, être obéi, avoir tout le monde à tes pieds. Chez toi surtout, parce que tu ne réussis sans doute pas ce tour de force à l'école. Alors, tu te reprends avec ta femme et tes enfants, tu parles fort, tu gueules et autour de toi on se tait. Mais pas moi, Roger! Pas ta mère! Pas celle qui t'a mis au monde et qui t'a élevé! Et là, je te le redis, je n'ai plus envie de te voir ni de t'entendre. Tu m'as assez humiliée, bardassée… Tu me reverras sur mon lit de mort!

Abasourdi, ne pouvant croire qu'elle lui avait raccroché la ligne au nez, Roger lança à sa femme:

– C'est elle qui m'a attaqué, Line! J'étais pourtant bien intentionné…

Ce à quoi sa femme lui répondit:

– C'était à toi de l'être avant. Elle a sans doute trop accumulé…

De son côté, rouge de colère, essoufflée, délivrée de tout ce qui l'étranglait, Jeanne appuya sa tête sur le coussin et, comme toute mère au cœur brisé, se mit à pleurer.

Roger Durelle, l'aîné de Jeanne et Martial, demeurait soucieux depuis quelques jours. Il ne comprenait pas pourquoi sa mère avait été si radicale avec lui ni pourquoi, pour le désarmer, elle avait débité d'un trait tout son passé. Était-il aussi ingrat qu'elle le lui reprochait? Pourtant! Roger se souvenait d'avoir aimé sa mère beaucoup plus que son père lorsqu'il était enfant. Il n'avait pas oublié son dévouement, ses nuits blanches avec la petite dernière, les poussées dans le dos pour qu'il réussisse. S'il l'avait blessée par ses propos, c'était bien malgré lui. Il était impulsif, direct, parfois irréfléchi, il le savait. Mais de là à ce que sa mère déverse sur lui le fiel de sa rancœur alors qu'il ne s'apprêtait qu'à l'inviter à souper... Mal à l'aise, constatant aussi que Line était plus distante, il s'approcha d'elle un soir et lui demanda:

– Es-tu heureuse avec moi, Line?

Étonnée, pliant son linge frais lavé, elle murmura sans le regarder:

– Pas malheureuse.

– Non, je veux savoir si tu es heureuse, Line. Ta réponse n'est pas très concluante.

– Oui, je suis heureuse, Roger. Et toi, tu l'es avec moi?

– Bien sûr! N'en doute jamais! Je t'aime comme au premier jour. Mais je te sens fébrile, muette... Est-ce depuis l'incident avec ma mère?

– Oui, si on veut, mais même avant, Roger. Nous avons des choses à remettre en question, toi et moi.

– Comme quoi? As-tu peur que notre couple s'écroule avec le temps?

Laissant son panier à linge de côté, elle le regarda et lui répondit calmement:

– Si tu acceptes de m'écouter, Roger, de porter intérêt à ce que je vais te dire et de dialoguer par la suite...

– Oui, oui, l'interrompit-il. Vas-y! Parle! Qu'est-ce que j'ai fait?

– Rien de mal, rassure-toi, mais ton attitude devient de plus en plus lourde à supporter. Je sais que l'enseignement, ce n'est pas facile, que tu frises parfois la déprime, mais ça ne peut pas continuer ainsi; ça risque de te tuer.

– Tu veux dire tuer notre union? Pourtant! Est-ce l'exemple...

– Tu vois, tu m'interromps! Et tes parents n'ont rien à voir dans ce que je vais te dire. Ils se sont séparés en avouant ne s'être jamais follement aimés, ce qui n'est pas notre cas. Je t'aime, tu m'aimes, nous n'en viendrons jamais là. Quand je parle de «te tuer», je veux dire à petit feu. Ta profession va avoir raison de ta santé. Tu rentres chaque soir à la maison comme le maître d'école que tu as été durant la journée. Au moindre petit écart, les enfants subissent tes réprimandes. Tu ne leur passes rien, tu ne leur permets rien; tu agis avec Gabriel et Charles exactement comme tu le fais avec les têtes fortes de tes cours. Je sais que nos garçons te craignent et je sens, hélas chaque jour, que ton retour à la maison ne les réjouit pas. Et c'est ce qui me peine, Roger. Tes fils n'ont pas à subir la discipline que tu imposes à tes élèves coriaces.

– Line! Je ne suis pas dur à ce point-là! Je sais faire la différence…

– Non, pas vraiment. Essaie juste de te rappeler du jour où tu as embrassé tes enfants. Le peux-tu? Tente aussi de te souvenir de la dernière fois que tu as ri avec eux, que tu as partagé leurs jeux.

Penaud malgré son orgueil de mâle, Roger baissa les yeux et demanda à sa femme d'une voix quasi éteinte par cet effort:

– Tu me sens vraiment loin d'eux? Distant? Plus prof que père? Suis-je vraiment comme tu me décris, Line? Pourquoi ne pas m'en avoir parlé avant? C'est sûr que mes journées ne m'aident pas…

– Sans aucun doute et j'en subis les contrecoups. Voir les enfants constamment sur leurs gardes m'angoisse, Roger. Je leur ai dit que tu traversais un mauvais moment, j'ai prétexté un malaise qui t'accablait, mais là, je ne peux plus leur mentir. Et je n'en peux plus de me taire et de t'entendre descendre tous les saints du ciel parce que deux ou trois élèves… Je n'en peux plus de te voir taciturne, les sourcils froncés, d'humeur maussade chaque soir ou presque. Cette mauvaise humeur qui te fait t'en prendre à ta mère, t'obstiner parfois avec ton père, ne pas digérer leur rupture, vouloir être sans cesse le chef de ta famille parce que tu es l'aîné. Et dire que tout pourrait changer du jour au lendemain, rentrer dans l'ordre...

– Ah oui? Comment?

– Quitte l'enseignement, Roger! Que cela! Quitte ce métier qui va te rendre malade et qui t'empêche d'être heureux. Trouve autre chose, n'importe quoi! Deviens représentant, vends des meubles, deviens libraire, n'importe quoi, mais retrouve ta femme et tes enfants. Retrouve aussi une joie de vivre avant de faire une dépression. Retrouve... Trouve, mais quitte cette maudite profession pendant qu'il en est encore temps!

Line avait fini par hausser le ton et Roger en fut ébranlé. Ne sachant quoi dire de peur d'envenimer la situation, il murmura:

– Mais toutes ces années, ma pension dans quinze ans...

– Au diable, tout ça! De toute façon, dans ton état, tu ne t'y rendras pas à cette pension. Tu vas te payer un infarctus avant! Tu n'as pas encore quarante ans et je te surprends souvent à te masser le bras. C'est mauvais signe, tu devrais même consulter...

– Non, pas le docteur après ta dose de psychologie. Je veux bien admettre que j'ai des torts, mais je crois que tu les amplifies. Je ne vais quand même pas tout lâcher pour aller vendre des meubles! Et je ne me suis pas instruit pour finir ma vie comme représentant de chaudrons. Il y a d'autres solutions...

– Ah oui? Lesquelles?

– Je vais changer, m'amender, travailler sur moi-même. Je ne laisserai pas ma profession détruire ma famille. Tu m'as ouvert les yeux sur bien des points, à moi d'y remédier. Je vais me rapprocher des enfants, je vais cesser d'être austère; je vais rajeunir... Je vais tout faire pour m'améliorer et, si j'échoue, si dans un an je suis encore le même, je te jure sur la tête des enfants de quitter l'enseignement.

Remuée par ce franc discours, Line s'approcha de lui, l'enlaça et lui dit en déposant un baiser sur son front:

– Je sens que tu vas réussir, Roger. Pour eux, pour moi…

Ils échangèrent un baiser et, ayant retrouvé son calme, Roger reprit:

– Mais là, je ne sais pas quoi faire avec maman. Elle m'a raccroché au nez, elle m'a presque renié. Devrais-je…

– Moi, à ta place, j'en parlerais à ton père. Dis-lui ce qui s'est passé, demande-lui quoi faire. Dis-lui que ses conseils seraient appréciés. Ainsi, tu te rapprocheras aussi de lui. Ton père ne demande pas mieux que de t'aider. C'est toi qui n'as jamais besoin de personne…

– Oui, je sais, ne reviens pas sur le sujet, ne retourne pas le fer dans la plaie. Je vais l'appeler… Il me faut regagner le cœur de ma mère. Mon Dieu, je perdais tout sans me rendre compte de rien… Ce n'est pas un reproche, Line, mais il y a longtemps que tu aurais dû me remettre à ma place. J'aurais pu te perdre, toi aussi…

– J'attendais juste que le couvercle saute, que tu baisses les bras, que tu deviennes vulnérable… Et vois, c'est fait!

Dès le lendemain, après un copieux souper. Roger s'empressa de téléphoner à son père dans le but de lui parler de sa mère.

– Bonsoir, papa, ça va?

– Roger? Quelle surprise! Oui, ça va, et toi?

– Assez bien, merci. Est-ce que je te dérange?

– Non, je m'apprêtais à visionner le film *Regarding Henry*, avec Harrison Ford et Annette Bening.

– Je l'ai vu. Pas mal bon! Préfères-tu que je te rappelle?

– Voyons, Roger, comme si un film allait passer avant mon fils! Et comme je l'enregistre sur cassette en plus, j'ai tout mon temps, ne t'en fais pas.

– Écoute, papa, j'ai besoin de tes conseils, C'est au sujet de maman.

– Si je peux t'aider... Demande toujours, on verra bien.

– Elle m'en veut comme ce n'est pas possible, papa. Je l'ai appelée pour l'inviter à souper et, avant de pouvoir le faire, elle m'a apostrophé. J'ai peut-être dit un mot de trop, je ne m'en souviens pas, mais elle s'est emportée, je n'en reviens pas! Elle m'a sermonné et m'a traité comme du poisson pourri avant de me raccrocher au nez. Je ne sais trop si elle se cherchait un souffre-douleur, mais j'ai écopé de tout ce qu'elle avait sur le cœur. Et, selon elle, je suis le dernier des ingrats! Je ne comprends pas...

– Ta mère est impulsive, tu le sais. Mais tu as dû l'offenser pour qu'elle se déchaîne de la sorte. Tu lui as encore parlé de notre rupture, je suppose?

– Heu... à peine. Elle m'a assommé avant même que j'aborde le sujet. Je ne me souviens plus de ce qui l'a fait éclater. Une parole de trop? Sais pas. Et là, elle ne veut plus rien savoir de moi jusqu'à son lit de mort. C'est affreux d'en être là, ça me déchire...

– Tout peut s'arranger, Roger. Ta mère explose, mais elle se remet vite de ses colères. Elle est très sensible, tu sais. De plus, comme vous semblez tous lui lancer la pierre...

– Pas tout à fait, papa, mais avoue que tu ne l'aurais jamais quittée si elle ne t'y avait pas incité. Pour toi, c'était à la vie à la mort. Tu aurais eu peur de la blesser...

– Je n'en suis pas si sûr, Roger. Tu veux la vérité? J'y pensais, je te l'ai déjà dit. Et ce n'était pas par délicatesse que je ne faisais pas les premiers pas, j'étais juste trop lâche pour les faire. J'ai préféré attendre que ça vienne d'elle et j'avoue avoir tout fait pour l'inciter à le faire. J'étais distant tout en faisant mine de m'ennuyer à French River. Je l'ai presque poussée à me quitter, Roger, ce qui n'est pas être brave. Ta mère a finalement eu le courage que je n'avais pas. Un courage pour deux. Alors, une fois pour toutes, cessez de la blâmer et dites-vous que votre père a souhaité la même chose. Moi, une union périmée…

– Je comprends mieux, papa, et c'est là que nous avons tous eu tort. On a jeté le blâme sur elle exclusivement, et elle a eu le dos assez large pour tout encaisser. Mais là, comment faire pour m'en rapprocher? Je me sens désarmé…

– C'est bien simple, mon garçon, tu la rappelles et tu t'excuses du plus profond de ton cœur. Tu te repens de l'avoir ainsi traitée, jugée, et tu le fais au nom des autres. Ta mère, tu peux la reconquérir avec douceur, Roger, pas avec rigueur ni avec ruse. Si tu emploies avec elle le ton que tu utilises maintenant avec moi, je suis sûr qu'elle va t'absoudre de toutes tes fautes. Mais ne lui dis jamais que tu m'en as parlé. Fière comme elle est, ça pourrait doublement te condamner.

– Eh bien, c'est ce que je vais faire! L'appeler, m'excuser, tenter de réparer les fissures… Sur ces mots, je te laisse à ton film dont tu as déjà manqué une bonne partie.

– Aucune importance, je regarderai le début sur ma cassette par la suite. Mais avant de raccrocher, une dernière chose, Roger, un dernier conseil concernant ta mère, si tu le permets.

– Bien sûr, papa. Quoi?

– Dis-lui que tu l'aimes.

Jeanne était en train d'arroser ses plantes lorsque le téléphone sonna. Irritée d'être dérangée, elle répondit d'un ton impatient:

– Allô, oui…

– Maman? C'est moi.

Se rendant compte que c'était Roger avec la voix quelque peu mielleuse, elle se contenta d'attendre en laissant s'échapper un soupir.

– Maman, ça va, ne dis rien… Je veux juste m'excuser de ce que j'ai pu te dire. Je t'en demande pardon, je ne voulais pas te faire de peine. J'ai été impulsif…

– Comme d'habitude, Roger. Tu l'as toujours été, tu n'as jamais trop réfléchi avant de parler. Tu t'emportes…

– Maman, je t'en prie… Il paraît qu'on a le même caractère.

– Oui, soupe au lait, fougueux, parfois immodéré, mais je suis plus diplomate, moi.

– Ce qui viendra avec le temps. On s'améliore avec l'âge, dit-on.

– Et tu me rappelles! C'est Line qui t'a demandé de t'excuser?

– Non, pas nécessairement, ça vient de moi, mais comme Line t'aime beaucoup, elle refusait de nous sentir éloignés de toi. Elle m'a fait comprendre bien des choses. J'ai une femme en or, tu sais.

– Heureux de te l'entendre dire et prends-en soin, mon fils. Des femmes comme la tienne, ça ne court pas les rues, c'est du bon pain… Moi aussi, je l'aime bien. Ne t'arrange pas pour la perdre.

– Ne t'inquiète pas, maman, tout va bien entre nous. Grâce à elle, je réussis à reconnaître mes torts, à corriger mes défauts. Mais là, ce que nous aimerions, elle et moi, ce serait que tu viennes souper à la maison dimanche. Les enfants l'apprécieraient…

– Je ne dis pas non, Gabriel et Charles me manquent, je les adore, ces garnements. J'aime également ma petite Maude, mais avec la mère qu'elle a, celle-là… Bon, parlons d'autre chose!

– Alors, on fait la paix, toi et moi, on ne reparle plus de rien?

– Je veux bien passer l'éponge, Roger, mais il faudra que tu sois le porte-parole de ta mère auprès des autres. Je ne veux plus jamais qu'on me reproche quoi que ce soit, même d'un regard, tu entends? C'est à toi, l'aîné, de parler à Carole et à Jean-Louis, à Sylvain et surtout à sa femme, mais oublie Julie, c'est déjà fait. Toi comme les autres, il faut que vous sachiez une fois pour toutes, que je n'ai pas abandonné votre père.

– Oui, je sais, je l'ai appris de…

– Tiens! Tu dis l'avoir appris de… De quoi, de qui? Tu as parlé à ton père?

– Heu! non, j'ai étudié son comportement, mentit-il, et je me suis rendu compte qu'il jouissait de sa liberté autant que toi, maman. Aucune trace de solitude, aucun ennui…

– Bien, ça se comprend, l'ennui, c'était à deux que nous le vivions! Pour moi, c'est différent, j'ai encore à m'adapter, je commence à peine à vivre seule. Dolorès vient tout juste de partir. Ton père a une longueur d'avance, mais ça viendra.

– Bien sûr, maman, et tu sais, on est aussi seul qu'on veut bien l'être. Quand on a des enfants…

– Oui, je connais l'adage, Roger. Dis, tu passeras me prendre dimanche? Mon pire regret, c'est de ne jamais avoir appris à conduire. Ton père a souvent insisté, mais j'ai toujours refusé et là, ce serait si pratique. Il m'a fallu vendre l'auto de Dolorès.

– Comment fais-tu pour tes courses, pour le marché?

– Nous avons un service, un petit autocar, mais je déteste l'emprunter parce qu'il me faut m'intégrer à toutes les vieilles de l'immeuble! Des commères! Avant, j'y allais avec Dolorès…

Mais tôt ou tard, je vais partir d'ici et me trouver quelque chose de plus approprié. Un appartement avec tout à la portée de la main. Pour dimanche, c'est bon, j'accepte et je serai prête vers quinze heures. Ça te convient?

– À merveille et je monterai te chercher.

– Dans ce cas, je t'attendrai en haut, Roger, et n'oublie pas d'embrasser Line et les enfants. J'ai bien hâte de les revoir. Bon, je te laisse…

– Non, une petite minute, juste un petit mot si tu y consens.

– Évidemment… Qu'est-ce?

– Je t'aime, maman.

Mars se leva sur des froids dignes de janvier et, en regardant par les fenêtres, on n'entrevoyait guère le printemps. Martial Durelle s'était quand même levé tôt pour écouter le bulletin de nouvelles et s'enquérir de la météo. Détendu, pantoufles aux pieds, emmitouflé dans sa robe de chambre, il se faisait un café et respirait d'aise dans sa solitude empreinte d'un doux bien-être. Personne n'aurait pu imaginer, lui le premier, qu'il apprivoiserait si vite le fait de vivre seul. Il avait certes présagé que sa vie sans Jeanne lui permettrait de s'appartenir, mais il n'avait pas soupçonné, avant que la séparation soit confirmée, qu'il en serait heureux. Bien sûr qu'ils avaient fini par s'attacher l'un à l'autre. Comme on s'attache à une maison, à un piano, à ses vieux livres. Un attachement qui s'était «noué» de lui-même, sans même le verbe «aimer» pour lui en offrir la ficelle. Parce que Jeanne et Martial ne s'étaient jamais profondément aimés. Pas détestés, mais pas aimés, sauf au temps de leurs vingt ans, alors qu'un sentiment inexplicable les animait l'un et l'autre. Ce dont Martial se rendait compte seulement maintenant. Parce qu'elle n'était plus là pour décider pour deux, tenir les cordons de la bourse et le morigéner parce qu'il ne parlait pas assez. Jeanne qui rêvait de voyages alors que lui, sédentaire, se contentait du parc public de Montréal-Nord.

Ouvrant un peu plus grand le tiroir de sa mémoire, il se souvint qu'il avait aimé le chalet de son père à Saint-Hyppolite. Pas elle: il y avait trop de moustiques dans ce coin-là, disait-elle. Après le départ des enfants, il avait tenté de redevenir lui-même, de ne plus céder aux impulsions de sa femme. Parce qu'il sentait déjà que leur union n'avait plus sa raison d'être. Il tentait de se faire discret, d'écouter Schubert dans sa chambre, de manger souvent seul afin qu'elle se lasse de cette absence et qu'elle lui suggère qu'ils partent chacun de leur côté.

Ce qui était certes arrivé, mais si tard… Cinq, sept ou dix ans plus tôt, leur rupture eut été une toute autre aventure. Martial aurait pu refaire… ce qui ne le tentait plus. La soixantaine fait déposer les armes, on se départit même de ses rêves, tandis qu'avant, encore à temps… Mais Jeanne avait alors déniché French River à l'Île-du-Prince-Édouard. Un endroit dont sa sœur lui avait parlé, après l'avoir visité avec un groupe de veuves de son entourage. Pour Martial, c'était le bout du monde, mais pour lui plaire, pour ne pas lui être désagréable, il avait accepté de rouler plus de mille kilomètres dans le but de la contenter. Une seule fois! Sans penser, hélas, que French River allait dès lors faire partie de leur existence.

Parce que Jeanne était tombée amoureuse des levers et des couchers de soleil. Parce qu'elle avait été éblouie par la terre rouge et qu'elle adorait s'endormir en sentant la brise de la mer lui caresser le visage, dans cette chaise longue de toile juste à côté de l'autre, vide. Martial qui, la première fois, avait apprécié ce décor, s'en était vite lassé. S'asseoir côte à côte sur cette colline le rendait en plus mal à l'aise. Pour lui, ce site fascinant était digne de ceux qui s'aimaient, pas de ceux qui, jour après jour, s'éloignaient l'un de l'autre. Il laissa échapper un soupir. Pourquoi de telles pensées alors que tout cela était derrière lui? Par regret de ne pas avoir agi avant que les décennies s'accumulent? D'avoir attendu que Jeanne, pas plus heureuse que lui, finisse par lui suggérer de jeter l'ancre?

Dans son condo, Jeanne s'adaptait peu à peu à l'absence de sa sœur, et avait encore des rêves. Pas celui de refaire sa vie, pas même celui de rencontrer l'âme sœur. Non. Que le rêve d'être bien dans une petite maison où elle serait heureuse. Un endroit où le sourire exprimerait la joie de vivre. Ailleurs. N'importe où, mais ailleurs que dans l'appartement de sa sœur. Non, pas n'importe où... Pas d'impulsion cette fois. Dans un site enchanteur avec de la magie dans les yeux et dans le cœur. Sans Martial dont elle se sentait soulagée, sans ses lourds silences.

En ce matin de mars, alors que la froidure invitait à rester bien au chaud, Martial, buvant son café matinal devant son téléviseur, ne songeait à rien d'autre qu'à occuper sa petite journée. Mais, à l'Île-des-Sœurs, tout en s'étirant d'aise de si bien rêvasser, Jeanne se cherchait une oasis de paix et de bonheur. Tiens! French River, peut-être?

Martial Durelle venait à peine de fermer le téléviseur pour syntoniser sur la bande FM la station de Jean-Pierre Coallier dont il aimait la musique classique, que le téléphone sonna. Regardant sa montre, il se rendit compte qu'il était déjà onze heures. Décrochant le récepteur, il eut peine à reconnaître la voix de Julie.

– Pa... papa, c'est moi...

– Julie? Que t'arrive-t-il? Tu sembles bouleversée!

Entre deux sanglots, la jeune femme parvint à balbutier:

– Je rentre papa… C'est…, c'est fini entre Warren et moi.

– Quoi? Tu me disais être heureuse…

Retrouvant son aplomb, Julie lui répondit:

– Pour un certain temps, nous l'avons été, papa, mais ça s'est gâché en cours de route. Même lors de ta visite, ça n'allait plus comme avant. Mais là, c'est terminé, il a vendu la maison et m'a demandé de partir. Je n'ai plus que mon linge, papa!

Elle se remit à pleurer et le père, compatissant, la rassura:

– Ne t'en fais pas, je suis là, ma chouette. Mais quel mufle que cet homme-là! Pas même une part de la vente de la maison? N'était-elle pas à vous deux?

– En théorie, oui, mais elle était à son nom, il la payait seul… Nous n'étions pas mariés, donc…

– Est-ce à cause du métier, Julie? Étiez-vous trop souvent ensemble?

– Peut-être papa, mais comme il ne me voulait plus dans sa production, ça s'est aggravé. Et pendant une dispute, il m'a dit que j'étais une mauvaise actrice et que je nuisais à son succès. Il ne voulait plus me voir sur les planches, surtout pas à New York où il vient de signer un contrat. Il voulait que je m'occupe des costumes, sachant très bien que je ne m'humilierais jamais de la sorte. Je suis une comédienne, papa, pas une costumière! Et il savait très bien que cette insulte allait provoquer la rupture!

Le père, conscient que sa fille n'avait pas le talent requis, indulgent sur ce point envers Warren, regrettait cependant que Julie ne se rende pas compte d'elle-même de son peu d'avenir sur les planches.

– Oui, oui…, tu as raison! Mais là, que vas-tu faire? Revenir ici?

– Ai-je d'autres choix? Je vais recommencer ma vie encore une fois, mais je crois que je vais délaisser ce fichu métier qui ne me porte pas chance. Je sais que tu ne peux pas m'héberger, que tu es à l'étroit...

Heureux de l'entendre dire qu'elle allait enfin quitter cette carrière peu prometteuse, son père répliqua aussitôt:

– Non, arrive, ma chouette, je te donnerai ma chambre, j'ai un divan dans le salon... Veux-tu que j'aille te chercher?

– Non, papa. Je vais plutôt prendre l'autobus, la soute à bagages suffira. Warren va me conduire au terminus. Il lui reste cette délicatesse...

– Il... il n'y avait plus d'amour entre vous, Julie?

– Oh! si peu... De ma part, oui, mais de la sienne... Warren n'a jamais été un homme à s'exprimer avec des mots du cœur, tu sais. Et puis, je pense que Jeff y est pour quelque chose.

– Jeff? Le jeune comédien qui jouait avec toi?

– Oui, Jeff Scott! Il a pris le contrôle sur Warren. C'est lui qui ne voulait plus de moi comme partenaire, le salaud! De plus, comme c'est lui qui a eu le plus d'influence sur les producteurs de Philadelphie et de New York... Ne me demande pas comment il s'y prend, mais il sort toujours de ces bureaux-là avec un contrat en poche! Et maintenant que la maison est vendue, c'est avec lui que Warren va aller s'installer à New York. Il ne jure que par lui, il est à ses pieds! Tous ces voyages ensemble pendant que seule, je ruminais... Warren n'appelait même plus pour s'informer de moi. Et comme je ne travaille plus, j'ai fini par tout acheter, même la nourriture, avec une carte de crédit qu'il m'avait laissée. À son retour, il a cherché la provocation pour se défaire de moi. Et ç'a été facile, il n'a eu qu'à me parler de Jeff, de son talent... Il savait que c'était exactement ce qu'il fallait faire pour me blesser. Tu sais, papa, une femme peut fort bien se défendre quand une autre femme entre en cause, mais contre un homme...

— Veux-tu dire que Warren et Jeff…

— Je ne veux rien insinuer, je n'en ai aucune preuve, mais je n'en serais pas surprise. Warren est influençable et Jeff…

— Jeff, quoi?

— Bien, selon moi, il n'en serait pas à ses premiers pas. Je ne l'ai jamais vu avec une fille et, quand on jouait ensemble, c'est un monsieur dans la cinquantaine qui passait le prendre après la représentation. Dans une luxueuse voiture… Jeff Scott est un profiteur et un gars sans scrupule! Un jeune ambitieux qui se sert de tout ce qu'il a, son corps inclus, pour parvenir à ses fins. J'en suis sûre! *No wonder* qu'il sort des bureaux de producteurs avec des contrats! Pour ce qui est de Warren, bien, je ne sais pas…

— Il a été marié, Julie, puis il a vécu avec toi…

— Ce qui ne prouve rien. Je n'ai jamais su pourquoi sa femme l'injuriait tant après leur rupture. Elle avait déjà insisté pour me parler et Warren avait refusé. Puis, elle a refait sa vie avec un autre.

— Et toi, tu n'as jamais songé à lui poser la question directement? Pour en avoir le cœur net?

— Non, par respect, par gêne aussi, et peut-être pour n'en rien savoir. Si c'est là son secret, qu'il le garde, c'est son droit. Et je préfère partir en me souvenant d'un beau livre d'histoires plutôt que des pages déchirées… Mais, tu sais, entre toi et moi, papa, Warren n'a jamais été un homme très charnel, si tu saisis ce que je veux dire. Quand je lui reprochais de n'être guère entreprenant, il s'en défendait en me disant qu'il n'y avait pas que cela dans la vie d'un couple. J'ai donc accepté le fait qu'il soit peu porté sur la chose, voire distant, et nous avons vécu pour le métier avec très peu de rapprochements. Parfois, à la sauvette, mais sans conviction, tu comprends?

Puis, à quoi bon! Je ne tiens pas à le dénigrer, nous avons quand même eu nos bons moments ensemble. Mais là, il va falloir que je te laisse, car l'interurbain risque d'être cher.

– Ne t'en fais pas, je te le rembourserai, ma chouette. Quand comptes-tu revenir pour que je m'y prépare?

– Tu n'auras rien à préparer, papa, je n'irai pas vivre chez toi. C'est trop à l'étroit. Ce que j'apprécierais, c'est que tu me réserves une chambre d'hôtel pour une fin de semaine, quand j'arriverai, et que tu me cueilles au terminus pour prendre mes effets personnels. Je ne garderai que mes valises.

– Une solution temporaire. Mais après, Julie? Où iras-tu?

– C'est tout songé, papa. Il ne me reste qu'à m'enquérir de sa bonne volonté, mais c'est avec maman que je veux aller vivre. Elle a de la place depuis la mort de Dolorès et je suis certaine qu'elle apprécierait avoir de la compagnie. Elle parlait de vendre, mais si j'arrive, il est possible qu'elle change d'idée. Je sais qu'elle a de la difficulté à apprivoiser sa solitude et j'irai la combler. Tu sais, malgré tout ce que l'on croit, elle n'est pas aussi forte que toi, papa. L'adaptation pour elle…

– Oui, je sais, mais ça faisait partie de notre choix de vie, Julie. Alors, voilà, puisque c'est décidé, j'irai donc te chercher et, le moment venu, je déposerai tes effets chez ta mère.

Le ton avait changé, Julie s'en rendit compte et s'informa:

– Ça ne te déçoit pas, n'est-ce pas? C'est là une solution temporaire. Avec le temps, je vais reprendre mon élan…

– Non, non, je ne suis pas déçu, ma chouette, répondit Martial, en tentant d'égayer le son de sa voix.

– Alors, je te rappelle d'ici peu, papa. Deux ou trois jours encore…

Julie avait raccroché et Martial Durelle, songeur, ne voyait pas d'un très bon œil que sa «chouette» aménage avec sa mère. Non pas qu'elle n'y serait pas à l'aise, mais il craignait de la perdre. Il savait que Jeanne ferait tout en son pouvoir pour se rapprocher d'elle et que, Julie, choyée, gâtée, pourrait en tirer certains avantages. Non, Martial n'était pas chaud à l'idée que sa petite dernière s'installe avec sa mère. Il ne lui restait qu'elle ou presque pour nourrir ses bons sentiments. Les autres, il les aimait bien… Il les aimait comme il avait aimé leur mère. En bon père, en bon pourvoyeur, mais pas tout à fait du plus profond de son cœur. Mais Julie, sa chouette, c'était pour lui le baluchon d'une douce et mutuelle affection. C'était d'ailleurs par amour pour elle qu'il était resté aussi longtemps… avec Jeanne!

Chapitre 6

Une tempête de neige faisait rage depuis la veille en ce mercredi 23 mars. Ce qui n'empêcha pas Julie d'arriver à bon port et de se blottir dans les bras de son père. Il rangea toutes les babioles de sa fille dans le coffre de la voiture ainsi que sur la banquette arrière, puis l'invita à dîner à la salle à manger de l'hôtel où elle allait séjourner. La tuque bien enfoncée, l'écharpe de couleur enroulée plusieurs fois autour du cou, Julie monta vite à bord de la voiture:

– Est-ce possible? De tels vents et ce froid… Nous sommes censés être au printemps!

– À peine, ma fille, et même avril peut nous réserver des surprises. Ce n'est pas pour rien qu'on dit: *En avril…*

– *… ne te découvre pas d'un fil!* scanda-t-elle. Tu nous le dis depuis des années, papa. Même petits, sur la rue Garon, nous t'entendions le répéter chaque printemps. Ça fait vraiment partie de tes coutumes, non?

– Parce que c'est vrai! Dès les premiers rayons de soleil d'avril, les gens se découvrent et, hop! un rhume ou une otite! Moi, si je ne prenais pas ma cuillerée de sirop de vitamines chaque matin avec mon jus d'orange… Et mon foulard toujours bien noué! Ta mère t'accueille à bras ouverts, j'espère?

– Bien sûr, papa, nous nous entendons bien, tu sais. Elle était ravie de ma proposition et avait hâte de me voir arriver. Elle ne voulait même pas que je passe quelques jours à l'hôtel. Mais je lui ai fait comprendre que ça me permettrait quelques heures de réflexion, toute seule, afin de recoller les morceaux brisés.

– Vous vous êtes quittés en bons termes, Warren et toi?

– Pas tout à fait. Hier, il m'a dit qu'il ne pourrait pas me reconduire au terminus, que quelqu'un d'autre s'en chargerait...

– Peut-être parce que ça lui crevait le cœur de te voir partir.

– Non, justement! Parce qu'il a demandé à Jeff de le faire à sa place! Effronté, non? Demander à son petit ami de le débarrasser de son ex-blonde! Lui que je ne peux pas sentir! Warren serait resté dans l'ombre jusqu'à mon départ et ce soir, ensemble, ils auraient fêté au scotch dans cette maison que j'ai habitée durant cinq ans. Je ne sais pas trop pour qui il me prend, ce monstre-là, mais je l'ai engueulé comme jamais je ne l'avais fait et j'ai appelé un taxi. Je ne veux plus rien savoir de lui, je ne veux plus jamais le revoir de ma vie! Quel goujat!

– Donc, si j'en juge par son attitude, il ne quitte pas ses femmes en gentleman, ce type-là. Sa première l'a injurié, toi tu l'as engueulé...

– Oui, et son petit Jeff, son petit génie comme il l'appelle, saura vite le réconforter. Qu'est-ce que je dis là? Il faut avoir un cœur pour être consolé, ce qui n'est pas son cas! Il m'a déjà oubliée, ne t'en fais pas. Ce genre d'homme... Bon, passons à autre chose, nous voilà rendus à l'hôtel. Je ne vais monter qu'avec une valise, je ferai un brin de toilette et je te retrouverai à la salle à manger dans trente minutes, ça te va?

– Bien sûr, ma chouette, prends tout le temps qu'il te faudra.

134

– Et en fin d'après-midi, si tu le peux, j'apprécierais que mes bagages soient rendus chez maman. Est-ce trop te demander?

– Non… Remarque qu'avec ce temps de chien, l'Île-des-Sœurs…

– Ça peut attendre à demain ou même à vendredi si tu préfères.

– Non, j'irai et je laisserai le tout au concierge de l'immeuble. Avec un bon pourboire, il se chargera de monter tes bagages.

– Pourquoi? Tu ne veux pas croiser maman?

– Heu… non, pas vraiment. Pas cette fois, Julie. Non pas que je sois en froid avec elle, mais… Va, monte vite te changer, ma chouette.

Durant ce temps, Carole et Jean-Louis, pour ne pas avoir à dépenser en sorties, passaient leurs longues soirées devant le téléviseur câblé avec le service de base seulement. Il n'avaient ni magnétoscope ni lecteur DVD et ne regardaient que les films télévisés, se tapant les trente minutes de réclames. Carole écoutait aussi d'autres émissions et quelques téléromans, dont *Virginie* qu'elle suivait religieusement. De son côté, Jean-Louis s'installait dans son bureau, voyait à ses placements, et veillait à ne laisser aucun intérêt lui filer entre les doigts. Il payait tout comptant et, lorsque venait le jour du marché, il s'y rendait avec Carole afin de profiter des bons de réduction et ramasser tous les *Air Miles* qu'on lui offrait. Ils pouvaient faire trois endroits différents pour payer moins cher certains produits, tout en calculant si ces aubaines en valaient la peine, étant donné le prix de l'essence qu'ils avaient à consommer. Sa petite calculatrice dans la poche droite, le gestionnaire de basse classe qu'il était désignait parfois du doigt à sa femme le pain à rabais de la veille ou le panier contenant les boites de conserves bosselées qu'on écoulait à moitié prix. Pingre au plus haut point, il avait petit à petit déteint sur sa femme qui aimait épargner et entasser son argent à la banque. Profitant de l'escompte d'employé dans le magasin grande surface où elle travaillait, c'était là qu'elle s'habillait et qu'elle achetait tout le néces- saire pour la maison, sauf les denrées périssables. Et encore, elle n'achetait que ce qui était en solde. Une double économie! De plus, elle se partageait avec les autres employés, les vête- ments défectueux qu'elle réparait du mieux qu'elle le pouvait. Surtout les bas de laine pour hommes avec des mailles tirées qu'elle donnait à Jean-Louis qui les portaient tel quels, en se disant que ça ne se voyait pas une fois qu'il était chaussé.

Or, en cette fin de mars, c'est toute heureuse que Carole rentra chez elle avec une enveloppe blanche qu'elle exhiba à son mari.

– Regarde! Tu ne devineras jamais!

– Bien quoi? Pas une augmentation de salaire?

– Non, non, beaucoup mieux! Le gérant a fait tirer un voyage pour deux à Las Vegas et c'est moi qui l'ai gagné! Tu sais bien, chaque année, le voyage, la récompense des employés? Cette fois, c'est moi!

Sans sauter de joie, le ton de voix aussi terne, Jean-Louis demanda:

– Tu n'aurais pas pu prendre la valeur du voyage en argent?

– Non, ça ne se négocie pas, c'est le voyage et il me faudra leur en faire le compte-rendu en revenant. Tous les employés m'enviaient, Jean-Louis! Penses-y! Personne de la famille n'est encore allé à Las Vegas. Quelle chance!

– Ta famille? Ça se comprend, c'est la ville du jeu, de la boisson… Las Vegas, ce n'est pas comme aller voir le pape à

Rome! Et que fais-tu de notre projet pour Cuba? Nous avons déjà versé un dépôt…

– Voyons! Comme si ça se comparait! Pour le dépôt, pas d'inquiétude, c'est remboursable, je m'en charge. Et puis, penses-y, Jean-Louis, toutes dépenses payées! Sur le bras! Pour une fois, nous allons pouvoir en profiter! Le soleil, aucune humidité, les spectacles…

– Ouais… Tout payé, dis-tu? Il faudra quand même dépenser…

– Si peu! La chambre est payée, les trois repas par jour inclus si on prend le buffet, les billets d'avion, tout, tout… Il y a même un autocar qui va nous prendre à l'aéroport. J'ai vu l'endroit sur une carte postale; ce n'est pas le plus chic des motels de Las Vegas, mais c'est propre, bien tenu. C'est juste un peu plus loin que les grands hôtels, mais c'est plus tranquille et on se rend à pied sur la *Strip*, la grande avenue des spectacles.

– Un motel? Ce n'est pas un voyage de luxe que tu as gagné là!

– Écoute, le gérant fait ce qu'il peut et c'est un endroit qu'il connaît. Il ne nous enverrait pas n'importe où, voyons! Il y a une piscine, des chaises longues, la télévision dans la chambre, l'air climatisé… Que veux-tu de plus? On gèle encore ici!

– On partirait quand?

– La semaine prochaine! Moi, je peux la prendre aisément!

– Toi, oui, mais moi? Je ne peux pas partir comme ça…

– Jean-Louis, allons… Si tu leur dis qu'on a gagné un voyage… Écoute, on devait partir dans trois semaines pour Cuba. Ne viens pas me dire que tu ne peux pas devancer tes vacances de deux semaines? Encore chanceux que ça ne tombe pas en même temps, nous aurions perdu le voyage! Et là, tu devrais être content, ça ne va pas nous coûter un sou! Toi qui te plaignais du taux de change et qui avais choisi la fin d'avril pour nos vacances pour profiter de l'aubaine. Tu avais même peur que ça coûte encore trop cher! Fini de t'inquiéter, l'argent qu'on aurait dépensé à Cuba, c'est à la banque qu'il va aller! Et puis, comme on n'aura rien à acheter... Tu as tes vêtements de l'an dernier, moi aussi, et je vais m'occuper de nos deux valises. Allons... J'ai tellement hâte de l'annoncer à la famille!

– Mais tu vas perdre une semaine de salaire, toi!

– Pas plus qu'en allant à Cuba! Ne t'en fais pas, j'ai tout arrangé avec le gérant et il va me la faire reprendre en temps supplémentaire. Une semaine ou une autre, ça ne change rien pour le magasin. Je ferai des journées de douze heures pendant quelques jours, mais je ne perdrai pas un sou, Jean-Louis. Et je n'empiéterai pas sur mes vacances d'été.

– Bien, si c'est comme ça et si ça peut te faire plaisir... Mais tu es bien certaine que tout est payé? Je ne voudrais pas arriver là et avoir de mauvaises surprises.

– Non, tout est payé sauf l'alcool, bien entendu, et les petites dépenses que nous pourrons faire. Des souvenirs, des cartes postales...

– Oublie les cartes postales. Tu as encore un film dans ton appareil photo?

– Oui, il me reste douze poses à prendre.

– Bien, ce sera ça, notre souvenir. Au diable les petits cadeaux pour la parenté et nous, des bébelles de là-bas, ça ne nous intéresse pas. Mais j'y pense, comment va-t-on se rendre à l'aéroport? On part d'où?

– Je ne sais pas encore, mais ne t'en fais pas, regarde plus bas, Jean-Louis. Une limousine va nous prendre en partant comme en revenant. Ça fait partie du prix. Tout payé que je te dis! Ou presque…

– Ou presque quoi?

– Bien, l'alcool, ton petit vin rouge en mangeant, mon vin blanc…

– Penses-y pas, Carole, pas là-bas! Le vin des États-Unis, c'est pas buvable! On s'en passera, on sera en meilleure santé avec leurs jus de fruits. Parce que moi, la piquette américaine…

– Remarque qu'il y a sûrement des *liquor stores* et qu'on pourra peut-être trouver du Piat D'Or…

– Ça se peut, mais c'est pas gratuit, ça, Carole! Et c'est en *U.S. dollars*, là aussi!

Quelques heures plus tard, bien préparée et éloquente, Carole annonçait à sa belle-sœur, Line, que Jean-Louis et elle allaient passer une semaine à Las Vegas, le voyage que le magasin où elle travaillait faisait tirer chaque année et qu'elle avait gagné. Sachant, bien sûr, que Line en parlerait à Roger et que ce dernier en informerait la famille. Line, après l'avoir félicitée, leur souhaita un bon séjour tout en lui disant envier sa chance puis, ayant raccroché, elle regarda son mari qui, de son fauteuil du salon, lui demanda:

– Alors, elle a gagné un voyage d'après votre conversation?

– Oui, à Las Vegas, ils vont partir la semaine prochaine! Chanceuse quand même, cette Carole!

– Imagine! Le radin à Las Vegas! Il va baver juste à voir ce que le monde gaspille au jeu. Ça va lui faire péter le cœur!

– Roger, tu t'oublies…

– Non, Line. Je veux bien croire que j'ai des efforts à faire envers les enfants et mes parents, mais ne me demande pas de changer ma façon d'être avec ce petit pingre aux yeux fouineux!

Pas plus qu'avec ma folle de sœur qui est devenue aussi chiche que lui avec le temps!

– Bien sûr, je suis de ton avis, mais elle semblait si contente…

– En tout cas, si Las Vegas n'a jamais eu de touriste sur le bras, ils vont être servis avec ces deux-là! C'est pas le beau-frère qui va faire rouler l'économie dans ce coin-là! Le pire, c'est qu'il va essayer de nous en mettre plein la vue ensuite. Heureusement que tout est payé, car ils auraient certes apporté leur *Kraft Dinner* et leur *Beefaroni* dans leurs bagages!

– Roger, tout de même! Carole va sûrement risquer quelques dollars au casino et puis, sait-on jamais, peut-être seront-ils plus lousses là-bas?

– Tu veux gager? Ils vont être plus *cheap* que jamais, parce que les avares, plus tu leur en donnes, moins ils en sortent de leurs poches!

Julie s'était enfin installée chez sa mère qui avait été passablement discrète sur sa rupture d'avec Warren. Elle ne lui avait posé que quelques questions auxquelles la jeune femme avait répondu évasivement. Julie ne tenait pas à s'ouvrir avec sa mère comme elle l'avait fait avec son père. Elle ne voulait surtout pas lui avouer que, de cette séparation, un jeune homme en était la cause. Déjà perdante de n'avoir pu se mesurer avec «un rival», elle ne tenait pas à rendre notoire cette humiliante défaite. Avec son père, c'était différent; il avait connu Warren et Jeff lors de sa visite. Et comme elle s'était défoulée entièrement avec lui, elle n'envisageait pas de le faire avec quiconque d'autre de la famille. D'ailleurs, elle n'en était pas à sa première rupture et Pascale, sa peste de belle-sœur, le lui aurait encore remis sur le nez en s'écriant: «On sait bien, toi, avec ton caractère de chien! Une vraie Valance! Le même tempérament que ta mère!»

Julie laissa donc le soin à sa mère de leur dire qu'elle était revenue et que, pour un temps indéterminé, elles habiteraient ensemble. Elle expliqua, comme l'avait souhaité sa fille, que la benjamine en avait assez de cette carrière de comédienne. Qu'elle en avait assez aussi de vivre dans l'insécurité constante et de dépendre d'un homme. Mais Julie n'osa jamais avouer à sa mère que Warren la considérait comme une piètre actrice sans talent. Ni lui confesser que c'était là la raison première de leur séparation. Pas à sa mère qui, fière d'elle, la voyait au grand écran tellement elle la trouvait belle.

Pourtant, les échecs avaient été constants lors de ses premiers pas ici. Alors, comment pouvait-elle être plus à la hauteur aux États-Unis? La beauté était bien secondaire pour faire carrière à *Broadway*. Des jolies blondes, ils en avaient à la pelle, tout près… On n'était plus au temps des *talent scouts*, ces chasseurs de vedettes qui s'arrêtaient jadis devant les formes et la blondeur d'une Lana Turner. D'ailleurs, une comédienne âgée qui lui avait enseigné l'avait mise en garde dès le début: «Je crois que vous perdez votre temps, mademoiselle. Pour ce métier, il faut être douée. Être comédienne, on a ça dans le sang, dans les tripes! Malheureusement, vous n'avez pas ce talent…» Mais Julie avait persisté en jouant n'importe quoi, n'importe où, jusqu'à ce que Warren, sur les instances de Jeff, lui donne le coup de grâce en lui disant fermement qu'elle n'était pas faite pour les planches.

Cette fois, à trente ans révolus, c'était clair et précis, elle avait compris. De retour au bercail, elle allait se servir de son avantage d'être bilingue et dénicher un poste de secrétaire de direction quelque part. Douée dans ce domaine, dotée d'entregent, grande, mince et fort jolie, nul doute qu'un homme d'affaires de haut calibre allait jeter son dévolu sur elle. Mais, tel que suggéré par sa mère, elle n'allait pas entreprendre de démarches avant la fin de l'été. Jeanne l'avait à portée de la main, elle comptait bien s'en servir.

Elle commença par lui acheter une voiture et, désormais, c'était avec elle qu'elle se rendait dans les centres commerciaux. Pas avec les vieilles de l'immeuble en autocar! De plus, elle comptait bien partir en vacances avec elle au cours de l'été. Parce que Jeanne, dépendante, venait de trouver en Julie une autre bouée. Tout comme ç'avait été le cas avec sa sœur Dolorès. Et, déjà bien avant, avec Martial. Déterminée, fière, parfois autoritaire, Jeanne n'avait jamais connu, malgré son comportement «militaire», le défi de l'aventure et encore moins de l'indépendance. Elle avait certes tenu les rennes de la maison et géré le budget, mais sans cesse entourée des siens. Vivre seule, ne dépendre de personne, elle ne savait comment. Et c'est pourquoi, avant d'aborder avec Martial l'idée de leur séparation, elle avait attendu d'être certaine d'aller vivre avec Dolorès.

Chez Sylvain Durelle, celui dont on entendait le moins parler, ça ne tournait vraiment pas rond. Haute comme trois pommes, toujours juchée sur des talons hauts, Pascale, les poings sur les hanches, le persécutait à la moindre faille de sa part. Aux prises avec cette petite garce que plus personne de la famille n'approchait, il se sentait parfois désespéré. Il aurait eu envie de se confier, d'appeler à l'aide, mais qui? Chez les Durelle, il était considéré comme mou, soumis, un peu à l'image de son père dans sa vie d'antan. Il s'était certes emporté contre sa femme lors de leur dernière querelle, mais elle avait vite repris le dessus sur lui. Travaillant toujours à la rédaction de ce magazine social, ce qui lui donnait de l'importance, elle se prenait pour le nombril du monde depuis que le ministre des Finances avait accepté de faire leur première page. Peu aimée de ses collègues, détestée de ceux et celles qui relevaient d'elle, Pascale, petite gueuse aux cheveux courts, «p'tit pitbull» comme on l'appelait, s'était fait plus d'une fois rappeler à l'ordre par le grand patron. Le seul capable de lui faire courber l'échine… par crainte de perdre son emploi!

Avec la petite Maude en garderie, il était évident que Pascale ne désirait plus d'enfants. Surtout pas avec ce grand «flanc mou» qui, selon elle, ne portait aucun intérêt à sa fille de trois ans. Comme si lui, de son côté, aurait voulu d'un autre enfant avec elle! Un soir, après une dure journée, une heure de tombée difficile au magazine, elle était rentrée en rogne et l'apostropha dès qu'elle posa les yeux sur lui:

– C'est ça! Lis ton journal, laisse la petite se salir par terre!

– Elle s'amuse, elle est de bonne humeur… D'ailleurs, sa salopette est déjà sale, elle l'a portée toute la journée.

– Puis rien sur le poêle! Comme si je ne mangeais pas, moi!

– Tu m'as toujours dit de ne pas m'occuper de ça, que je ne savais pas faire la cuisine, que tu ne voulais pas que je touche à tes chaudrons.

– Bien, de temps en temps, une surprise…

– Pascale, ne recommence pas! Tu sembles avoir eu une mauvaise journée, mais tu n'es pas la seule. Moi aussi, j'ai mes déboires…

– Où ça? À Hydro-Québec? Laisse-moi rire, toi! Des pousseux de crayons avec des appréhensions! Plus nonchalant que toi…

– Arrête! J'en ai assez de tes remarques! Tu es de plus en plus désagréable!

– Ah oui? On pourrait peut-être faire comme tes parents, tu sais! Ils ont parti le bal, on pourrait peut-être valser dans leurs traces!

– Si c'est là où tu veux en venir, dis-le! Mais laisse mes parents tranquilles!

– Tu ne me diras pas quoi dire ou quoi faire, toi! répliqua-t-elle avec les poings sur les hanches. Ton père, je ne peux pas lui en vouloir, c'est un faible, un mou comme toi. Tu es son portrait tout craché! Mais ta mère, elle! Ah! je me retiens, Sylvain! Faire ça à ses enfants! Faut avoir le cœur dur… Nous autres, jamais on ferait une chose pareille à Maude!

– Reste à voir! Ça dépend du cheminement d'un couple…

– Reste à voir, que tu dis? Est-ce une menace, Sylvain Durelle? Parce que si c'était le cas, tu serais bien mal pris. Moi, sans toi, ça va, mais toi, sans moi, t'es fini! Les deux pieds dans la même bottine!

Sylvain se leva, lança le journal sur le divan et, enfilant ses bottes de marche et un anorak, il lui dit en se dirigeant vers la porte:

– Je sors! Je m'en vais prendre l'air! Avec les pieds dans deux bottines, Pascale! Ton air bête, tu vas l'avoir pour le mur ce soir!

– Sors! Va-t-en! Je vais passer une meilleure soirée seule, sans toi à côté de moi, évaché sur le sofa devant un programme plate!

Sylvain claqua la porte, prit le volant de la voiture et partit en direction du centre-ville sans même savoir où il irait. Il voulait juste ne plus être là, ne plus la voir, ne plus l'entendre. Tout! N'importe quoi, sauf ce petit bout de femme, le nez en l'air, lui crachant impunément son mépris. Il stationna sur la rue Saint-Denis, pas loin de Mont-Royal. Après avoir observé les alentours, il décida de marcher vers le sud où ça lui semblait plus achalandé. Déçu de la vie, sans cesse dévalorisé par sa femme, il se demandait ce que l'avenir lui réservait à part un tas de déceptions. C'était frisquet et, apercevant un petit café avec un bar, il entra et commanda une bière, avec en tête, le visage crispé de sa garce de femme. Si seulement le Ciel ne leur avait pas donné d'enfant! Mais il aimait sa petite Maude, douce et affable comme lui. Ce que Pascale ne lui pardonnait pas. Blonde comme les blés, le regard pur et clair, elle n'avait rien des yeux noirs et haineux de sa mère, ni de sa crinière... quasi charbon!

– Sylvain? Toi ici? Qu'est-ce qui t'arrive?

Surpris, il tourna la tête pour reconnaître Maggie, une célibataire dans la cinquantaine qui travaillait avec lui. Encore étonné, il lui rendit son sourire:

– Bien, quoi? Je me détends! Et toi?

– C'est vrai que la journée n'a pas été facile, mais moi, comme j'habite sur le Plateau, je viens ici souvent. Ce qui n'est pas ton cas, c'est loin de chez toi, ici...

– C'est vrai, mais comme j'étais dans le coin par affaires, j'ai stationné pour prendre une bière quelque part, et j'ai choisi ce petit bistrot à tout hasard. Je viens à peine de quitter mon frère Roger, avec qui j'avais des choses à discuter, mentit-il.

– Ah bon! ça explique tout, mais pourquoi ne pas te joindre à nous? Je suis avec ma nièce. Regarde, juste là, à la table près de la fenêtre.

– Oui, je vois, je l'avais d'ailleurs remarquée en entrant. Toi, je ne t'ai pas reconnue, tu étais sans doute de dos... Pourquoi pas? Allons-y!

D'un pas assuré, Sylvain suivit sa collègue de travail jusqu'à la table désignée et voyant la nièce de Maggie qui lui souriait, il la trouva fort belle.

– Sylvain, je te présente Claire, la fille de mon frère. Claire, Sylvain Durelle, un collègue de travail.

Cette dernière murmura d'une voix suave, «enchantée», en lui tendant la main, alors que lui, quoique gêné, la regardait comme s'il était tombé des nues. Il la trouvait si belle avec ses longs cheveux roux, ses yeux verts, sa taille de guêpe. Ne sachant quoi lui dire, il balbutia:

– Vous... vous aussi, c'est la détente après le travail?

– Non, après les études, je termine un bac en enseignement à McGill.

– Vraiment? Félicitations! Pas facile d'étudier dans une autre langue.

– C'est curieux, mais on s'y fait rapidement. Et vous...

– Aïe! Arrêtez le «vous» tous les deux, ça m'embête! lança Maggie. On n'est plus en 1960 pour se vouvoyer de la sorte à votre âge.

– Elle a sans doute raison, répliqua Sylvain en riant. Quoique je me sens tellement vieux... Je suis d'une autre époque.

– Allons, lui répondit Claire, à ce point? Tu n'as quand même pas l'âge de mon père.

– Trente-trois ans, et un an de plus cet été.

– Ah oui? Quand?

– Le 11 juillet. C'est quand même pas demain... Et toi?

– Vingt-quatre ans prochainement. Le 12 juillet.

– Pas possible! Presque le même jour! Dix ans de moins par contre...

– Bah, c'est si peu... Et deux natifs du Cancer!

– Tu t'intéresses à l'astrologie?

– Dans les grandes lignes, oui, pour la compatibilité entre les signes. Mon dernier copain était un Sagittaire. Quel monstre!

Ils éclatèrent de rire tous les deux et Claire remarqua que

le très bel homme devant elle avait une dentition parfaite. De plus, il était musclé, ça se devinait à travers son chandail à col roulé. Lorsqu'il souriait, il était encore plus beau, selon celle qui le dévorait des yeux. La regardant de profil et devinant son trouble, Maggie se pencha vers elle:

— Il est marié mon compagnon de travail, ma petite.

— Maggie! Pourquoi lui dire de telles choses? Tu aurais pu attendre; je venais juste de recevoir de sa part le plus beau sourire de la journée.

Claire baissa les yeux, le regarda de nouveau:

— Des enfants?

— Oui, une seule, elle a trois ans.

— Et belle comme son père! s'exclama la tante qui avait vue la bambine une seule fois.

— Je vous offre un autre verre? suggéra Sylvain.

— Non, pas pour moi, répondit Maggie, il faut que je rentre, j'ai du boulot à faire à la maison. Et toi, Claire, tes cours demain...

— Pas d'importance! Moi, je l'accepte volontiers, cet autre verre.

Maggie fronça les sourcils, mais n'intervint pas. Sa nièce était en âge de faire ce qu'elle voulait, et comme les hommes ne semblaient pas lui faire peur... Elle craignait davantage pour Sylvain qui était, selon elle, un homme rangé, un époux fidèle, un père exemplaire. La façon dont il regardait sa nièce l'inquiétait. Mais, laissant le tout aux bons soins du hasard, elle se leva, embrassa Claire et Sylvain, et dit à ce dernier:

— Attention à tes consommations, toi! Tu conduis!

Restés seuls, ils commandèrent un autre verre, elle un dry martini, lui, une bière, et puis, deux autres. Sa timidité envolée,

Sylvain, nettement plus ouvert, lui fit part de ses problèmes conjugaux, de sa vie d'enfer avec Pascale et de leur récente querelle qui l'avait forcé à s'évader pour faire le vide...

– Et de nous rencontrer..., murmura-t-elle en glissant sa main sur la sienne.

Étonné, il empoigna la main de la jolie jeune femme et la serra dans la sienne.

– Attention! lui dit-elle avec un sourire, ça peut devenir engageant.

Lui rendant son sourire, pressant davantage sa main de ses doigts fermes, l'alcool aidant, pas aussi empâté que tous voulaient le croire, il répliqua:

– Et puis après? Je te trouve si belle... Il fallait que je te le dise.

– Que cela? s'inquiéta-t-elle.

– Non, belle, douce, intelligente... Tout, à la fois, Claire.

– Te rends-tu compte que nous nous connaissons à peine? Suis-je tout cela pour toi pour toi seulement pour te consoler de ton désarroi? Si c'était le cas...

– Je n'étais pas venu ici dans le but de rencontrer qui que ce soit. Je voulais juste prendre un verre, réfléchir... Je n'ai pas besoin de personne pour me consoler, Claire, et si c'est ce que tu crois...

Il dégagea tout doucement sa main de la sienne, mais elle l'empoigna de nouveau en lui disant:

– Excuse-moi, je me suis mal exprimée... Oui, c'est le hasard, et si Maggie ne travaillait pas avec toi, tu ne m'aurais ni vue ni connue.

– C'est faux, je t'ai aperçue en entrant, je t'ai trouvée si belle... Je ne t'aurais pas abordée, c'est vrai, mais de là à ne pas te remarquer... Dis, tu veux bien d'un dernier verre?

– Non, Sylvain, j'en ai assez et toi aussi. Tu conduis, tu sais… Te crois-tu en mesure de le faire?

– Oui, ne t'inquiète pas pour moi. Grand et costaud comme je suis. Et je ne me sens pas ivre, Claire, un peu dans les vapeurs, mais pas éméché. Je peux te reconduire chez toi si tu le désires.

Ils se levèrent, il l'aida à enfiler son joli manteau de laine beige et, une fois dans la voiture, lui demanda:

– C'est loin chez toi? Quelle direction?

Elle le regarda, lui saisit la main, la porta à ses lèvres et murmura:

– On rentre déjà?

Surpris, ravi, puis quelque peu effaré par l'ampleur que prenait la rencontre, il marmonna:

– Pas nécessairement… mais je suis un homme marié, tu sais.

– Oui, Maggie me l'a dit et tu m'as fait part de tes problèmes une partie de la soirée. Remarque que je pourrais l'être aussi, mais non, je suis même libre présentement, sans autre attache que mes études.

– Pourtant, une jolie fille comme toi…

Faisant mine de n'avoir rien entendu, elle murmura une seconde fois:

– On rentre ou quoi?

– Tu as sans doute une meilleure idée. Alors, guide-moi…

Elle lui fit emprunter la rue Sherbrooke vers l'est et, à un certain croisement, désignant de la main une enseigne lumineuse, lui dit:

– Si ça te va, ce serait là.

N'en croyant pas ses yeux, retrouvant peu à peu ses esprits et sa timidité, il lui répondit, hésitant:

– Tu es certaine? Ce n'est pas que l'effet des consommations?

Elle lui sourit, s'approcha, posa ses lèvres sur les siennes… Un effleurement, pas plus:

– Convaincu, maintenant?

Au départ inquiet, redevenu timoré par cette chambre aux lumières tamisées et ce lit aux draps de satin, Sylvain s'y sentit de plus en plus à l'aise lorsqu'il vit Claire se dévêtir très lentement devant lui. Comme pour le faire languir de désir devant chaque partie de son corps de déesse. Il tressaillait et retenait son souffle. De belle, elle était devenue superbe… Un corps de vingt ans, quoi! Parfait! Duquel se dégageait un parfum suave empreint d'une odeur de pure volupté. Un corps magnifique! Sans la moindre trace d'usure… Les seins ronds, fermes, la courbe des hanches… Une peau ni blanche ni bronzée, avec juste un peu d'ambre pour la teinter d'une couleur charnelle. Il croyait rêver. Abasourdi, n'osant défaire la ceinture de son pantalon après avoir retiré sa chemise, c'est elle qui s'en chargea tout en lui mordillant les mamelons de ses lèvres pulpeuses. Puis, nue devant lui, blottie contre sa poitrine, elle le délivra d'un geste délicat de son sous-vêtement blanc, tout en laissant quelques doigts effilés effleurer, au passage, son membre en érection. Elle se dégagea, s'appuya contre le mur et, regardant l'homme nu devant elle, le corps éclairé par les reflets de la nuit qui perçait la fenêtre, elle lui dit: «Tu es splendide! Tu as le plus beau corps de mâle que j'ai vu à ce jour. Tu es…» Se rapprochant, elle l'enlaça, entrouvrit les lèvres de sa proie avec sa langue, et ils roulèrent tous deux dans ces draps qui n'attendaient que d'être froissés.

Toute retenue dissipée, Sylvain l'embrassait à bouche-que-veux-tu tout en palpant, de sa main ferme, sa nuque, ses seins, ses cuisses, ses fesses… Des gémissements, le bruit des corps qui s'entremêlaient, d'ardents soupirs et, en sourdine, alors que les nouveaux amants s'ébrouaient, on pouvait entendre une chanson d'amour d'Hélène Ségara. Une heure, deux, même trois à faire l'amour, à se dire des mots tendres, à se clore les lèvres de baisers puis, à s'avouer fiévreusement qu'ils s'aimaient. Déjà! Le soir d'une première rencontre! Lui, sans regret ni remords, trompait sa femme pour la première fois. Sans y songer, bien sûr, parce que son corps sur celui de Claire n'était plus que le seul effet des conséquences: il l'aimait. Oui, déjà! Il le lui avait dit après le tout premier baiser, avant même de la posséder. Et elle, le regardant dans ce noir éclairé par un reflet de lune, lui avoua ressentir un sérieux coup de foudre. «Dès que tu m'as suivie…» ajouta-t-elle tout en lui caressant les aisselles. Elle ne voulait plus rentrer, elle aurait préféré finir la nuit dans ce grand lit défait, mais elle le pria de partir «la» retrouver avant d'avoir de sérieux problèmes à affronter. Il voulait rester auprès d'elle, il insistait, il ne voyait rien d'autre, ni Pascale ni Maude. Il ne voyait qu'elle qu'il ne voulait plus quitter des yeux, de peur… de la perdre de vue. Il ne voulait pas que cette histoire ne soit que celle d'un soir. Jamais il n'avait été heureux comme en cette nuit, dans les bras d'une femme. Mais elle le supplia de partir.

– Tu me laisses ton numéro de téléphone? murmura-t-il.

– Je ne sais trop. Il y a Maggie qui travaille avec toi… Tu es marié, tu as une petite fille. Je ne sais pas Sylvain, je ne veux nuire à personne.

– Nuire? Je t'aime déjà de tout mon cœur! Nuire, toi?

– Je voudrais bien te laisser mon numéro, mais à quoi bon si je ne peux te rendre ton appel? J'étudie, tu sais, je termine ma dernière session, je dois me concentrer. C'est le hasard qui nous a fait nous rencontrer… Pourquoi ne pas lui laisser l'enchaînement?

– Non, on ne peut pas s'y fier deux fois, Claire. Alors, ça va, ne me laisse rien, je saurai bien te retrouver.

– Ne parle surtout pas de ce que… Tu sais… ma tante.

– Sois tranquille, Maggie n'en saura rien. Tu as sauté dans un taxi après un dernier verre et moi, dans ma voiture. Ça te va comme double mensonge?

Ils étaient debout tous les deux, face à face, éclairés par l'ampoule jaune tamisée, lorsqu'elle lui sourit, l'encercla de ses longs bras gracieux et l'attira contre elle. Puis, lui caressant les cheveux à la hauteur de la nuque, elle posa ses lèvres sur les siennes. Troublé, il glissa une main sur sa hanche, resserra l'autre dans son entrejambe, l'entraînant ainsi jusqu'au lit, mais elle le retint et lui dit:

– Non, sois raisonnable, pars maintenant. Il est déjà quatre heures du matin, Sylvain. Pars vite, j'ai sommeil, j'ai deux cours demain.

Il était rentré heureux… avec la mort dans l'âme. Heureux d'être tombé subitement amoureux et presque mort de peur de ne plus la revoir. Il allait devoir affronter sa femme, mais il ne s'en souciait guère. Seule comptait celle qui avait passé la nuit dans ses bras. Celle qui sentait si bon. Celle qui était si douce, si belle. Celle qui lui avait dit… qu'elle l'aimait. Il avait poussé la porte sans faire trop de bruit, mais il avait cru voir une lueur venant du salon. S'avançant, il aperçut Pascale qui, en robe de chambre, grillait une cigarette et le dardait de ses yeux durs.

– Tu viens d'où, toi? Tu sais quelle heure il est?

– Oui, je le sais, je suis allé prendre un verre, puis deux…

– Jusqu'à quatre heures du matin? Me prends-tu pour une cruche?

– Jusqu'à la fermeture des bars, puis le retour.

– Tu n'es pas trop ivre pour un gars qui a bu tout ce temps-là.

– Tu peux aller te recoucher, je n'ai pas envie de discuter, Pascale.

– Toi, tu m'as trompée! Ton veston dégage un parfum…

– Je n'ai pas de comptes à te rendre! Tu m'as provoqué? Je suis parti!

– Si tu penses que tu vas t'en tirer comme ça! Tu m'as trompée…

Exaspéré, écœuré, plus décidé que jamais avec le visage de l'autre dans la tête, il répondit d'un ton brusque imbu d'indifférence:

– Oui, Pascale! Et puis, après? Ça change quoi dans ta vie? Ça fait des mois que je ne t'approche plus. Tu me repousses…

– Tu m'as trompée, Sylvain Durelle! T'es pas sorti du bois, toi!

Souriant, il se déshabilla sans rien répondre, tout en soutenant son regard effrontément.

Avril s'était levé sur des jours printaniers, mais dès le premier vendredi, quelle surprise, il avait neigé. Comme si l'hiver se vengeait d'avoir eu à céder sa place. Déjà, le lendemain, la neige fondait au soleil et l'avion qui ramenait Carole et Jean-Louis de Las Vegas se posait. La limousine attendait et ce fut avec leurs mêmes deux valises, le teint bronzé, que les gagnants du voyage rentrèrent chez eux sans avoir donné un pourboire au chauffeur. «Tout n'était-il pas inclus?» avait murmuré Jean-Louis à sa femme. Carole aurait certes déposé une pièce de deux dollars dans les mains du chauffeur mais, approuvant de la tête son mari, avait aussitôt remis l'argent dans son sac à main.

Les valises déposées dans l'appartement, elle prit le temps de vider le linge dans le panier tressé avant de s'asseoir avec une tasse de thé et d'appeler sa belle-sœur Line.

– Coucou! Nous sommes de retour! s'exclama-t-elle après le déclic.

– Ah oui? Comme ça passe vite! Vous avez fait un bon voyage?

– Fantastique, ma chère! Un voyage de rêve! Bien sûr, Las Vegas, c'est spécial, ne serait-ce que pour le climat. Tu devrais voir Jean-Louis, il est tout bronzé! Moi aussi, d'ailleurs!

Roger, qui écoutait sa femme parler à sa sœur, lui suggérait des questions:

– Ton frère veut savoir si vous avez *gamblé* un peu.

– Pas un traître sou! Nous, le jeu, tu sais… Mais nous sommes allés voir les autres perdre leur argent. C'était épouvantable, Line! Ça nous crevait le cœur de les voir enfiler des pièces de monnaie dans les fentes! Il y avait même des vieilles personnes avec des casseaux remplis de trente sous! Personne ne pense à ses vieux jours; on dirait que l'argent n'a plus de valeur quand on est là! Mais nous, avec notre mentalité…

– Vous avez bien mangé?

– Comme des porcs, je dirais! Tu aurais dû voir les plats! Jean-Louis a engraissé d'au moins cinq livres en une semaine! Mais il fallait être *wise* quand on se rendait au buffet…

– Que veux-tu dire?

– Le matin, ça allait, le midi aussi, mais le soir, on commençait par apporter chacun nos trois desserts sur la table, sinon il n'en serait plus resté. Puis, on retournait chercher le reste. Deux fois plutôt qu'une! Il y avait tellement de choix! Mais, tant qu'à être nourris gratuitement, Jean-Louis se servait beaucoup plus dans le rosbif et le poulet que dans les pâtes! Moi, je plongeais dans les fruits de mer les plus chers. On s'est bourré la panse comme ça s'peut pas!

– Le vin était-il inclus?

– Le vin? Non, mais imagine-toi donc que le proprio nous a offert une bouteille de vin blanc d'Australie en guise de bienvenue. Nous l'avons gardé sur glace dans notre chambre et il nous a duré toute la semaine. On en prenait juste un demi-verre le soir avec la collation. Parce que j'ai oublié de te dire que, pas gêné comme il l'est, Jean-Louis leur a demandé si l'on pouvait avoir des *doggie bags* de ce qui restait au buffet pour nos fins de soirée et ils ont accepté. Nous revenions avec des fromages, des fruits, des croûtons de pain, et ça comblait le petit creux que nous avions vers dix ou onze heures avant de nous coucher. Quant au vin, nous n'en avons pas acheté même si Jean-Louis préfère le rouge, parce que c'était du vin de la Californie et qu'il le trouve vinaigré. Il y avait des jus de fruits en grande quantité et du café à volonté. Un soir, nous avons partagé notre table avec une vieille Américaine qui avait acheté un demi-litre de vin rouge et, comme elle trouvait que c'était beaucoup trop pour elle, on l'a aidée en y allant d'un verre et demi chacun. Moi, j'en aurais pris encore, je le trouvais pas mal, mais comme Jean-Louis faisait la grimace… Mais les hôtels, les grands hôtels, quel luxe!

– Vous les avez visités? Êtes-vous allés manger dans l'un d'eux?

– Non, mais on a vu tous les *lobbies*! C'est plein de richesses dans tous les halls d'entrée. C'est là qu'on a pris toutes nos photos! Non, une ou deux aussi à la piscine, car j'ai oublié de te dire qu'il y avait une belle piscine au motel, des chaises longues gratuites, les serviettes fournies, et nous avions la paix puisque tout le monde va à Las Vegas pour jouer et non pour se baigner. Il y avait, bien entendu, des mères avec de jeunes enfants, mais quelle détente.

– J'espère que vous êtes allés voir au moins un spectacle?

– Non, c'était au-dessus de nos moyens, Line. Cher comme ça s'peut pas!

– Allons donc, une copine de travail qui s'y est rendue l'an dernier, m'a dit en avoir vu trois…

– Possible! Mais franchement, ce n'était pas nécessaire de payer. Tu n'avais qu'à t'asseoir dans le hall d'un hôtel, pas loin de la salle de spectacle et tu entendais à peu près tout ce que la fille chantait. Et puis, pour les vedettes qu'ils ont là… Comme disait Jean-Louis, payer pour voir des actrices du genre de Suzanne Somers ou Ann-Margret chanter, c'est débile. Ce ne sont pas des chanteuses, ce sont des actrices! Et la plupart des vedettes qu'on présente à Las Vegas ne sont plus sur la *map* à Hollywood. Non, on a passé le plus clair de notre temps à regarder la télévision du balcon de notre chambre. Du cinéma en plein air, comme disait Jean-Louis! Il y avait des films assez récents et gratuits tout le temps. Une station américaine qu'on n'a pas ici. Puis, avec nos petits *snacks* du soir, c'était parfait. Mais on a fait de longues marches sur la *Strip*. On s'assoyait devant de belles fontaines, là où on jouait de la musique. On y allait presque chaque soir même si c'était le même petit concert. C'était si reposant!

– Donc, j'en déduis que ça ne vous a pas coûté bien cher, ce voyage-là.

– Non, tu as raison, mais on l'a gagné, Line, tout était inclus! J'ai voulu acheter quelques souvenirs, mais comme Jean-Louis disait: «Où est-ce qu'on va mettre ça…» et il avait bien raison. De toute façon, ça ne valait pas ce qu'on nous demandait. On exploite les touristes avec ces babioles-là!

– Pas même un morceau de linge?

– Pourquoi? On avait tout le linge dont on avait besoin.

– Ta mère attend encore ta carte postale, Carole. Tu l'as postée?

– Bien, voyons donc! Des cartes qui veulent rien dire! Attends de voir les photos qu'on a prises. Il me restait douze poses et maman va en avoir plein la vue. Jean-Louis a l'œil expert, il n'en rate jamais une.

– Et les vols d'avion, ça s'est bien effectué?

– Oui, quoique je n'aime pas être assise trop à l'arrière, c'est plus bruyant. Mais on a bien mangé, ils nous ont même servi de la boisson à volonté.

– Des boissons gazeuses, des jus de fruits, tu veux dire?

– Non, de la bière, du vin… Et là, on en a profité, les digestifs, ça coulait aussi dans nos verres; on en a même rapportés dans nos bagages.

– Tu disais que ton mari trouvait le vin vinaigré…

– Oui, mais en plein ciel, c'était buvable. Et comme ça ne nous coûtait rien, il aurait fallu être bête pour ne pas se rincer la bouche. Ce n'est pas ce vin-là que Jean-Louis trouvait vinaigré, c'était celui du motel qu'on voulait nous faire payer.

– Celui que vous avez bu sur le bras de la vieille, Carole?

– Aïe! Ça vient-tu de mon frère, cette farce plate-là?

Roger s'était tordu de rire, il en avait même eu mal dans les côtes. Line avait raccroché et comme elle lui répétait ce qu'il avait manqué de la conversation, il n'en revenait tout simplement pas. Regardant sa femme, soupirant, il laissa échapper:

– Plus pingres que ça, tu meurs! Pas même un souvenir à maman! Et je te gagerais ma chemise que l'avare de la famille n'a pas dépensé une maudite cenne là-bas, à moins d'avoir perdu sa brosse à dents! Su'l bras jusqu'au bout! Avec des desserts en réserve! Ça s'peut-tu? Et comme je les connais, ils ont dû sauter sur les éclairs, les mille-feuilles, les pâtisseries les plus chères, quoi! C'est sûrement pas là qu'il a cherché son *Jell-O,* ce *cheap*-là! Je te jure qu'il n'a pas dépensé une chienne de cenne! Elle non plus! Je les vois d'ici, assis devant la fontaine, tous les deux habillés de blanc comme s'ils étaient des millionnaires de la Californie, en train d'écouter de la musique gratuite. C'est un vrai tour de force, Line!

– Quoi?

– De pouvoir voyager de la sorte sans sortir une piastre de sa poche! C'est sûr qu'ils sont radins tous les deux, mais il faut l'être en chien pour réussir à tout avoir sans mettre un dix cennes sur la table! Pas de pourboires à donner, ils allaient au buffet! Et la femme de chambre a dû chercher sa petite enveloppe longtemps! Bon, j'arrête, tu me regardes, je t'ai promis de me retenir... Ma sœur est contente, elle ne voit rien de mal dans ça et lui, même si je l'haïs, j'peux pas dire que c'est un mauvais mari. Faits l'un pour l'autre! Pareils! Comme si on avait cloné le cerveau de Jean-Louis dans le crâne de Carole! Quand ma mère va savoir...

– Ta mère a d'autres chats à fouetter, Roger. Avec Julie sous son toit, avec Sylvain pour qui ça va de plus en plus mal...

– Tiens! C'est quoi cette histoire-là? Qu'est-ce qu'il a fait, lui?

– Il y a juste ta mère qui le sait et qui me l'a appris hier soir. Il paraît que la petite veut un divorce. Selon elle, Sylvain l'aurait trompée.

– Ah oui? Il commence enfin à se déniaiser?

– Écoute, Roger, c'est sérieux, ça va se faire prochainement.

– Ce serait de valeur pour Maude, mais moi, la petite garce à Pascale, ça fait longtemps que je l'aurais sortie par la fenêtre!

– Un autre ménage qui va se briser. Après Julie, Sylvain...

– Après mon père et ma mère, tu veux dire. On dirait que tout a commencé à se gâter dès qu'ils se sont séparés, ces deux-là! Je sais que je ne devrais pas dire ça, mais c'est comme s'ils avaient donné le ton aux autres. Même nous deux, sans ton intervention... À la longue, si je ne m'étais pas efforcé...

– Non, parce que je t'aime, moi, parce que tu m'aimes...

– Ils se sont tous aimés avant d'en arriver à la rupture.

– Ta mère m'a pourtant dit que ton père et elle...

– Oui, je sais, ne va pas plus loin, mais j'en doute, Line. Ils ont eu leurs beaux jours. J'étais le plus vieux et je les ai vus dans leur belle trentaine danser enlacés, se sourire, s'échanger de doux regards. Je n'oserais jamais dire cela à ma mère; elle est si fière, si prompte, et j'ai eu ma leçon avec elle. Mais maman et papa, comme Pascale et Sylvain, se sont aimés pour en arriver à s'unir et fonder un foyer. On ne fait pas cela sans sentiments, Line.

– Et Julie?

– Elle, c'est autre chose, elle ne s'est jamais engagée sérieusement. A-t-elle seulement vraiment aimé? Je ne saurais le dire. Julie pense à elle avant tout. Ç'a été le cas dans chacune de ses relations. Son plus long lien a été avec Warren, mais elle n'a jamais désiré ou même songé à devenir sa femme. C'était pour parfaire ses ambitions. Je la connais, la «petite chouette» à son père. Opportuniste, déterminée, aguichante, mais rarement amoureuse. Et comme tu pourras le constater, ce ne sont pas les larmes qui vont la défigurer. Elle va en trouver un autre, puis un autre...

– À moins qu'elle tombe vraiment sur celui qui pourrait la faire chavirer.

– Ouais, peut-être, avec le temps, mais dans son cas, je ne peux pas dire que c'est la séparation de mes parents qui l'a influencée. Pas surprenant qu'elle ait été si compréhensive... Julie est expérimentée en matière de rupture.

– Peut-être, Roger, mais cette fois, à son insu, elle s'est peut-être laissée berner. C'est Warren... qui l'a quittée.

Chapitre 7

L'été s'annonçait enfin. Juin s'était montré le bout du nez, mais c'était frais, venteux, rien pour inciter les gens à magasiner leurs fleurs saisonnières. Assis sur son vaste balcon, Martial songeait que, cette année, il ne ferait pas son potager dans un coin de la cour de la rue Garon. Pas plus que Jeanne garnirait ses boîtes de petits bouquets qui devenaient volumineux avec un arrosage quotidien. C'était une autre vie, tout avait changé, plus rien à faire de ses deux mains. Ce qui chagrinait un peu monsieur Durelle qui avait toujours travaillé, au gré des saisons, autour de sa coquette maison. Sans éprouver une grande nostalgie, il n'en était pas moins morose. Il n'était pas loin derrière lui le temps où, après la fonte des neiges, il voyait la pelouse de l'hôtel de ville reprendre vie. Plus rapidement que la sienne, mieux entretenue sans doute par de bons paysagistes. Mais, à quoi bon ressasser tous ces souvenirs et voir encore Jeanne à ses chaudrons en train de mariner des betteraves, alors qu'elle vivait dans le luxe d'un spacieux condo avec Julie, sa «chouette»... à lui!

Pour Sylvain, tout avait basculé très vite. Pascale n'avait pas perdu de temps et, du haut de ses cinq pieds, avait consulté une avocate qui, avec zèle, avait très bien servi sa cause. Elle aurait la garde de sa fille, avec un léger partage d'une fin de semaine tous les quinze jours. Afin de continuer à vivre dans leur maison, elle offrait à son mari de lui racheter sa part mais au prix de l'évaluation, pas à celui du marché. Sylvain s'objecta, préférant vendre, mais contrit face aux reproches de sa femme, il accepta mollement de se plier à sa demande pour le bien-être de leur enfant. Ça lui aurait brisé le cœur de voir sa petite Maude vivre dans un logement après avoir eu son boudoir à poupées, son sous-sol rempli de jouets et sa cour arrière avec une piscine, un carré de sable et des balançoires. Comme Pascale faisait passablement d'argent, elle pouvait sans peine envisager une nouvelle hypothèque. Sylvain devrait verser une pension pour la petite, ce qui était dans les normes, et il avait été sommé de partir en n'emportant que ses vêtements et ses effets personnels. Pascale lui avait laissé la voiture en échange de l'ameublement. C'est donc sans heurts et sans cris que le divorce fut prononcé.

Tout s'était fait en sourdine et, au bureau, Sylvain n'en avait parlé à personne d'autre que Maggie. Souhaitant qu'elle en fasse part à sa nièce, bien entendu. Et comme il ne s'était absenté qu'une fois ou deux pour les procédures, personne ne s'était aperçu de rien. Deux congés de maladie. Une gastro avec récidive, quoi! En moins d'une semaine, Sylvain se dénicha un bel appartement meublé rue Saint-Denis à l'angle du boulevard René-Lévesque. Quelque chose de discret, à l'image de l'homme calme qu'il était. Pas loin du boulot, avec trois étages à monter à pied et les fenêtres à l'arrière de l'immeuble pour ne pas être dérangé par les bruits de la rue.

Au sein de la famille, la rupture de Pascale et Sylvain ne provoqua pas de drame. Roger se demandait bien ce qui avait pu causer le bris, mais Line n'avait eu qu'à lui remettre le portrait de la petite gueuse sous les yeux pour qu'il ne s'interroge plus. Regardant sa femme, il avait conclu:

– C'est triste pour leur petite Maude, mais quel bon débarras pour lui! Il en aurait bavé toute sa vie avec cette peste! Mais il aurait pu m'en parler...

– Roger! Vous êtes si loin l'un de l'autre, si différents, tu ne l'invitais jamais! Et moi, elle... Je l'aime bien, ton frère, mais on l'a si peu souvent vu ici. À cause d'elle, bien entendu...

Pour sa part, Jeanne qui détestait sa bru autant que cette dernière la méprisait, s'était presque réjouie de ce divorce. Seule avec Julie, elle s'était laissée aller:

– Enfin! Il est débarrassé d'elle! Pauvre Sylvain! Elle le menait par le bout du nez, elle le dénigrait devant les gens; j'ai toujours été contre ce mariage. Il la craignait avant même de l'épouser, tu te souviens? Quelle délivrance! Quant à la petite, je la verrai quand il la gardera. De toute façon, je ne la voyais pas souvent, cette garce ne m'invitait jamais chez elle! J'espère que ton frère va rencontrer une femme qui va le comprendre et l'aimer avec ses qualités et ses faiblesses. Parce que, tu sais, Sylvain et ton père, c'est de la même mie de pain!

Quant à Julie qui savait que sa belle-sœur l'avait toujours jalousée, elle ne l'avait pas revue depuis les funérailles de Dolorès. Et elle n'avait vu la petite Maude que bébé, lorsque Sylvain était venu la lui montrer, alors qu'elle était en visite chez ses parents. Pour elle, il était évident que Pascale avait tous les torts. Sylvain était un gars si simple, avec un si bon caractère, si facile à vivre... Il fallait que cette petite écervelée soit la cause d'une telle rupture. Comme Warren l'était dans son cas à elle. Warren qui l'avait quittée avant qu'elle ne

le fasse elle-même. Warren qui, par amour pour un gars…
«Ah! le salaud!»

Carole et Jean-Louis avaient préféré ne pas commenter.
Ce dernier, le nez dans son livret de la caisse populaire, avait
dit à sa femme:

– Ce n'est pas de nos affaires. Ils sont en âge de savoir ce
qu'ils font. Occupons-nous de nos problèmes, Carole, et qu'ils
s'arrangent avec les leurs! Dis donc, as-tu fait un retrait cette
semaine? Notre compte a baissé de trente-deux piastres et
quelques cennes… Au fait, as-tu réussi à reprendre ta perte de
salaire par tes heures supplémentaires? Il me semble qu'on
n'a rien déposé…

– Non, je n'ai fait que deux soirs depuis le printemps, il
m'en reste encore trois à faire avant d'être payée. C'est épuisant, tu sais, après une longue journée.

Désappointé, il avait répliqué:

– C'était à toi d'y penser avant de sauter sur le voyage. Tu
savais qu'on n'avait pas les moyens de perdre une paye entière! Il y a bien assez des grippes à tes frais quand tes jours
de maladie sont épuisés. Tu n'es pas de nature forte, toi, tu devrais voir un spécialiste de l'anémie.

Carole, piteuse, marmonna doucereusement:

– Il y a une de mes compagnes qui m'a suggéré des vitamines naturelles. Il paraît…

L'interrompant, les paupières plissées, il rétorqua vertement:

– Voyons, Carole! Ça passe pas sur la carte d'assurance
maladie, ces pilules-là!

Finalement, il n'y eut que Martial, «la réplique» de Sylvain selon Jeanne, qui se montra secoué du divorce de son fils. Ayant reçu ce dernier à déjeuner, un dimanche, il lui avait demandé:

– Étiez-vous bien sûrs de votre affaire, tous les deux? Vous avez la petite…

– Papa, ce n'est plus comme autrefois. On ne s'endure pas toute une vie pour des enfants. Les temps ont changé, tu sais. Tant qu'à toujours s'engueuler et ne plus s'aimer…

– Est-ce ta mère et moi qui t'avons influencé, Sylvain?

– Bien sûr que non! Aucune comparaison, voyons! Il n'y avait peut-être plus beaucoup d'amour entre vous, mais je n'ai jamais entendu maman t'injurier comme Pascale le faisait avec moi. Malgré votre éloignement, vous vous êtes toujours respectés l'un l'autre, ce qui n'était pas notre cas. Remarque que j'ai souvent respiré par le nez, que je me suis retenu, surtout devant la petite, mais Pascale ne se gênait pas, elle, pour me déprécier, m'anéantir, me crier par la tête, même lorsque Maude pleurait. J'avais perdu confiance en moi, papa, elle dirigeait tout, elle brassait tout, je me sentais nul.

– Oui, je sais ce que tu veux dire et il n'est pas nécessaire d'être invectivé pour se sentir de la sorte, ajouta-t-il en regardant ailleurs. Ce qui me rassure un peu, c'est que ce ne soit pas nous qui…

– Arrête de te sentir coupable! l'interrompit Sylvain. Avec ou sans votre geste, à maman et à toi, nous l'aurions fait quand même, Pascale et moi. Ça ne pouvait plus durer, elle était en train de me rendre fou. Quand elle rentrait le soir, je la regardais avec mépris parce que je sentais qu'elle me détestait. Le pire, c'est que je n'ai jamais su pourquoi. Je ne lui refusais rien, je faisais de bons salaires, je la comblais…

– Tu étais trop bon, Sylvain, trop bon… Il y a de ces femmes qui s'alimentent des différends, des querelles, des colères. Ta mère n'était pas comme ça, je te l'accorde, parce que nous étions d'une autre époque. Mais, de nos jours…

– Elle n'aurait jamais été aussi vilaine que Pascale. Maman a du cœur, elle n'aime pas faire de la peine. Si tu savais comme je me sens soulagé d'en avoir fini avec ma femme, papa! J'avais déjà des palpitations au cœur, j'étais stressé, angoissé… Un régime de terreur, quoi!

– N'était-ce pas elle qui nous reprochait de salir le nom des Durelle que la petite portait? Et voilà qu'à son tour…

– Il faut croire que ton nom avait plus d'importance que le mien, papa. Ça ne l'a pas gênée que la petite soit de parents séparés alors qu'elle ne pouvait souffrir que maman et toi… Tu vois comment elle était? Tantôt oui, tantôt non! Ah!… Mais je te le répète, ne va pas penser que vous y êtes pour quelque chose, maman et toi. C'est comme pour Julie…

– Non, mais des fois, j'ai l'impression qu'on porte malheur aux autres, mon gars. Dans la cas de Julie, ce n'est pas elle qui a rompu avec Warren, c'est lui qui l'a quittée.

– Ah! je ne savais pas… D'habitude, elle et les hommes…

– Oui, tu as raison et dans son cas, quoique je l'aime bien ta petite sœur, il était peut-être temps que quelqu'un lui rende la monnaie de sa pièce.

Tout au long des procédures de sa rupture, Sylvain se demanda s'il devait ou non rappeler Claire, la nièce de sa collègue. Cette dernière, tel qu'il l'avait promis à la jeune fille, n'avait d'ailleurs rien su de leur aventure d'un soir. Mais, de l'amoureux transi qu'il était devenu entre deux bières, l'homme réfléchi qu'il était avait repris sa place les jours suivants. Bien sûr qu'il avait encore en tête le doux visage de la jeune femme et qu'il n'avait rien oublié de la magnificence de son corps de déesse. Bien sûr qu'il aurait souhaité la revoir, se retrouver encore avec elle dans un lieu inhabituel et faire l'amour jusqu'à ce que l'aube se lève. Bien sûr... mais, pour oser de tels gestes, il fallait être audacieux en plus d'être amoureux. Il fallait avoir «des couilles» comme le lui répétait si souvent Pascale. Il fallait aller au bout de soi, se dépasser même. À l'instar de son père, Sylvain n'avait pas ces attributs de fonceur. Pour lui les premiers pas, comme les suivants, devaient venir de l'autre. Comme ça s'était passé le premier soir alors que Claire l'avait entraîné jusqu'au motel de leur inoubliable nuit. Il avait timidement tenté, un soir, de composer son numéro de téléphone qu'il avait enfin obtenu à force de manigances, tout en espérant tomber sur une boîte vocale tellement il avait les mains moites. Et c'est ce qui arriva. Il reconnut la voix de Claire mais, au moment de laisser un message, il raccrocha sachant très bien qu'elle ne pouvait retracer l'appel venant d'un portable.

Jour après jour, il préféra se concentrer sur sa rupture et la laisser à ses études, se disant qu'il reprendrait contact avec elle plus tard. Mais, que Claire n'ait nullement cherché à le relancer le frustrait quelque peu. Il aurait été si facile pour elle de tout simplement lui faire dire bonjour, en passant, par sa tante. Mais non, rien, aucun signe de vie. Et Maggie n'avait jamais reparlé de sa nièce à Sylvain, plus préoccupée par le divorce de celui-ci, l'aidant même de ses conseils pour qu'il ne perde pas tout aux mains de sa femme. Jamais un seul mot sur Claire. N'étant pas au courant de leur aventure, il était sans doute normal que Maggie ne puisse imaginer un instant Sylvain en couple avec sa nièce avec une décennie les séparant. Et cette pensée le laissait songeur: elle était si jeune, elle entamait à peine sa vie professionnelle alors que lui, avec ses dix ans de plus, se sentait déjà fort avancé dans la hiérarchie des gradués.

Trois mois s'étaient écoulés depuis le soir de leurs ébats. Trois mois qui avaient peu à peu fait fondre les ardeurs de celui qui, malgré sa folle envie de la revoir, avait peur. Peur de tout, même d'un rendez-vous! Peur de lui! Parce qu'il avait peu confiance en l'avenir et peu de foi en lui. Peur de se leurrer, de se tromper. Parce que Pascale, le sachant vulnérable, lui avait bourré le crâne de tant de complexes, qu'il en était arrivé à craindre de s'affirmer. À moins qu'on le traîne par la main…

Jeanne s'étirait d'aise tout en prenant son café matinal, alors que Julie, peignoir de ratine sur le dos, sortait de la salle de bain où elle avait pris une douche.

– Tu ne t'ennuies pas trop avec moi? Tu ne sors pas, tu ne fais rien…

– Non, je me sens bien ici, maman. J'ai vu assez de gens durant les cinq dernières années pour être en mesure d'apprécier la paix et la tranquillité.

– Le théâtre ne te manque pas? Tu avais pourtant du talent…

– Non, ça ne me manque pas, j'ai fait le vide rapidement. Et cesse de dire que j'avais du talent, maman, je n'en avais pas ou si peu. Si ç'avait été le cas, je serai encore là et rendue beaucoup plus loin. J'étais fonceuse, ambitieuse; j'étais déterminée, mais je n'étais pas une actrice-née. Et comme les critiques m'étaient toujours défavorables… Je faisais semblant de ne pas m'en rendre compte, je feignais de les ignorer, par orgueil, mais je n'étais pas folle, tu sais. Tout ça est maintenant derrière moi. J'aurai eu le bonheur et le plaisir d'essayer et, comme le dicton le prône: *Mieux vaut en avoir du regret que d'en avoir toujours envie.* Le pire, c'est que je n'éprouve pas de regret d'être allée jusqu'au bout de mon rêve. D'avoir échoué, peut-être un peu, mais on ne peut pas sortir gagnant de tout ce qu'on entreprend. Surtout quand on veut tout faire dans la vie. Ce qui a été mon cas depuis que je suis sortie de l'école, mais là, à mon âge, crois-moi, je garde les yeux grands ouverts. Je connais maintenant mes limites et je veux d'une vie plus calme, d'un emploi qui ne soit pas un défi, d'une place à ma hauteur. À trente ans, on ne voit plus la vie de la même façon. Même les hommes, maman! J'étais insatiable et voilà que ça ne me manque pas. Un jour peut-être, mais pas un homme d'occasion et pas un type qu'on ne choisit que pour se rendre au bout de ses illusions. Un jour, si j'ai à rencontrer, à aimer, le destin va s'en charger.

– Dis donc! Tu as vraiment changé, toi! Tu étais si gamine, si frivole et, à t'écouter, j'ai l'impression d'entendre une psychologue.

– Sans l'être! Mais la vie m'a donné de bonnes leçons. Et avec le coup de grâce de Warren, j'ai appris à évaluer, à comprendre et là, je commence même à pardonner…

– Parce que tu lui en voulais encore?

– Par orgueil, maman. C'était la première fois qu'un homme se séparait de moi. Tu as vu comme j'ai mis du temps à te l'avouer? D'habitude, tu le sais, c'est moi qui leur indiquais la porte. Je lui en ai voulu pour cette atteinte à ma fierté, mais dans le fond, je sentais depuis longtemps que c'était fini entre nous. Avec le recul, je me demande même s'il y a eu un prologue à notre histoire. Professionnellement oui, mais sur le plan intime, j'ai beau chercher… Puis, à quoi bon! Et là, excuse-moi, mais il faut que je m'habille, j'ai un rendez-vous chez le coiffeur à onze heures; mes cheveux sont trop longs, j'ai besoin d'une coupe et d'un léger balayage.

– Dis-moi, Julie, ça te tenterait de passer un mois de vacances quelque part avec moi? On pourrait aller où tu le désires, l'Égypte, la Grèce, l'Italie…

– Tu appelles ça des vacances, toi? Ce sont des voyages
épuisants. Je n'ai ni la force ni l'envie de me retrouver dans
des bagages…

– Alors, que dirais-tu d'un séjour au bord de la mer dans
le Sud?

– En plein été? Non, maman, on va crever de chaleur et
c'est la saison des ouragans. Remarque que j'aimerais bien
qu'on s'évade toutes les deux, mais pas là où il y a foule.

Sursautant, ayant un éclair de génie, Jeanne lui lança gaie-
ment:

– Aïe! Je l'ai! Que dirais-tu d'un mois au bord de la mer
à l'Île-du-Prince-Édouard? Là où j'allais avec ton père! C'est
frais, c'est pur, c'est calme, et tu n'as jamais vu ce coin-là.

Julie, songeuse, leva les yeux et lui répondit:

– Oui, se serait différent, bon pour ma santé morale, loin
de tout… Mais tu ne crains pas ressentir un peu de mélancolie, maman? Tu t'y rendais avec papa… Il n'y a pas si longtemps, c'était lui… Et c'est là que vous avez décidé…

– Oui, je sais, mais je n'en serai pas nostalgique, crois-
moi. Ton père me suivait par habitude. Il aimait certes le coin,
mais moi, avec lui… Avec toi, ce sera autre chose. Revoir tout
ce que j'ai vu, aller à Summerside visiter des musées, retrouver French River et les deux chaises longues. Oh! que j'aimerais ça avec toi, Julie!

– Tu crois être capable de louer à un mois d'avis?

– Je le pense… J'en suis sûre! Monsieur Miller va trouver
le moyen de nous accommoder.

– Bien, si ça fonctionne, je ne dis pas non, maman. Ça
m'intrigue cet endroit-là, ça va me changer des États-Unis.

– Pour ça, oui! Tu sais, il y a un terrain de golf dans les environs. Toi qui aimes prendre des cours… Puis, tu pourras visiter la petite maison d'*Anne aux pignons verts,* la série que tu suivais chaque semaine. Dans la région Évangéline, on parle français et à Victoria-by-the-Sea, le plus petit phare de l'île est devenu un musée. Tu vas aimer, Julie, je le sens! Et puis…

– Arrête, maman! Tu m'étourdis! Je sais que je vais apprécier cet endroit, mais j'ai l'impression que tu en as encore plus envie que moi! Et puis, comment allons-nous nous y rendre? En bateau?

– Non, c'est trop long. Ton père et moi faisions le voyage en voiture en arrêtant ici et là, puis en empruntant le pont de la Confédération… Mais il y aussi l'avion qui se pose à Charlottetown, si tu préfères.

– Non, pas l'avion! Je conduirai, maman. Conduire ne me fatigue pas, j'ai hérité cela de papa. Ça nous fera voir de superbes paysages. Prenons notre temps, rien ne nous presse, et nous reviendrons quand nous en aurons assez. Essaie pour la mi-juillet, sinon il y a le mois d'août, mais pas plus tard parce que, dès septembre, je veux me trouver un emploi, travailler, me refaire une vie, quoi!

Julie était entrée dans sa chambre pour se vêtir et Jeanne, restée seule, était au comble de la joie. Retrouver French River, regarder les vagues se heurter contre les rochers, apercevoir au loin le phare du Cap Tryon, tâter la terre rouge, se rendre à Summerside y manger des fruits de mer… C'était vraiment, de son union expirée, la seule chose qui lui manquait. Le site… pas le compagnon! Et cette fois, ce serait avec Julie, pleine d'entrain, tout sourire. Avec elle, elle ne mourrait pas d'ennui! Entrouvrant son sac à main, elle en sortit son carnet d'adresses et, retraçant le numéro de monsieur Miller, l'inscrivit sur un bout de papier et attendit que Julie soit partie avant de l'appeler et plaider sa cause auprès de lui, sans être dérangée.

Martial Durelle, ayant appris par sa fille les projets de sa femme, s'en montra fort réjoui. Du moins, au bout du fil, alors que Julie ne le voyait pas froncer les sourcils.

– C'est vraiment beau ce coin-là, tu vas te reposer ma chouette.

– Oui, je sais que ça va me faire du bien, papa. Tu sais, monsieur Miller nous a réservé le petit chalet juste à côté de celui que vous occupiez chaque année. Un coup de chance, si on peut dire. La dame qui l'avait loué a dû annuler; son mari vient de décéder. Elle était prête à payer la location quand même, mais monsieur Miller, compréhensif, lui a remis son dépôt. Il en a été récompensé puisque c'est le lendemain que maman l'a appelé pour savoir s'il lui restait un chalet de libre. Je vais enfin voir tout ce que tu m'as décrit dans tes lettres, papa!

– Oui… c'est beau, c'est calme. Il m'arrive parfois de penser à ce coin-là.

– Maman me disait pourtant que tu t'y rendais à reculons les derniers temps…

– Avec elle, Julie. Ce qui ne veut pas dire que le panorama n'était pas invitant. Vous allez y passer un mois, dis-tu?

– Oui, le mois d'août en entier. Juste avant que l'automne renaisse.

– Ce qui va être plus agréable que moi sur mon balcon.

– Voyons, papa! Pourquoi ce ton? Et à quoi fais-tu allusion?

– Heu! à rien, je m'égarais… Ou plutôt non. J'envie ta mère d'être avec toi, voilà.

– Papa! Tu as passé un mois à Providence avec moi! Et c'est toi-même qui as déposé mes bagages chez elle. On s'entend bien, elle et moi, elle n'est pas difficile à vivre. Pas un seul désaccord depuis mon arrivée.

– Crois-tu que tu en aurais eu avec moi?

– Non, ce n'est pas ce que je veux dire... Mais où donc veux-tu en venir?

– Bien, au fait que je trouve injuste que ce soit elle qui profite de ta présence. Depuis que tu es toute petite, c'est moi...

– Papa, je t'en prie, ne deviens pas le rival de maman dans le cœur de ta fille. Si tu avais eu de la place, je serais sans doute allée vivre avec toi. Peut-être que si tu avais gardé la maison...

– Je pourrais en acheter une autre, Julie. Tu pourrais la choisir...

– Non, papa, plus maintenant. Et je t'en prie, ne dis pas de sottises dans le but de me ravir à maman. Elle a besoin d'appui elle aussi, et à observer son comportement, je crois qu'elle est plus démunie que toi. Elle est débrouillarde, très équilibrée, mais encore dépendante de quelqu'un d'autre comme elle l'a toujours été. De toi, de Dolorès et maintenant, de moi. Elle ne conduit pas, elle n'est pas très sociable avec les voisins, bref, elle ne se sent en confiance qu'avec quelqu'un auprès d'elle. Comme c'était le cas avec toi, même si elle dirigeait tout à la maison. La solitude ne te pèse pas, toi, tu me l'as dit. Elle, ça la tue et, présentement, ma présence la rassure. Mais elle ne m'aura pas tout le temps, tu sais. Dès que je vais trouver un emploi, je vais me dénicher un appartement, je l'ai déjà avertie. Et que cela soit dit pour toi aussi, papa. J'ai trente ans, le temps presse, j'avance et je ne suis pas établie. Je suis redescendue à la case départ, je redémarre, j'ai tout à escalader encore une fois. Je me suis pourtant assez confiée à toi...

– Excuse-moi, ma chouette, je pense avoir buté dans mes propos. Je parle en vil égoïste et, pourtant, je ne le suis pas. Envieux du fait que tu sois avec elle et non avec moi, oui, mais je m'y faisais, j'avais compris… C'est sans doute ces vacances à French River, ce voyage… J'aurais tellement voulu que tu voies tout cela avec moi.

– Qu'à cela ne tienne, nous nous reprendrons et la prochaine fois…

– Oui, on verra, Julie. Beaucoup d'eau va couler sous les ponts…

– Et la santé, ça va? Tes derniers examens ont été rassurants?

– Oui… Bah, un peu d'angine, du cholestérol, de l'hypertension, des malaises de vieux, quoi! Mais rien d'alarmant.

– Surveille ce que tu manges, papa! Fais de l'exercice!

– Oui, oui, j'en fais, j'ai une bicyclette stationnaire, je fais des marches plus longues dans le quartier.

– Sors aussi! Ne reste pas toujours entre tes murs. Va chez Roger, chez Carole…

– Roger bougonne sans cesse et Carole… Ce n'est pas elle, mais lui que je ne veux pas voir. Il tente de s'enquérir de mes économies. Ah! lui! Mais ne t'en fais pas pour moi, ma chouette, je suis bien comme ça. Tout va, ne crains rien.

Après avoir raccroché, Martial Durelle serra les poings. Malgré lui, malgré tout ce qu'il avait dit à Julie, il était contrarié, irrité et surtout déçu d'avoir à admettre que Jeanne avait eu le dessus sur lui.

Depuis qu'il vivait seul, Sylvain tournait souvent en rond dans son appartement et se demandait comment meubler ses longues soirées. Fervent cinéphile, il se rendait régulièrement dans les cinémas de l'ouest de la ville voir les plus récentes productions, mais ça ne comblait guère son isolement. Peu porté sur la lecture, peu enclin à regarder la télévision sauf pour visionner un film loué, il s'était inscrit dans un gymnase afin de garder la forme. Un endroit où il se rendait deux soirs par semaine. Mais, laissé à lui-même, sans trop d'invitations de sa famille, il sentait la solitude lui peser. Les fins de semaine où il avait la garde de Maude, il allait se divertir avec elle dans un parc public, après avoir effectué un bref arrêt chez sa mère pour qu'elle et Julie voient la petite. Certains dimanches, lorsqu'il était seul, il se rendait chez son père et passait la journée avec lui. Aussi muets l'un que l'autre, ils se contentaient de commenter un bulletin de nouvelles ou l'augmentation de prix dans les denrées, le logement, les primes d'assurance ou les restaurants. Jamais un mot sur sa Jeanne, encore moins sur Pascale. Ces deux femmes étaient exclues de leurs conversations. Par respect l'un pour l'autre, par discrétion ou par… timidité. Deux hommes pareils, côte à côte. On voyait bien que Sylvain était le portrait «tout craché» de son père. La même stature, le teint pâle, les cheveux blonds avec des reflets gris dans ceux du père, mais un tantinet clairsemés pour l'un comme pour l'autre, le pas lent et peu gourmands.

Or, las d'être seul, d'attendre et de ne rien voir venir, un nom fit surface dans ses pensées: Claire! Il lui fallait la revoir, lui parler, expliquer son silence, tenter de renouer. Ne serait-ce qu'en toute amitié si elle ne l'aimait plus comme elle lui avait déjà dit l'aimer. N'importe quoi… pour ne plus être seul! Car Pascale, de son côté, avait réussi à séduire un infographiste du magazine, dès que Sylvain était sorti de sa vie. Un gars plus jeune qu'elle, ni beau ni laid, qu'elle menait déjà à la baguette. Elle l'avait convaincu de faire l'essai d'une vie à deux, ce qu'il tenta sans savoir qu'il n'allait plus pouvoir en sortir. Malgré le fait qu'il lui ait avoué, regardant la petite, ne pas être entiché des enfants. Pascale le retint si bien qu'il succomba à ses avances et à son plaidoyer. Au fait aussi, qu'avant d'être sa maîtresse, Pascale était sa patronne.

Or, si son ex-femme avait un amant, Sylvain, lui, n'avait personne en vue. À moins que la nièce de sa collègue… Mais comment aborder le sujet avec elle? Ce qu'il n'eut pas à faire, puisque c'est Maggie qui lui apprit un beau matin:

— T'ai-je dit que ma nièce avec obtenu son bac avec succès?

— Ta nièce? fit-il mine de chercher.

— Claire, voyons! Tu la trouvais si belle… Tu as oublié?

— Non, non, j'avais la tête ailleurs, Maggie! Comment l'oublier, elle est si charmante. Comme ça, elle a gradué, elle est devenue enseignante.

— Oui, avec une spécialité en mathématiques, Mais pour l'instant, c'est au primaire, à la maternelle si possible, qu'elle veut enseigner.

— Elle aime les enfants, ta nièce?

— À la folie! Et quand viendra son tour, elle sera une excellente mère.

— Alors, félicite-la pour moi, Maggie, et dis-lui qu'il faudrait bien lever nos verres à son succès un certain soir.

— Je veux bien parler pour toi si tu le désires, mais moi, avec ces maux de dos, je ne sors plus, je suis en traitement. D'ailleurs comme tu es libre maintenant, il n'y aurait pas d'offense.

— Je veux bien le croire, mais est-elle libre, elle?

— Comme l'air, Sylvain! Personne dans sa vie depuis un bon moment. Elle se consacrait à ses études, mais là, si tu veux que j'intervienne…

— Je ne dirai pas non, mais elle est si jeune. J'ai déjà…

— Oui, je le sais, dix ans de plus qu'elle! Ce qui n'empêche pas deux personnes de prendre un verre ensemble. Et comme

Claire aime les hommes avec une certaine maturité... Lors de notre rencontre au bistrot, ce fut si bref que vous n'avez pas pu vous connaître, l'un l'autre, mais on ne sait jamais...

Sylvain accepta d'emblée que «la tante» intercède en sa faveur auprès de «la nièce». Mais il se sentait honteux, lui si franc, de ne pas avouer à Maggie qu'il connaissait Claire jusque dans ses moindres replis.

Quelques jours s'écoulèrent sans nouvelles et Sylvain n'espérait presque plus quand, un certain soir, alors qu'il regardait un film à la télévision, le téléphone sonna. Saisissant le récepteur d'une main sans quitter du regard le petit écran, il répondit distraitement:

– Oui, allô?

– Sylvain? C'est Claire... Je ne te dérange pas, j'espère?

– Claire? Quelle bonne surprise! s'écria-t-il en fermant le téléviseur.

– Ça me gênait d'appeler, mais comme Maggie insistait... Tu vas bien?

– Heu! si on veut. Tu sais sans doute que je vis seul, que...

– Oui, ma tante m'a tout raconté. Pas trop pénible, la solitude?

– Assez, mais moins qu'une vie à deux à ne plus pouvoir se supporter. Et comme je peux voir ma petite fille assez souvent...

– Tu dois sûrement lui manquer. Et toi, tu t'en ennuies?

– Oui, parfois, mais je la vois, tu sais. Je l'emmène visiter ma mère, nous allons au parc, en voiture à la campagne... De son côté, à trois ans, je ne crois pas qu'elle soit bouleversée par mon absence. Maude a toujours été plus près de sa mère. Non pas que je ne sois pas un bon père, mais je n'ai pas vraiment le tour avec les enfants. Je ne suis pas assez dégourdi avec les petits, je suis trop sérieux. Je ne sais pas comment jouer avec eux. Mon père avait plus de talent que moi de ce côté. Surtout avec la petite dernière.

– Et que fais-tu de tes longues soirées?

– Bien, rien ou presque... Et toi, depuis l'obtention de ton bac?

– Je me repose, je me détends. Je vais commencer à enseigner dès septembre, mais pas à Montréal. J'ai déniché un poste à la maternelle d'une école de Joliette. Ce n'est pas trop loin, mais je ne compte pas faire plus d'un an à cet endroit. Ensuite, j'essaierai de trouver ici. Mais le premier emploi, on le prend où on peut. J'ai une amie qui a même accepté de s'exiler en Saskatchewan pour avoir un poste. J'ai été plus chanceuse qu'elle.

– Tu as oublié notre rencontre, Claire?

– Oublié? non. Mais il faut avouer que l'occasion fait le larron. La bière, les martinis... Après, on s'en remet puisque, malgré les aveux, on n'a pas tenté de se rejoindre ni l'un ni l'autre. Alors...

– Je l'ai fait une fois, je t'avais retracée, mais je suis tombé sur ta boîte vocale et j'ai raccroché.

– Pourquoi?

– Parce que j'étais en instance de divorce, que je devais me prendre en main et que je ne voulais pas te déranger pendant tes derniers examens.

– Très délicat de ta part, mais peut-être que j'aurais apprécié...

– Non, Claire, le moment était mal choisi. De toute façon, tu aurais pu me retracer par Maggie. Tu ne l'as pas fait...

– Jamais je ne me serais adressée à elle, voyons, elle m'en aurait dissuadée. Maggie a des principes et tu étais un homme marié.

– Ce qui n'a rien changé, un certain soir…

– Pour nous, oui, l'alcool aidant, mais si elle l'avait appris… Elle m'a à l'œil, tu sais, c'est la confidente de mon père.

– Et aujourd'hui, libres tous les deux et avec la bénédiction de Maggie, tu crois qu'on pourrait se revoir?

– Tu en as envie? Tu le désires vraiment, Sylvain?

– Bien sûr! Comment peux-tu en douter? Mais toi, un homme aussi ennuyant que moi, casanier…

– J'aime les hommes tranquilles et je n'ai rien contre le tête-à-tête. On pourrait se revoir où selon toi?

– Je pense que ce serait plus facile chez moi que chez tes parents, non?

– Oui, du moins, jusqu'à ce que j'habite Joliette.

– Tu accepterais de venir souper samedi soir? Je ne suis pas un grand chef, mais je me débrouille assez bien avec les pâtes et la salade César. Ça t'irait?

– Oui, à la condition que j'apporte le vin. Oh! j'oubliais, tu as un lecteur de disques chez toi?

– Oui, j'ai un petit appareil radio qui joue de tout, même les cassettes. Le son n'est pas ce qu'il y a de mieux, cependant. Pourquoi cette question?

– Tu aimes les chansons de Michael Bublé?

– Heu… j'ai entendu son nom, mais je t'avoue que je ne le connais pas, j'écoute surtout de la musique classique. Je n'ai que cinq ou six disques compacts, je commence à peine à en acheter. J'aime le violon, les concertos de Mendelsshon, la guitare classique, moins le piano, mais je n'ai pas de préférence, Mozart, Beethoven, Chopin… Je me demande pourquoi je te dis tout cela, tu me parlais d'un chanteur…

– J'aime tous les genres de musique, Sylvain, le classique aussi. J'ai des albums d'Angèle Dubeau… Mais je te ferai écouter également Michael Bublé, si tu le permets. C'est un excellent *crooner* et très d'ambiance pour un souper. Alors, tu me donnes ton adresse, maintenant?

– Je peux passer te prendre, Claire, j'ai encore ma voiture.

– Non, je préfère sauter dans un taxi. Tu me ramèneras, plutôt. Cet arrangement te va?

– Si c'est là ton désir, oui. Si tu savais comme j'ai hâte de te revoir...

Après lui avoir donné son adresse, Sylvain raccrocha avec un frisson qui lui parcourait l'échine. Il ressentait déjà un doux bien-être à l'idée de ne plus être seul, si le Ciel le permettait. Il n'avait non seulement hâte de la revoir, mais de la prendre dans ses bras, de l'étreindre et de... Si sa retenue empreinte de timidité s'évaporait, évidemment, et si Claire avait encore envie de lui comme c'avait été le cas lors de leur nuit, après plusieurs bières et quelques martinis.

Le samedi convenu, c'est à dix-neuf heures pile que Claire sonna à l'appartement de Sylvain Durelle, identifié par ses initiales seulement. Il s'empressa de descendre et de lui offrir son bras pour remonter jusque chez lui. Elle entra, déposa son sac à main sur une table de coin. Sylvain la mena au salon et la pria de s'asseoir après l'avoir contemplée longuement. Plus belle encore que la première fois avec ses cheveux roux mi-longs bien coiffés, elle avait enduit ses lèvres d'une teinte d'orange brûlée et ses paupières d'une ombre vert feuillage qui se mariait à la jupe et au chemisier qu'elle portait. À son poignet, un joli bracelet de cuivre orné d'une breloque, rien d'autre. Sa beauté seule était le joyau de sa personnalité. Et combien féminine lorsqu'elle croisait la jambe pour pointer, en sa direction, un très bel escarpin de jute beige à petit talon ni haut ni bas, mais délicat. Figé par la vision, enivré par le parfum qu'elle dégageait, Sylvain ne savait que faire. Prendre place auprès d'elle ou s'affairer à lui servir une consommation? Il avait revêtu un pantalon léger couleur sable et était pieds nus dans des mocassins de même teinte. Une chemise d'été légère, couleur marine, col ouvert, manches courtes qui permettaient d'apprécier ses biceps.

– Je ne suis pas trop chic, je m'en excuse... Tu es si élégante.

– J'aime ta tenue décontractée et merci pour le compliment, tu es très généreux. J'ai mis ce que j'avais de plus simple et de plus estival.

Comme il la dévorait des yeux et qu'il ne lui était pas indifférent, debout devant elle, grand, sourire aux lèvres, elle lui tendit un petit cadeau emballé d'un papier brun avec un ruban jaune.

– Qu'est-ce que c'est? C'est pour moi?

– Un petit rien du tout. Comme tu m'as rappelée pour m'interdire d'apporter le vin, je ne tenais pas à arriver les mains vides.

– Moi, j'ai des roses pour toi, Claire. Je les ai disposées dans un vase pour le souper, mais tu devras les rapporter, lui dit-il, tout en déficelant le petit cadeau qui était mince comme un disque compact.

C'était effectivement un disque. Joshua Bell, un violoniste de renom, interprétant de ses doigts magiques, disait-on, des œuvres de Fritz Kreisler, dont *La Précieuse*, *Liebesfreud* et *Polichinelle*. Comme il semblait ébloui, elle lui dit avant même qu'il la remercie:

– Je ne sais pas si tu le connais, mais comme tu aimes le violon...

– Non, mais je vais le découvrir avec plaisir. Quelle délicatesse. Tu n'aurais pas dû... J'espère que tu as quand même apporté le disque de ton chanteur... Michael...

– Non, ce sera pour une autre fois. Ce soir, nous écouterons celui-là et les autres que tu possèdes.

– Encore une fois, tu n'aurais pas dû. Ce présent me gêne, je n'ai que des roses...

Elle éclata de rire et lui dit:

– Que des roses? Un plein vase, Sylvain! Rouges! Et comprimées tellement elles sont nombreuses. Une fortune! C'est trop... Mais trêve de politesses entre nous, tu m'offres un verre?

Ils prirent l'apéro, parlèrent de leur travail et de leur vie et Sylvain s'excusa pour voir à sa sauce rosée qui mijotait. Il avait sorti ce qu'il avait de vaisselle, rien de trop chic, pas d'ustensiles en argent. Mais un petit service présentable sur une nappe de coton beige avec des napperons noisettes. Le pain venait d'être tranché et Sylvain avait laissé un Chianti respirer. Elle prit place en face de lui et il la servit, refusant son aide. Il versa le vin et ils entamèrent leur plat en écoutant le violon caresser les premières notes du *Caprice viennois* de l'album qu'elle lui avait offert. Ils se regardaient, se souriaient, bavardaient gentiment. Il la félicita de son choix de musique et elle, glissant ses longs doigts sur un pétale de rose, murmura après quelques verres: «Sais-tu qu'on est bien chez toi?» Ils mangèrent lentement, dégustèrent le vin et ne se levèrent de table, qu'après avoir pris le café allongé qui accompagnait les mokas qu'il avait achetés.

Installés tous deux sur le divan, un ballon de cognac entre les mains, elle l'entendit lui chuchoter:

– C'est sans doute l'alcool qui m'enlève la gêne, mais je te trouve superbe.

Elle ne dit rien, préféra lui sourire, effleurer sa main et lui demander peu après, pour briser le silence:

– Tu voudrais bien me faire entendre un de tes disques classiques?

– J'en ai très peu, mais attends, peut-être que celui-là… Il s'intitule *Concertos en émotion,* c'est varié, on y trouve du Brahms, du Chopin, Paganini, Liszt et plusieurs autres. Tu sais, j'ai hérité ce penchant de mon père. Il aime la musique classique et moi aussi. Il ne m'a pourtant rien imposé…

– Si tu me parlais de lui, Sylvain? ta mère? ta famille?

Il se rapprocha d'elle, posa sa main sur la sienne et lui dit tout bas à l'oreille:

– Une autre fois, tu veux bien? Avec toi si près, ton parfum… Ne gâchons rien…

Elle porta son verre à ses lèvres, lui sourit gentiment et Sylvain crut percevoir une lueur de désir dans la prunelle de ses yeux.

– Je t'aime, Claire…, risqua-t-il.

– Encore? Ce n'est qu'après avoir bu que tu me fais de tels aveux.

– Parce que je suis timide et gauche, mais je n'en pense pas moins lorsque je suis sobre, tu sais. J'apprendrai, tu verras. On ne m'a jamais appris à exprimer mes sentiments. Et… toi?

– Quoi, moi? Si… si je t'aime aussi?

Il l'encercla de ses bras, espérant une réponse affirmative et Claire, se dégageant – ce qui le désarma un instant – le délivra de sa stupeur en posant un genou sur sa cuisse tout en l'attirant à elle pour l'embrasser à lui en faire perdre le souffle. Heureux, conquis, Sylvain sentit son sang bouillir dans ses veines:

– J'aimerais ne pas avoir à te reconduire… Tu restes, dis?

– Bien… je n'ai pas encore vu ta chambre. Elle est invitante?

Il se pencha, posa ses lèvres sur les siennes avec tendresse et, se levant, il la pria d'apporter son ballon de cognac et entrouvrit la porte de la chambre où un grand lit aux draps bleus s'offrait à eux. Tout doucement, tout en avalant leur Courvoisier petit à petit, il la déshabilla, elle en fit autant, pour se redécouvrir mutuellement dans le plaisir. Nus, beaux, bien faits, elle sculptée, lui très musclé. Il la posséda sensuellement, délicatement, sans la moindre brutalité, alors qu'elle s'agrippait à ses hanches comme pour le rendre plus féroce. Elle avait envie d'être meurtrie par ce corps d'homme qu'elle trouvait magnifique. Lui, le cœur battant, la sueur au front, n'avait de cesse de répéter, en lui faisant l'amour, qu'elle était la femme la plus charnelle qui devait exister, alors qu'intérieurement il suppliait le jour de ne jamais se lever. Après le cri, l'orgasme, il la déposa sur l'oreiller bleu, s'allongea à ses côtés et elle se blottit contre lui, comme pour avoir encore plus chaud malgré l'ivresse des corps et les vapeurs de l'alcool. Il lui caressa la nuque, lui palpa un sein d'une main ferme et lui mordilla le mamelon tout en lui murmurant:

– Tu ne m'as pas encore répondu. M'aimes-tu?

Comme pour le faire languir, comme pour le lui prouver par des gestes sans avoir à le lui dire, elle le renversa sur le dos, se glissa sur son ventre et, après lui avoir embrassé le cou, les aisselles et le thorax, elle descendit amoureusement jusqu'au bas-ventre et, orageusement, elle entrouvrit les lèvres sur le membre durci jusqu'à ce qu'elle l'entende enfin gémir… tout en y prenant sauvagement plaisir.

Julie avait conduit depuis la veille avant d'atteindre enfin le Nouveau-Brunswick, puis le pont de la Confédération qui menait à l'Île-du-Prince-Édouard. À Montréal, le mois d'août s'était levé sur une canicule qui risquait d'engendrer une sécheresse. Dans les Maritimes, c'était plus frais, surtout lorsque le vent agitait cet océan qui entourait les terres. Elles avaient couché en cours de route dans un petit gîte charmant et, après avoir bien déjeuné, Julie avait repris le volant de sa toute neuve Mazda rouge que sa mère lui avait achetée. Elles se regardaient. se souriaient, blaguaient, heureuses d'être ensemble. Loin de la pollution des villes des États-Unis, Julie semblait avoir fait le deuil de Warren qui l'avait tant déçue. Jeanne, ravie de retrouver ce petit paradis qu'elle aimait, éprouvait quand même un certain trouble. Elle était peinée que Martial ne soit pas là pour serrer la poigne ferme de monsieur Miller et lancer un «*Hi!*» à la boulangère qu'il trouvait gentille. Mais, se rappelant tout l'ennui qu'elle avait vécu avec lui dans ce site enchanteur, elle laissa échapper un soupir de soulagement à l'idée de ne pas avoir à le revivre. Avec Julie, ce serait la joie, la gaieté, l'émerveillement. Et le matin, le premier du moins, elle ne serait pas seule sur la colline à regarder le soleil se lever. Elle songeait à tout ce qu'elle allait de nouveau revoir avec Julie. Ce que Martial ne pouvait plus souffrir lors de leurs derniers séjours, maugréant d'avance contre les musées, l'interminable *Sentier de la Confédération* et toute cette terre rouge qui, selon lui, ne valait même plus une photo.

Heureux de revoir madame Durelle, Peter Miller lui serra la main et se montra enchanté de rencontrer sa fille. Sentant qu'il se questionnait sur l'absence de Martial et sur leur départ précipité lors de leur dernier séjour, Jeanne préféra le renseigner: «Mon mari et moi ne sommes plus ensemble, nous sommes séparés depuis un bon moment.» Monsieur Miller laissa échapper un petit oh! de stupéfaction, mais ne questionna pas sa locataire. Il n'était pas assez intime avec les Durelle pour se permettre une telle intrusion dans leur vie. Il se dit désolé de ne pouvoir lui offrir le chalet qu'habituellement elle réservait, mais il la rassura en lui expliquant que l'autre, juste à côté, était aussi charmant, sauf pour la cuisinette qui était plus étroite. Ce qui ne dérangea pas Jeanne qui n'avait guère l'intention de cuisiner. Elle prévoyait plutöt amener Julie dans tous les bons restaurants de Charlottetown et Summerside. Et même s'aventurer vers quelques petites salles à manger d'auberges plus isolées.

Julie était fourbue! C'était tout un voyage, en auto! Elle comprenait maintenant son père qui se plaignait de la distance à parcourir. La prochaine fois, songeait-elle, ce serait l'avion et une voiture de location. Ce qui la réconfortait, c'est qu'elles étaient arrivées saines et sauves! Sans le moindre incident de parcours, pas même une crevaison. Julie passa la soirée à se reposer, sa mère en fit autant. Ouvrant le téléviseur, elle capta une station américaine pas tout à fait claire, un peu «enneigée», qui présentait un film de Sylvester Stallone qu'elle regarda bon gré mal gré, avec sa mère. Un film dont elle n'avait pas vu le titre et dans lequel les cascades se succédaient. Rien de tendre, aucune scène amoureuse, rien de sentimental, bien sûr. Mais ça valait certes le bulletin de nouvelles qu'elles avaient vu à deux reprises. Et c'est avant que ne se termine le film que Jeanne s'endormit sur le divan, la tête sur un coussin, les pieds sur un tabouret. Ce qui fit sourire Julie qui venait de se servir un *gin and tonic* pour combattre le sommeil et voir si Stallone allait vaincre, comme d'habitude, tous les vilains du film.

À l'aurore, encore épuisée par le voyage, Julie se fit réveiller par sa mère:

– Je m'excuse de te brusquer, mais il faut que tu viennes admirer le lever du soleil. Il va être superbe aujourd'hui, je le sens.

S'étirant, ayant peine à ouvrir les yeux, Julie marmonna:

– Mais il va y en avoir un autre demain, maman. Je suis si fatiguée...

– Non, viens, ne me refuse pas ce plaisir. Tu reviendras te recoucher après. Enfile tes sandales de plage, ta jupe et un gilet, et suis-moi. Ce sera unique, Julie! Apporte ton appareil photo.

Se levant péniblement, se donnant un coup de peigne tant bien que mal, Julie obéit à sa mère pour ne pas la décevoir et la suivit à l'extérieur, alors que c'était frais, très frais et que ses pieds, nus dans ses sandales, se mouillaient dans la rosée.

Elle aperçut au loin le haut de la colline, les deux chaises que le vent soulevait et s'empressa d'en choisir une sans même savoir que c'était, naguère, celle de son père. Jeanne, étonnée, prit place dans la sienne et le soleil se leva lentement dans une magnificence à ce jour inégalée. Comme si l'astre du matin avait voulu éblouir la jeune femme dont les cheveux étaient en harmonie avec ses rayons. Julie fut conquise, séduite, et ne regretta pas l'insistance de sa mère. Elle capta ce paresseux lever de plusieurs déclics comme si le soleil, fier et orgueilleux, se prêtait à la séance en posant majestueusement pour elle. De son premier clin d'œil jusqu'à la luminosité de son cercle parfait.

– Je n'ai jamais rien vu d'aussi beau, d'aussi spectaculaire, maman! J'ai l'impression d'être à deux pas du ciel! Quelle merveille!

Jeanne était heureuse d'avoir ainsi atteint le cœur de sa fille. Elle se réjouissait de chaque exclamation de Julie qui ne tarissait pas d'éloges envers le plus étincelant des astres:

– C'est incomparable, maman! Jamais je n'ai rien vu d'aussi sublime de ma vie!

Jeanne soupirait d'aise car, aiguillonnée par l'éloquence de sa fille, elle redécouvrait, elle aussi, toute la splendeur d'un lever de soleil. Ce que Martial avait toujours vu d'un œil plus ou moins convaincu.

Avec les jumelles de sa mère, Julie put voir le phare du Cap Tryon et les vagues, juste au bas du ravin, se jeter sur les rochers. Ce qui lui donna le vertige. Elle recula sa chaise et, s'emmitouflant dans son châle de tricot qu'elle avait pris soin d'apporter, dit à sa mère:

— Viens maman, rentrons maintenant. J'ai froid, j'ai les pieds trempés... Je ne voudrais pas me payer un rhume avec ce changement de climat et les orteils dans la rosée.

— Oui, tu as raison, un bon café saura te remettre d'aplomb. Mais je suis heureuse que tu m'aies accompagnée, Julie. C'est la première fois que j'apprécie autant cette féerie depuis que je viens ici. Ton père n'y venait plus et je regardais seule le soleil se lever sans en goûter véritablement l'enchantement.

— Oui, je comprends, ce n'est pas comme s'extasier à deux. Excuse-moi si je marche lentement, maman, mais j'ai une crampe dans le pied. Vois! Je boite maintenant! C'est sans doute cette herbe mouillée, j'aurais dû mieux me chausser.

— Pardonne-moi, Julie, c'est ma faute, j'étais si pressée que je t'ai fait sauter dans tes sandales... J'avais peur de le rater...

— Ne t'en fais pas, maman. Avec un bon bain chaud, ça va se replacer. Et puis, ça valait vraiment le déplacement! Quand je pense que j'ai tout capté sur film... Superbe!

Elles allaient atteindre le chalet lorsqu'un camion s'immobilisa devant le bureau de location de Peter Miller. Un homme en descendit et, malgré elle, Julie le détailla. Un bel homme, un très bel homme vêtu d'un *blue jeans,* de bottes de cuir et d'une chemise à carreaux rouges et noirs. Une pièce d'homme comme on en voyait sur les calendriers, songea-t-elle. Pour ensuite rougir de sa comparaison... Un superbe mâle aux cheveux bruns, aux yeux noisette, les dents blanches, le nez droit, la bouche charnue, les épaules carrées, le corps bien défini et moulé… Un fois de plus, Julie baissa les yeux. Comment pouvait-elle le déshabiller ainsi des yeux à une heure aussi matinale? Cela ne lui ressemblait guère. Le lever du soleil l'avait-elle à ce point subjuguée? Quelle honte d'avoir pensé un seul instant… Elle, pourtant si digne, loin des frivolités et… des hommes des calendriers!

L'étranger salua les deux dames d'un sourire, qu'elles lui rendirent, et Julie demanda à sa mère en ouvrant la porte du chalet:

– Tu le connais, maman?

– Non, je t'avoue que c'est la première fois que je le vois. Sans doute un employé de monsieur Miller.

– Et regarde de quoi j'ai l'air! Décoiffée, pas maquillée, mal habillée…

– Julie! Tu n'es pas au théâtre ici, tu es en plein air! T'imagines-tu que les gens de la place s'attendent à nous voir dans des robes du soir? French River, ce n'est pas New York! C'est un autre monde ici!

Sa mère avait sans doute raison, mais Julie était quand même mal à l'aise dans son accoutrement, dans ses sandales de vinyle, son châle de laine jeté sur ses épaules. Embarrassée parce qu'elle s'était rendu compte que le bel homme, tout en leur souriant, s'était attardé sur elle plus longuement. Et parce que, lorsqu'il s'était retourné une seconde fois, à l'insu de sa mère, il avait incliné la tête pour la saluer plus poliment. Et Julie, sans se l'avouer, en avait été troublée.

Le lendemain, en après-midi, alors que Julie se promenait seule en bordure de la route, monsieur Miller, sortant d'un petit commerce des environs, la salua et lui demanda comment elle trouvait le coin qui était certes différent des *United States* où elle avait habité, selon les dires de sa mère. La conversation se déroulait en anglais, bien entendu, mais comme Julie était parfaitement bilingue, Pete Miller eut peine à croire qu'elle n'avait été élevée qu'en français.

– Belle journée pour prendre l'air, n'est-ce pas? lui dit-il dans sa langue.

– Oui, c'est très beau et le vent souffle moins fort en après-midi. Le matin, c'est épouvantable, pas moyen de rester coiffée cinq minutes!

– Vous vous habituerez! Ici, les femmes s'attachent les cheveux ou se font donner des permanentes. Il y a un salon à Summerside...

Julie ne comptait guère arborer les cheveux courts ou «frisés durs» des femmes de l'endroit, d'autant plus qu'elle n'était là que pour un mois. Pour changer de sujet, tout en profitant de l'occasion qui lui était donnée, elle demanda:

– Vous avez plusieurs employés?

– Oh! une quinzaine, car j'ai des commerces un peu partout dans le coin. J'ai même des parts dans les pommes de terre! s'exclama-t-il en riant.

– Vous avez aussi des employés pour vos chalets, si je ne m'abuse?

– Non. Mes modestes chalets, comme c'est saisonnier, je m'en occupe tout seul.

– Pourtant, j'ai aperçu un camion hier matin et un employé en descendre...

– Hier? Lui? Non, ce n'est pas un employé, celui-là, c'est un de mes fils! John, le plus vieux! J'en ai deux autres, mais le second est à Moncton au Nouveau-Brunswick, il étudie là-bas. L'autre, le plus jeune, vit avec nous, il n'a que dix-sept ans.

– Et John, l'aîné? Il est votre bras droit, je suppose?

– Ouais... si on peut dire. Il s'occupe surtout de la quincaillerie que j'ai à Charlottetown et du restaurant que nous exploitons à Summerside. Il est fort en chiffres, il vaut tous les comptables!

– Trois fils et vous n'êtes pas encore grand-père, monsieur Miller?

– Non. Surprenant, n'est-ce pas? Mais ça viendra. Le deuxième, Frank, celui qui vit à Moncton, fréquente sérieusement une étudiante de son collège. Le plus jeune, Matt, n'en parlons pas, c'est un débutant, un petit coureur de jupons, celui-là. Quant à John, il a déjà vécu cinq ans avec une fille, mais ils se sont quittés depuis un an et, depuis ce temps-là, je pense qu'il profite de sa liberté. Il a une très belle maison à Summerside. Il l'habite seul depuis qu'elle est partie. Tiens! Faudrait bien que je vous présente à la famille, Julie. Votre mère aussi! Je n'ai jamais eu la chance de le faire avant, votre père, un homme aimable, n'était quand même pas trop sociable. Jamais je n'aurais songé à l'approcher. D'ailleurs, il venait ici pour se reposer. Mais là, votre mère et vous… Ma femme serait heureuse de vous connaître. Ça lui donnerait l'occasion de causer avec une fille qui a vécu aux *United States*. Elle regarde encore *The Price is Right* tous les jours. Et comme vous parlez très bien l'anglais… Chez nous, il n'y a que John qui parle français. Et pas mal bien à part ça! Il a une facilité pour les langues et, à dix-huit ans, il a fait des études au Québec, ce qui lui a permis de maîtriser le français davantage. Puis, il s'est perfectionné chez Berlitz, car il voulait éviter l'accent acadien qu'on trouve un peu partout ici. Mais là, je m'excuse, je dois filer, j'ai des filets de pêche à livrer à un vieux de la place.

– Pardonnez-moi d'avoir pris autant de votre temps, monsieur Miller.

– Pas d'offense, Julie. J'aime bien ça, bavarder, vous savez. Faites-moi signe quand vous aurez envie de venir prendre un verre à la maison. Parlez-en à votre mère et dites-lui que ma femme en sera ravie.

Elle le remercia, il la salua, puis monta dans son camion en direction de Summerside. Restée seule, Julie était souriante. Elle en avait appris beaucoup sur le beau gars qu'elle avait aperçu la veille. Pas un employé, mais le fils des Miller. Libre à part ça! Et selon ses déductions, de son âge ou presque. Bilingue en plus! Sans l'avoir examiné de près, sans même avoir jamais entendu son timbre de voix, Julie Durelle était déjà intéressée par ce très bel Anglais.

La fin de semaine s'annonçait et Jeanne n'avait pas eu de mal à convaincre sa fille d'aller souper à Summerside. Cette dernière avait même ajouté: «Nous allons bien nous vêtir, ça va piquer la curiosité», sous prétexte de se maquiller, de se coiffer, de se chausser de talons aiguilles et d'enfiler une jolie robe à motifs abstraits verts sur fond blanc. Madame Durelle, avec de jolies perles bleues aux lobes d'oreilles, avait revêtu un joli tailleur de la même teinte, accompagné d'un sac à main et de chaussures dernier cri. Très élégantes toutes deux, elles avaient décidé, sous les instances de Julie, de se rendre, par délicatesse, au restaurant appartenant à la famille Miller. Julie s'était chargée de la réservation par l'entremise du paternel, et on leur avait assigné une petite table pour deux, en retrait, devant une fenêtre à rideaux de dentelle avec vue sur une fontaine de pierres bordée de fleurs.

L'endroit était charmant. De jolies nappes jaunes, un centre de table composé de marguerites des champs, un lampion allumé, de la vaisselle d'un blanc immaculé, et un service courtois par une dame aux cheveux gris. Les plats s'étaient succédés et Julie et sa mère terminaient leur verre de vin lorsque la porte s'ouvrit et que John fit irruption sans les apercevoir. Vêtu de son *jeans,* pas peigné, la veste un tantinet poussiéreuse, il adressa quelques mots à la jeune hôtesse, puis, s'apprêtant à repartir, il entrevit la crinière blonde de Julie qui, relevant la tête, le salua d'un charmant sourire.

Surpris mais ravi, il s'approcha de leur table et, s'adressant à la jeune femme en français, lui dit:

— Je ne vous donnerai pas la main, je sors du hangar, mais mon père m'a parlé de vous et je suis heureux de vous rencontrer, *miss* Durelle. Et vous de même, madame, ajouta-t-il en souriant à Jeanne.

Julie semblait conquise, mais sa mère, étonnée, la questionnait des yeux.

— Oh! maman, excuse-moi, mais monsieur... John, je crois, est le fils de monsieur Miller. Tu te souviens? En redescendant de la colline?

— Non, pas tout à fait... Oui, oui, l'homme du camion... Pardonnez-moi, mais si vous êtes le fils de notre bon ami, je suis heureuse de vous connaître, répondit Jeanne.

— Vous avez bien mangé? On a pris soin de vous?

— Le homard était délicieux et très bien apprêté. Et quel service! s'exclama Jeanne.

— Et le vin excellent, ajouta Julie. C'est un bel endroit...

— Vous voulez vous joindre à nous pour le café? demanda la mère.

— Oh! j'aimerais bien, mais regardez-moi! Je suis tout sale... pas présentable! Je risque de noircir la nappe, ajouta-t-il en riant.

Julie aurait voulu insister, lui dire qu'elle l'accepterait à leur table, aussi délabré était-il, mais elle n'en fit rien. Il ne fallait pas qu'elle se montre empressée. Elle se contentait de le regarder alors qu'il parlait à sa mère. Il était encore plus beau de près que de loin et sa voix, grave et douce à la fois, lui plaisait énormément. Sous le charme, elle avait tout de même senti qu'elle ne lui était pas indifférente. Elle l'avait vu poser les yeux sur elle, scruter les motifs de sa robe, les détails de sa coiffure, l'orangé de ses lèvres pulpeuses, ses yeux verts, ses mains effilées... Soudainement embarrassé, ne sachant plus quoi dire, il demanda:

— Vous vous plaisez au chalet? Si vous avez besoin de quoi que ce soit...

— Ne craignez rien, votre père veille sur nous, répondit Jeanne.

— Bon, dans ce cas, je vous laisse terminer votre repas et je vous souhaite une agréable fin de soirée.

— À vous de même! scanda Jeanne, alors que Julie, plus discrètement, lui avait dit merci.

Il était sorti et, montant à bord de son camion, il jeta un regard en direction de la petite fenêtre et croisa celui de Julie. Un simple regard, sans lui sourire cette fois, mais avec des mots dans les yeux.

— Dis donc, toi! Tu le connaissais? Tu savais même son prénom!

— C'est monsieur Miller qui m'a tout raconté sur ses trois fils, maman. Le second, Frank, étudie au Nouveau-Brunswick, et le plus jeune, Matt, est encore sous leur toit. John est l'aîné...

— Sûrement marié! Il en a l'âge. Et beau comme ça...

— Non, il vit seul dans sa maison. Il vivait en couple, mais sa compagne l'a quitté l'an dernier.

— Tu sais vraiment tout de lui, toi? Tu connais tout d'eux?

— Tu oublies que j'ai été comédienne, maman, que j'ai eu à apprendre des rôles par cœur. Depuis, ma mémoire enregistre facilement et j'ai tout retenu ce que monsieur Miller a bien voulu me dire. Rien de moins, rien de plus. D'ailleurs, parlant du père, il aimerait bien qu'on se rende prendre un verre chez lui, un de ces jours. Sa femme aimerait nous rencontrer. Il m'a dit qu'il t'aurait invitée bien avant, mais que papa semblait casanier...

– Ce n'est pas le mot! Sauvage, Julie! Même avec les voisins! Bon, dans ce cas, nous irons un de ces soirs, mais as-tu remarqué comment le fils parlait un bon français? Le père, lui...

– John est le seul à parler français, maman. Il a déjà étudié au Québec étant plus jeune, puis il a continué chez Berlitz. C'est à peine s'il a un accent. Tu as remarqué? À part le fait de m'appeler *miss*...

– Décidément, tu sais tout de lui! Aïe! Est-ce que je te vois venir, toi? Es-tu certaine d'avoir choisi le restaurant des Miller par stricte politesse?

Julie rougit, éclata de rire et répondit toute joyeuse:

– Il n'y a pas que de merveilleux levers de soleil ici, maman.

Quelques jours plus tard, par l'entremise de son père, John Miller invitait Julie à visiter les plus beaux coins de la région. Si elle daignait accepter, il allait passer la prendre en début d'après-midi le jour suivant. Intéressée, elle agréa et s'empressa de l'annoncer à sa mère.

– Bon, c'est ça! Tu te trouves un *chum* qui te fait visiter et moi je reste seule ici. C'est moi qui devais être ton guide...

– Maman, pour l'amour du ciel! Ne me fais pas rater ma chance de rencontrer quelqu'un de bien après avoir été dupée par l'autre.

– Ce n'est pas ce que je veux dire, Julie... Et puis tu as raison, je ne suis qu'une vieille égoïste, j'ai déjà visité toute la région, moi. Va, profite de la vie, le temps passe si vite. Consacre-lui ce qu'il te reste de vacances, mais ne tombe pas amoureuse de lui. C'est loin de chez nous, Summerside. Et ils n'ont pas la même mentalité.

– Providence n'était guère mieux, maman, mais tu me connais, je m'adapte partout. Plus jeune, tu m'avais surnommée «la fille au baluchon».

– Oui, en effet, et fais donc ce que tu voudras! Tu as trente ans et je te parle encore comme si tu en avais dix-sept... De quoi je me mêle encore? Parfois, ton père avait raison, tu sais...

Julie l'étreignit, l'embrassa sur la joue et lui murmura à l'oreille:

– Te rends-tu compte que tu as parlé de papa? C'est l'une des premières fois...

– Sans doute parce que c'était avec lui que je venais ici. On dirait que son ombre me suit jusque dans ma chaise longue. Mais, ne t'en fais pas, il ne me manque pas! Quel ennui c'était avec lui! ajouta-t-elle, dans un élan de fierté démesurée.

John était venu la prendre au volant d'une Chrysler blanche, sans doute la voiture du dimanche de la famille. Bien coiffé, frais rasé, chemise bleue à col ouvert, pantalon de ratine beige, souliers de cuir beige, il avait l'allure d'un dandy sportif de bonne famille et non du pêcheur de crabes qu'il donnait l'air d'être avec ses *jeans,* une barbe de trois jours et les cheveux épars. Mais d'une façon ou de l'autre, Julie le trouvait séduisant. Parce qu'il lui semblait fort et viril, et qu'elle se sentait protégée avec un tel homme. Elle, pour l'occasion, avait tressé ses longs cheveux sur le dessus de la tête et, verres fumés sur le nez, collier de bois noir sur un chemisier de coton jaune, avait enfilé un joli pantalon noir et s'était chaussée de souliers de marche confortables à talons plats. Il lui fit visiter les plus beaux coins de l'Île, entre autres, le Parc National. Des paysages splendides, des sites enchanteurs que Julie, munie de son appareil photo, croquait sur le vif. Elle demanda même à un touriste de les prendre sur pellicule, elle et lui, quelque peu enlacés. Ce que John apprécia en pressant un peu, de l'index, la taille de sa jolie compagne.

Ils s'offrirent un léger gueuleton en chemin et, après avoir tout vu ou presque des alentours, y compris quelques musées, il l'invita à souper dans un charmant restaurant de Charlotte-town pour ne pas avoir à parler avec tous les gens qu'il connaissait à Summerside. Par goût d'intimité. Pour être sûr de pouvoir s'entretenir avec elle sans être dérangé. Il lui parlait en anglais et en français, parfois dans un alliage qui sonnait… franglais! Il ne la questionna pas sur son passé et elle s'abstint de s'enquérir de la femme qui avait partagé sa vie. Comme s'ils avaient décidé d'un commun accord, sans se le dire, de franchir tous les deux un autre seuil de leur destinée.

John n'avait plus à trébucher sur les excès de politesse; il avait, en cours de route, décidé de la tutoyer et elle en avait fait tout autant. Naturellement. Sans même se consulter. Comme s'il était d'usage après deux rencontres de troquer la réserve contre la familiarité. Il se faisait tard, mais Julie ne consultait jamais sa montre en forme de poire, un cadeau de l'autre…

– Ta mère ne va pas s'inquiéter d'un retard?

– J'en douterais, j'ai vécu si longtemps loin d'elle. Et à mon âge…

– Vingt-sept ans… vingt-huit, peut-être?

– Trop gentil, John. Non, je vais avoir trente et un ans en décembre.

– Ah oui? Quelle coïncidence! Moi, je vais avoir le même âge, mais en octobre, le 20, plus précisément. Ce qui veut dire que nous sommes nés la même année à quelques semaines d'intervalle.

– Et que nous avons eu la même jeunesse, les mêmes idoles.

– Tu sais, ici, ce n'est pas Montréal. Les idoles…

– Du moins, nous aurons eu tous deux un carré de sable!

Il éclata de rire et elle le trouva encore plus beau. Elle lui sourit à son tour et il la trouva dix fois plus ravissante.

– Une seule question indiscrète, Julie. Tu es libre?

– Oui, je le suis. Tout comme toi, John.

– Comment le sais-tu?

– Ton père m'a parlé de toute ta famille. Ta mère, tes frères, toi, tes rhumes d'enfant… D'ailleurs, crois-tu que j'aurais accepté ton invitation ne sachant pas si tu étais libre ou non? Et crois-tu que je t'aurais permis de m'inviter à souper si j'avais eu quelqu'un dans ma vie? Je suis une fille honnête, John. Pas de double jeu…

Il sourit et, dans un geste spontané, sans même hésiter, il lui prit la main qu'il serra dans la sienne. Rougissant quelque peu, sentant qu'on les regardait, elle la retira tout doucement sans qu'il s'en rende compte.

– Il serait peut-être temps de reprendre la route. Il faut quand même compter trente à quarante minutes d'ici au chalet. Et toi, ensuite, te rendre à Summerside…

– Non, ce soir, je vais passer la nuit dans la petite cambuse accrochée au bureau de location de mon père. Il y a un *chesterfield*, des oreillers, une *blanket*, c'est confortable. De toute façon, j'ai tout mon attirail de travail dans sa baraque.

Le retour fut agréable, ils parlèrent de tout, de rien, et apprenant qu'elle avait vécu et joué à Providence dans un théâtre local, il lui demanda si elle avait aimé le métier d'actrice, et elle lui répondit qu'elle n'en avait jamais eu la profonde vocation; qu'elle aurait préféré l'enseignement, comme Roger, le plus vieux de la famille. Tout pour ne pas lui avouer que ses goûts d'antan n'étaient guère semblables aux siens. Tout pour ne pas le faire sourciller, le garder près d'elle, ne pas s'en séparer. Il la déposa à quelques pieds du petit chalet loué et, juste avant qu'elle n'ouvre la portière, il l'attira à lui, la regarda dans les yeux et, voyant qu'elle soutenait son regard amoureux, il l'embrassa en l'étreignant légèrement contre lui. Puis, lui caressant la joue, le cou, murmura:

– *I love you.*

Le lendemain, sa mère qui ne l'avait pas entendu rentrer, s'empressa de lui dire au petit déjeuner:

– Vous êtes donc bien allés loin! Je t'ai attendue, mais j'ai fini par me coucher. Et avec ce fichu somnifère, je ne me suis pas réveillée lorsque tu es rentrée.

– C'est ce qu'il fallait faire, maman. Ne pas m'attendre. Nous sommes allés souper à Charlottetown dans un charmant restaurant rustique. Mais, avant, John m'a fait visiter toute la région. J'ai vu des sites merveilleux, des musées, le parc… Il faut dire que j'avais un très bon guide.

– C'est ça! Vois tout avec lui! Non, je m'excuse, je ne recommencerai pas, je me suis égarée. C'est sûr que j'aurais aimé te faire découvrir ce coin, m'extasier avec toi, mais j'imagine que c'est plus charmant avec lui.

– John Miller est un être merveilleux, maman! Un homme comme on en rencontre rarement. Il est rempli d'attentions, il est *sweet*, il est beau…

– Tiens! *Sweet!* Tu parles comme lui, maintenant? Moitié, moitié?

– Pas d'importance! Et là, il veut me présenter à sa mère.

– Dis donc, es-tu déjà amoureuse de lui, toi? Julie… attention…

– Oui, je suis amoureuse. Folle de lui, maman! Et c'est réciproque, il me l'a avoué!

– Mais, te rends-tu compte de ce que tu dis? C'est l'Île-du-Prince-Édouard, ici! Vous habitez à plus de mille kilomètres l'un de l'autre!

– La distance n'a pas d'importance, et puis, nous n'en sommes pas encore là. Nous venons à peine de nous connaître.

– Raison de plus, je vous trouve vite en affaires, moi! Les jeunes d'aujourd'hui… Dans mon temps… Puis, laisse faire!

– Savais-tu qu'il avait trente ans tout comme moi, maman? Nous n'avons même pas deux mois de différence, il est né le 20 octobre.

– Je ne lui en donnerais pas moins mais, dis-moi, ne devions-nous pas rencontrer sa mère ensemble, toi et moi? Selon monsieur Miller…

– Oui, elle va nous inviter pour le *afternoon tea* ou un *drink* avant notre départ, mais John aimerait que je la rencontre avant. Puis, après, il va me faire visiter sa maison. Ensuite, ses commerces!

– À croire qu'il veut t'en mettre plein la vue, celui-là!

– Il sait que nous repartirons bientôt, maman. Que veux-tu, comme tu disais, ce n'est pas à côté de chez nous, l'Île-du-Prince-Édouard.

Tel qu'il avait été convenu avec elle, John passa la prendre un après-midi afin de la présenter à sa mère. Avec une camionnette cette fois et sans s'être changé. Il revenait d'un chantier. Elle, pour impressionner madame Miller, s'était brossé les cheveux vers l'arrière pour en faire un charmant chignon et avait enfilé une robe blanche de coton, sans manches, avec un ceinturon brun et un collier de chaînettes cuivrées qui lui remontait jusqu'au cou. Sans boucles d'oreilles. Julie en portait rarement, pour ne pas dire jamais. Juste le collier et sa montre en forme de poire au poignet.

Madame Miller, petite, grassette, avait les joues rouges, les yeux gris et les cheveux poivre et sel... frisés durs! Elle enleva son tablier pour accueillir la visiteuse et la pria de passer à la cuisine où elle lui servit une tasse de thé avec des carrés aux dattes de sa confection. Lui faisant faire le tour de sa grande maison, elle lui montra, en évidence sur le piano, la photo de Frank, son deuxième fils. Physionomie plutôt agréable, les cheveux blonds et les yeux gris de sa mère, les joues creuses et les dents avancées, il était à des lieues de la beauté de John. Madame Miller parlait sans cesse et questionnait. En anglais, bien entendu. Affable certes, mais elle avait sourcillé lorsque Julie lui avait dit qu'elle avait déjà fait du théâtre aux États-Unis. Elle voulut vite savoir si elle était catholique comme eux, si elle était pratiquante, et John allait venir à sa rescousse lorsque Matthew, le plus jeune, qu'on appelait Matt, fit irruption dans la maison. En *jeans* lui aussi, mal peigné et gêné de voir une si belle femme dans la cuisine, il allait reculer lorsque John lui présenta Julie. Après un «*Hi!*» de circonstance, il regarda son frère, se demandant si la nouvelle venue était une petite amie ou quoi. John lui apprit que Julie était en vacances avec sa mère et Matt, bien élevé, lui demanda si elle passait de bons moments à French River. Il était gentil et très joli garçon, celui-là. Beaucoup plus beau que celui de la photo. Il avait les cheveux bruns de John, ses yeux et son sourire, sauf qu'il était moins grand et plus délicat. Mais, à dix-sept ans, songea-t-elle, on n'a pas encore sa charpente d'homme.

Après quelques minutes, Matt s'excusa, il devait repartir, deux ou trois amis l'attendaient à la salle de billard. Madame Miller se montra ravie d'avoir rencontré Julie et, prétextant le souper à préparer pour son homme, elle laissa son invitée aux bons soins de John qui l'emmena visiter sa maison non loin de là. Une très belle maison ancestrale qu'il avait rénovée de ses mains. Une magnifique résidence avec de beaux meubles, un foyer, un énorme téléviseur, une salle de bain à chaque étage et de multiples chambres à coucher. Une très grande maison pour un homme seul. La voyant regarder un peu partout, il lui dit:

– Ça manque juste un peu de couleurs… Le savoir-faire d'une main féminine.

Julie sauta sur l'occasion avant qu'elle ne s'envole.

– Mais, il y en avait une… Ton père m'a dit…

– Oui, mais je préfère ne pas en parler, Julie. C'est intime…

– Excuse-moi, je ne voulais pas devenir indiscrète, mais si nous en sommes à la deuxième phase de ce qui s'appelle un lien, il faudrait bien que nous sachions, l'un et l'autre, ce que nous avons fait avant de nous connaître, tu ne crois pas?

Esquissant un large sourire, heureux de la réplique, il lui demanda:

– Est-ce que ça veut dire que toi et moi, Julie?

– Si tu le désires aussi, oui. Je veux bien que ça devienne sérieux, moi.

Il la souleva dans ses bras, la fit virevolter et, la redéposant sur ses deux pieds, il l'embrassa tout en lui murmurant encore une fois:

– *I love you, Julie. Gee… I love you!*

– Moi aussi, John, lui répondit-elle en français. Je t'aime énormément.

Ils prirent place sur un divan, il lui offrit un *gin and tonic* qu'elle accepta et c'est lui qui rompit la glace en racontant la triste histoire de son premier amour.

Shirley, une fille d'Edmundston au Nouveau-Brunswick, était venue travailler par ici. Ils s'étaient aimés, du moins le croyait-il, mais elle avait fini par se lasser de Summerside, de la maison et même de lui, parce qu'elle s'ennuyait de sa famille. Il ne l'avait pas retenue parce qu'il n'avait jamais eu envie de l'épouser. Ils étaient si différents l'un de l'autre. Elle était partie l'an dernier après cinq ans de vie commune et il s'en était vite remis. Elle aussi, sans doute, puisqu'elle n'avait pas donné signe de vie depuis. Avant elle? Des *girlfriends* en passant, des filles du *High School*, rien de sérieux. À son tour, Julie lui parla de sa longue liaison avec Warren, de leur différence d'âge, de leur passion pour la scène, et de leur vie à deux sans amour, vide de sentiments. Mais elle lui mentit en lui disant l'avoir quitté. Trop fière pour avouer que c'était lui qui s'en était lassé, et que c'était un homme qui avait pris sa place dans le cœur et le lit du scénariste. Par retenue, elle ne lui parla pas non plus des autres qu'elle avait eus avant, de ceux qu'elle avait délaissés sans peine et sans chagrin. De celui qui avait pleuré à en fendre l'âme quand elle l'avait plaqué brusquement. Non, la «petite chouette» à son père se contenta d'évoquer, tout comme lui, des amours d'adolescentes, des flirts de passage, rien de troublant, seulement un besoin d'indépendance. «Je ne le suis pas de nature, mais quand on a quinze ou vingt ans», s'empressa-t-elle d'ajouter.

Leur vie antérieure maintenant sur la table, Julie et John étaient donc libres de s'aimer, défaits de toute attache, leur passé enterré et l'avenir à leurs pieds. Et Julie ne pouvait s'empêcher d'avoir envie d'une maison comme celle-ci. Une vaste résidence, la plus belle du quartier. Il ne lui manquerait que la garde-robe pour en devenir la digne châtelaine. Avec un homme comme John, peut-être n'aurait-elle pas à travailler pour gagner sa vie? Il semblait pécuniairement à l'aise, le plus beau gars de l'île. Alors… que penser? Car, depuis quelques heures, rêveuse et arriviste, quoique très amoureuse, elle voyait en John Miller l'ange que le Ciel venait de lui donner.

Les vacances s'achevaient et Jeanne, déçue d'avoir encore regardé les levers de soleil seule, se demandait pourquoi elle s'entêtait à revenir à French River. Avec Julie, ça avait été aussi ennuyant qu'avec Martial. Julie, toujours partie avec John, elle dans sa véranda ou sur la petite colline avec un livre entre les mains, un verre de vin à ses côtés. Les gens la saluaient, pas plus. Monsieur Miller lui piquait parfois un brin de jasette, mais pour ce qu'il avait à dire... Et Jeanne n'avait finalement pas rencontré madame Miller: Julie l'en avait dissuadée en lui disant qu'elle ne l'aimerait pas, que la mère de John était d'une grande simplicité, sans élégance, sans connaissances et... une vraie grenouille de bénitier! Jeanne prétexta donc un malaise pour éviter la rencontre, ce que comprit John, alléguant que ce n'était que partie remise.

Déjà irritée par la tournure que prenaient leurs vacances, elle le fut davantage lorsqu'elle apprit que Julie avait visité la Maison aux pignons verts... avec John! Ce fut le coup de grâce! Elle qui voulait savourer la stupeur de sa fille devant le décor du roman de Lucy Maud Montgomery qu'elle avait suivi au petit écran. *La maison d'Anne...* Un instant de bonheur que John lui avait dérobé. Et ce qui la désarma outre mesure, c'est que l'avant-veille de leur départ, Julie lui laissa sur les bras tous les bagages à faire, afin de passer le plus de temps possible avec John. Ils allaient se quitter le lendemain soir, elle en avait les larmes aux yeux et madame Durelle, touchée, compréhensive, la laissa partir avec son chevalier servant.

Le jeudi 30 août, beau, ensoleillé, dernière journée, ultime étape, John vint chercher Julie pour le brunch dans un petit resto en bordure de la mer et, de là, l'invita chez lui pour un verre en plein après-midi. Comme le soleil pénétrait de tous côtés, il tira les rideaux, lui servit un *gin and tonic* et se déboucha une bière. Puis, il fit tourner en sourdine une compilation de Corey Hart et se pencha pour l'embrasser lorsque le chanteur entama *Everything in my heart*. Troublée, émue, Julie ne l'imaginait pas aussi sentimental. Une qualité qui s'ajoutait aux autres tel un pétale de plus à une rose. Il la pria de se lever, l'enlaça et dansa avec elle un *slow* inoubliable. Fébrile, amoureux jusqu'à la moelle, John la guida tout doucement vers la porte de sa chambre... qu'elle poussa de la main gauche.

Le disque tournait encore et encore en mode répétition, Corey Hart chantait maintenant *I am by your side* et, Julie, les cheveux défaits, la robe laissée par terre, s'était glissée dans le grand lit de fer de l'homme de sa vie. Et elle se donna à lui comme jamais elle n'avait pu le faire avec «l'autre». John lui fit l'amour avec grâce, puis avec fougue et passion, comme jamais il ne l'avait fait avec «l'autre». Ils s'embrassèrent, s'échangèrent des mots d'amour à l'infini et se dégagèrent tout doucement l'un de l'autre. Elle se recoiffa, se rhabilla et termina son verre tout en le regardant renfiler son *blue jeans* et remettre sa chemise. Passant de la chambre à la salle à manger, il prépara un petit souper vite fait.

– Je ne peux pas croire que tu partes demain... Je t'aime, Julie.

Elle avança l'index jusqu'à sa bouche et essuya de son auriculaire une larme qui venait de tomber de sa paupière humide.

– Ne dis rien, ce fut merveilleux, je t'aime moi aussi. Et qui sait ce que l'avenir nous réserve...

– Tu vas revenir, Julie? Tu veux bien revenir t'établir avec moi?

– Je n'en sais rien, John, peut-être, qui sait... Mais laisse-moi repartir avec un merveilleux bonheur dans le cœur. Ne me rends pas déchirant mon départ. D'ailleurs, je ne veux pas que tu sois là, demain, quand nous repartirons maman et moi. Ce serait trop pénible. Si tu savais comme je t'aime, John.

Et elle était sincère. Elle ne pensait plus à la belle maison, elle venait de vivre enfin, avec son corps de femme, d'inoubliables moments dans les bras d'un homme. La relation avait été si douce, puis si intense, qu'elle aurait souhaité que ça ne ne s'arrête jamais. L'aimer vraiment, partager son lit, sa chair, voilà ce dont voulait être sûre Julie. Le quitter pour mieux lui revenir. Elle voulait également être certaine qu'il l'avait aimée comme un réel amant. Elle qui, depuis longtemps, ne croyait plus qu'elle pouvait encore séduire un homme de son corps presque froid, quasi inerte. Un homme comme John. Un homme qui avait insufflé tant de chaleur dans ses veines, qu'elle l'avait aimé avec fièvre. Avec le cœur… enflammé!

Le lendemain, Julie grimpa avec sa mère au haut de la colline admirer leur dernier lever de soleil. À neuf heures pile, les bagages dans le coffre, le cœur au bord des lèvres, elle prenait le volant après avoir remercié monsieur Miller tout en le priant de saluer sa femme et ses enfants. Puis, sans se retourner, triste et muette, elle emprunta la longue route qui les mèneraient jusqu'à Charlottetown et, de là, au pont. Sa mère, la sentant chagrinée, chercha à la réconforter.

– C'était un amour de vacances…

Se retournant, les yeux mouillés, Julie lui répondit:

– Maman, cesse de me parler comme si j'avais encore quinze ans. Je l'aime, je l'aime de toute mon âme, et lui aussi. On ne s'est rien promis, mais je sens qu'il me manque déjà.

– Allons, une fois de retour… La ville, les grands magasins, le confort, les spectacles…

– Tout ça n'est rien sans amour! Rien, moins que rien!

Jeanne préféra ne pas insister. Elle sentait que sa fille était vraiment bouleversée. Elle savait aussi que Julie, apatride, pouvait quitter facilement Montréal pour s'installer à Summerside avec John. Ne l'avait-elle pas fait pour l'autre? Pour sa carrière, bien sûr! Mais à présent, si c'était par amour… Sous le choc d'une insécurité soudaine, se voyant seule encore une fois, Jeanne regrettait d'avoir emmené sa fille en vacances. Elle qui avait planifié ce beau voyage dans le but de la gagner davantage, voilà qu'elle était en train de la perdre. Ne sachant trop comment la distraire de ses folles pensées, elle lui murmura, pendant qu'à la radio, en sourdine, Shania Twain chantait:

– Écoute, Julie, je ne veux pas te décourager, mais ton John, aussi gentil soit-il, n'est pas sur la même longueur d'ondes que toi. Ils n'ont pas été élevés de la même façon que nous dans ce coin-là. Les Maritimes, c'est moins *up to date*… Ton père disait…

Elle s'arrêta net. Elle ne voulait surtout pas inclure Martial dans son plaidoyer. Du moins, pas devant sa fille. Mais elle fit mine de rien et poursuivit:

– Ce que je veux dire, c'est que John est limité. Lui, le théâtre, la mode… Vous n'avez aucun goût en commun, voyons!

– Qu'importe, je l'aime, maman.

– Tu l'aimes, tu l'aimes… Tu en as aimé d'autres, tu sais! Tu les as tous aimés avant de t'en défaire! Dieu, que tu es naïve parfois! Ce n'est pas parce qu'un homme est beau, qu'il nous complimente, qu'il nous sort, qu'on doit tomber sur le dos. Tu en as vu d'autres, Julie! Et puis, parlons franchement: ne viens pas me dire que tu quitterais tout pour venir t'établir avec lui dans ce coin perdu. Tu ne le connais que depuis trois semaines! Sais-tu ce qu'est l'hiver, à Summerside? Un endroit

pour les ours polaires! De toute façon, ce n'est qu'un béguin...
Pardonne-moi cette impudeur, mais il y a autre chose qu'un
baiser sur la joue dans une relation. Tu ne sais même pas si,
sur ce point... Parce que, te connaissant, je suis certaine que
tu n'es pas allée très loin avec lui. Il n'est pas dans tes habitudes de te laisser...

    – Qu'en sais-tu, maman?

Chapitre 8

L'été semblait vouloir céder sa place à l'automne en ce 20 septembre 2001. Mais, la plupart des gens étaient encore sous le choc des événements du 11 septembre, alors que des terroristes avaient foncé avec des avions dans les tours du *World Trade Center* de New York, tuant des milliers de personnes. Sans parler des dégâts à Washington et de ces hommes, femmes et enfants qui avaient pris place dans ces avions sans se douter qu'ils allaient en droite ligne vers une mort imminente. Cette attaque sournoise avait rendu les gens hystériques aux États-Unis et passablement inquiets au Canada, en Angleterre et dans tous les pays d'Europe.

C'était la consternation totale et les scènes de destruction que les stations de télévision diffusaient à répétition n'avaient rien de rassurant. Le monde entier suivait attentivement ce qui se passait sur cette terre de plus en plus perturbée. On appelait à la vengeance, on pointait du doigt les pays supposément responsables et on s'efforçait, à travers ce chaos, d'étouffer les cris et les larmes des familles des victimes de cette catastrophe. On voulait que la vie reprenne son cours, mais comme tous étaient encore sous le choc, il était difficile de remettre normalement la main à la roue.

Comme les autres, Julie avait été secouée. Elle qui, durant cinq ans, avait vécu aux États-Unis. Elle qui aurait pu être à New York le 11 septembre si Warren ne l'avait pas délaissée. Anxieuse, elle sentait le besoin de lui téléphoner, de tenter de le joindre pour s'assurer qu'il était sain et sauf quelque part, mais elle laissa retomber le récepteur après l'avoir quelque peu soulevé. Non, elle n'allait pas s'enquérir du bien-être de celui qui l'avait rejetée sans le moindre remords. Celui qui ne s'était jamais informé d'elle depuis son retour à Montréal.

Elle cessa peu à peu de s'inquiéter et, dans ses pensées, troqua le visage de Warren contre celui de John. Ce dernier, depuis le départ de Julie de l'Île-du-Prince-Édouard, rêvait d'elle constamment. Il l'appelait fréquemment et lui avait avoué qu'elle lui manquait terriblement. Il lui avait même dit qu'il était prêt à tout abandonner pour venir s'établir avec elle à Montréal, si elle hésitait à revenir à Summerside pour partager sa vie avec lui.

Non pas que Julie oscillait par caprice, elle aimait John de tout son cœur mais, méfiante, échaudée, elle voulait, cette fois, être certaine de sa décision. Pour rien au monde, elle ne voulait revivre avec lui ce qu'elle avait connu avec «l'autre». Un exil volontaire, une longue liaison, puis une fin abrupte et un retour parmi les siens! Aussi amoureuse était-elle, elle avait peur... Peur de lui ou... d'elle? Pourtant elle savait que John était différent de Warren, qu'il l'aimait profondément et qu'il désirait de tout son être s'engager avec elle. Pour longtemps. Alors, pourquoi ce doute? Ne l'aimait-elle pas à en rêver chaque soir? Ainsi était Julie Durelle, parce que, avant John, elle n'avait jamais aimé un homme aussi intensément. Parce que, avant lui, elle n'avait jamais vraiment aimé... Et ce coup de foudre l'inquiétait. Comme s'il était impossible qu'elle puisse, un jour, être remuée par un homme au point de s'oublier.

Elle qui n'avait jusqu'à ce jour aimé... qu'elle. Mais, faisant fi du doute, elle décida de tenter sa chance et de le rejoindre. Même si elle savait qu'elle allait chagriner sa mère en lui annonçant qu'elle allait la quitter, la laisser seule dans son appartement. Ces derniers temps, avec ce qui était survenu à New York, elle ressentait de plus en plus un besoin de sécurité. Elle se voyait très bien à Summerside, dans les bras de John, loin du tumulte des villes américaines, à l'abri de tout. Comme si l'Île-du-Prince-Édouard n'était pas sur le globe terrestre. Comme si elle allait y trouver un refuge loin de tous les malheurs possibles. Comme si, avec John, dans la tourmente de l'hiver glacial, on allait oublier qu'ils existaient tous les deux.

Ainsi, au début d'octobre, Julie téléphona à l'homme de sa vie à Summerside pour lui annoncer le plus naturellement du monde:

– John? C'est moi! J'arrive! Je fais mes bagages et je te rejoins!

Fou de joie, il n'osait le croire.

– Tu m'aimes assez pour ça, Julie? Tu vas tout quitter pour moi?

– Pour nous, John! Oui, je t'aime! *Yes, I love you...*

– Alors, quand? Comment vas-tu venir ici? Tu veux que j'aille te chercher?

– Non, surtout pas, ce serait encore plus long avant qu'on se retrouve. Je vais prendre l'avion avec juste avec quelques vêtements. Je ferai suivre le reste. De toute façon, il y aura peu de choses: des bibelots, des souvenirs de jeunesse, mes premières poupées... Mais pas de meubles.

– Tu n'en auras pas besoin. Tu as vu? J'ai tout ici! Et si quelque chose ne te plaît pas, on le changera! Je suis si heureux que j'en ai le souffle coupé. Tu es sûre que nos hivers froids...

– Je n'aurai jamais froid avec toi, John. Ce sera merveilleux!

– Tu arrives quand?

– Écoute, dans peu de temps, mais je n'ai pas encore prévenu maman. Ce ne sera pas facile pour elle, tu sais, elle n'a que moi.

– Oui, je te comprends, et je te laisse tout résoudre à ta façon, Julie. Je ne veux pas me mêler de ce qui ne me regarde pas. Je ne connais pas ta famille, sauf ta mère et si peu encore. Moi, je t'attends, *my love*. Avec impatience. Mais tu vas me rappeler, me prévenir?

– Bien sûr, je n'arriverai pas à l'improviste... Mais une chose avant, un point que je voudrais rendre clair. Ici, je voulais me trouver un emploi, là-bas, je compte en faire autant.

– Mais tu n'auras pas à travailler, Julie, j'ai assez d'argent...

– Non, John, c'est là une condition. La seule, je te le jure. Mais je veux travailler, me rendre utile, bénéficier d'une certaine autonomie. Je ne suis pas une retraitée, tu sais. À mon âge, les filles...

– D'accord, pas de problème, Julie, tu travailleras avec moi. Comme nous avons plusieurs entreprises dans la famille, tu feras ton choix. Diriger le restaurant, peut-être? Seconder mon père dans ses affaires?

– Tiens! Voilà qui ne serait pas bête! Et comme j'aime beaucoup ton père...

– Tu vois? Tout s'arrange! Je t'aime, *Honey,* j'ai envie de toi...

– Comment m'as-tu appelée?

– Heu! j'ai dit *Honey*, est-ce offensant? En anglais, c'est...

– N'ajoute rien, c'est charmant, John. Ça m'a touchée. Ça me rapproche de toi... Je dois te laisser, j'ai ma mère et mon père à avertir, des choses à mettre en ordre, la famille à visiter, car je veux être auprès de toi avant la fin d'octobre. Je voudrais voir les dernières féeries de l'automne avant la neige et les poudreries de Summerside.

— Et moi, je veux revoir ton doux visage, *my love*. Je t'aime, Julie. *No, I adore you!*

Jeanne accueillit la nouvelle avec stupéfaction. Elle savait que Julie et John se parlaient chaque jour ou presque. Elle redoutait même qu'elle s'aventure à s'exiler une fois de plus, mais elle ne pensait jamais qu'elle le ferait deux mois après leur retour de vacances. Juste avant l'hiver rigoureux qu'ils avaient chaque année dans ce coin-là. Elle avait certes remarqué que sa fille ne se cherchait plus d'emploi et qu'elle était souvent songeuse, mais de là à repartir, à «s'embarquer» si tôt avec un autre… Non, ça, Jeanne ne s'en doutait pas. Face à une éventuelle solitude, elle qui dépendait sans cesse de quelqu'un d'autre, elle se sentit complètement désarmée.

— Tu aurais pu attendre après les Fêtes au moins. C'est précipité…

— Non, maman, je ne laisserai pas le temps fuir sans le saisir. John m'attend. Il m'aime, je l'aime, nous avons quelque chose à bâtir ensemble. Et n'oublie pas que c'est toi qui l'a mis sur mon chemin. Tu as été l'étoile de mon destin, maman! Sans le vouloir, sans le savoir…

— Comment aurais-je pu le prévoir? Je ne l'avais jamais vu! Du temps où je m'y rendais avec ton père, il n'est jamais venu dans les parages. Ou, s'il l'a fait, j'ai dû le confondre avec un livreur. Tu sais, à mon âge, on ne reluque plus les jeunes hommes, aussi beaux soient-ils. En outre, il y avait une certaine distance entre monsieur Miller, ton père et moi. Nous causions, bien sûr, mais nous n'avons jamais noué de liens comme ça s'est fait avec toi. Alors, l'étoile de ton destin, en ce qui me concerne...

– Mais tu devrais être contente pour moi, non? Je ne te comprends pas, maman! Après avoir été bernée par Warren, je fais la connaissance d'un homme unique, exemplaire, et tu ne t'en réjouis même pas. Tu devrais pourtant en être heureuse pour ta fille. La lumière au bout du tunnel. Une promesse de bonheur, enfin...

– Ah! toi... Si changeante! Si peu constante! Voilà ce qui m'inquiète, Julie. Il est évident que je préfère te voir souriante que soucieuse, mais tu es si impulsive. Et ensuite, tu déchantes. Tout nouveau, tout beau! Depuis que tu es toute petite, Julie. Tu te lasses de tout, même des hommes! Tu en es au quatrième? Cinquième?

– Ne me gâche pas mon plaisir, maman. Ni mon avenir. C'est vrai que je n'ai pas été toujours constante mais, que veux-tu, je n'ai jamais vraiment été amoureuse. Aurais-tu préféré que je fasse comme toi, que j'en épouse un sans rien éprouver de profond et passer ma vie...

– Tais-toi, Julie! Ne remue pas les cendres! Et ne me juge surtout pas!

– Je ne te juge pas, maman, je te comprends, mais je te demanderais d'en faire autant. Ne t'acharne pas sur moi car, malgré tout ce que tu penses de moi, je n'ai pas fait de faux pas, moi. J'attendais, maman. J'attendais qu'il se présente, que le hasard le mette sur ma route. Et c'est fait. John Miller est l'homme de ma vie.

– Alors, n'en parlons plus, vas-y et sois heureuse, Julie. C'est ton père qui va être peiné de voir sa chouette s'éloigner...

Mais ce fut plus simple avec Martial que Jeanne ne le croyait. Le lendemain, Julie s'était arrêtée à l'appartement de celui-ci et avait passé la soirée en tête-à-tête avec son père à parler de John, de ce qu'elle éprouvait pour lui, de ses sentiments profonds, de son désir d'aller vivre là-bas. Martial l'avait regardée avec tendresse:

— Ton John m'a l'air d'un sacré bon gars, Julie. S'il est comme son père, tu ne peux pas te tromper. Monsieur Miller est un homme vaillant, toujours de bonne humeur. Je n'ai jamais vu sa femme ni ses enfants, je ne savais même pas qu'il en avait trois. Nous causions très peu, lui et moi. Mais c'est un beau coin de pays, l'Île-du-Prince-Édouard, et avec tout ce qui se passe dans le monde aujourd'hui, la violence des grandes villes, je te sentirai plus en sécurité là-bas. Tu as vu, aux États-Unis? Ah! mon Dieu! Ça ne laisse rien présager de bon tout ça.

— Oui, et tu verras, papa, tu vas adorer John. C'est un homme de cœur, pas un scénariste, pas un rêveur... Et puis, non, je ne veux pas comparer, mais comme tu as connu l'autre... Et ce n'est pas si loin Summerside, c'est à moins de trois heures d'avion seulement.

— Va, ma chouette, tu n'as pas à t'expliquer ni à plaider ton bonheur auprès de qui que ce soit. Tu n'as qu'à l'annoncer. C'est sûr que je vais m'ennuyer, que je vais te sentir loin, mais avec le téléphone et l'Internet... Parce que, crois-le ou non, j'ai pris des cours et regarde, j'ai un ordinateur. Je pourrai t'écrire chaque jour et tu me répondras le soir. Ne crains rien, je ne vais pas t'embêter pour autant, mais je te sentirai près de moi. John a un ordinateur, lui aussi?

— Bien sûr, papa, il en a trois. Il a même un portable pour ses déplacements. Mais c'est merveilleux pour toi, ce pas en avant!

– Oui et je navigue! J'ai visité Versailles, le Louvre, la basilique de Rome, la Bavière, le palais Buckingham… Je suis en train de faire le tour du monde, Julie! Moi qui ne suis jamais allé plus loin que Saint-Hyppolite, Providence et French River!

Elle éclata de rire, il la serra dans ses bras et murmura:

– Tu sais, si jamais ça fonctionne à merveille lui et toi, je prendrai l'avion au printemps et j'irai vous visiter. Si tu le permets, bien sûr.

– Voyons, papa! Tu seras toujours un invité de choix pour moi. Et John sera ravi de te connaître. Je me sauve, il fait déjà nuit et c'est loin, l'Île-des-Sœurs. J'ai encore tous les autres à visiter avant de partir. Carole voulait m'inviter à souper, mais j'ai préféré plutôt aller prendre juste un café avec eux…

– Bon, vois-les tous et ensuite, pars, vis pour toi, ma chouette. Mais, dis-moi, ta mère n'a pas trop protesté?

– Un peu, je l'avoue, mais elle a fini par s'incliner, par accepter.

– C'était ce qu'elle avait de mieux à faire, Julie. Et elle devrait être fière de ton choix. Il n'est écrit nulle part que toutes les femmes doivent gâcher leur vie.

Et Julie fit la tournée de sa parenté. Elle se rendit d'abord chez Line et Roger et soupa avec la petite famille. Les jeunes, qui la voyaient peu souvent, étaient timides, distants avec elle et peu intéressés par ses propos. Après avoir bien mangé, Gabriel et Charles se retirèrent pour s'adonner à leurs jeux sur l'ordinateur et Line et Roger, restés seuls avec Julie, l'invitèrent à passer au salon pour prendre le digestif.

– Tu es sûre que tu vas aimer ce coin de pays-là, toi?

– Ce n'est pas le coin que j'aime, Roger, c'est John. Et quand on aime, l'endroit n'a plus d'importance.

– Tu as raison, lui dit Line. Et ta mère, elle prend bien ça?

– Plus ou moins, mais que veux-tu, je ne suis pas revenue ici pour être son bâton de vieillesse. À trente ans, j'ai encore ma vie à vivre, moi. En outre, c'est elle qui a décidé de son sort...

– Oui! Et elle n'avait qu'à rester avec le père! scanda Roger dans une rechute que Line lui reprocha des yeux.

– Je n'irais pas jusqu'à dire qu'ils devaient poursuivre ensemble si ça n'allait plus, mais elle doit prendre ses responsabilités. Elle est encore jeune et en bonne santé, elle est en mesure de s'assumer.

– D'accord avec toi, ma petite sœur. Et s'ils avaient mis un peu d'eau dans leur vin, on n'en serait pas à s'inquiéter pour eux. Nous allons avoir à l'appeler souvent... Et papa, malgré son indépendance, est à surveiller aussi. Ils sont seuls, chacun de leur bord, et ça nous engage...

– Roger! Pour l'amour du ciel! sermonna Line. Ils ont sacrifié leur vie à se dévouer pour toi et les autres! Il faut savoir être reconnaissant! Ce qu'ils attendent en retour est si peu. Un geste d'affection de temps en temps, quelques mots tendres, une invitation, un coup de fil...

Se sentant fautif, quasi ingrat, Roger s'empressa de changer de sujet:

– Alors, tu pars bientôt? Qu'as-tu fait de ta voiture?

– Comme c'est maman qui l'avait payée, elle va la revendre. Je n'en aurai pas besoin là-bas. John en a une en plus d'une camionnette et il en marchande une troisième actuellement. Une plus petite et plus pratique. Sans doute pour moi...

– J'en déduis donc que tu as vraiment trouvé ton homme, cette fois.

– Je le crois. Lui est sûr d'avoir déniché la perle rare! Ce qu'il ne sait pas encore, c'est que je ne suis pas toujours facile à vivre.

– Oui, je sais! Mais comme tu avances en âge, fais des concessions! lui lança Roger, en guise de conclusion.

Le lendemain, c'est chez Carole et Jean-Louis qu'elle se rendit pour prendre le café en soirée. L'embrassant sur les deux joues, sa grande sœur la sermonna:

– Tu aurais pu venir souper, j'avais fait un macaroni. Il ne reste que du dessert, une bonne tarte aux pommes que j'ai cuite. J'en ai même trois autres de congelées. Tu sais, avec la récolte de cette année...

– Vous y allez encore?

– Oui, répondit Jean-Louis, et on a profité d'aubaines, cette fois. Ils avaient trop de pommes! Elles sont plus molles, mais on les a eues à moitié prix. De toute façon, pour des tartes et de la compote...

Julie, regardant sur la table, prit la salière dans ses mains et remarqua:

– Tiens! Ça vient de Las Vegas? Avec le nom d'un hôtel?

Jean-Louis, embarrassé, s'en sortit du mieux qu'il put:

– Heu... nous étions juste aller visiter et, pour accueillir le gens, ils servaient un petit goûter gratuitement. Ce n'est pas là que nous habitions, mais ils cherchaient à nous intéresser pour l'an prochain. Et des salières et poivrières, il y en avait en masse! On a pensé que comme souvenir... Surtout avec les prix qu'ils chargeaient pour le brunch!

– Tu viens de me dire que ça ne vous avait rien coûté!

– À nous, mais pas à tout le monde! Les passants, ceux qui n'étaient pas sur la liste des invités, payaient dix dollars pour ce petit buffet. Du vol! Ça ne valait pas le coût, n'est-ce pas, Carole?

Pour éloigner sa belle-sœur du sujet, il s'empressa de lui montrer les quelques photos prises avec la fin d'un film. Des photos sans importance, mais qui eurent l'heur de faire oublier à Julie la salière et la poivrière qu'il avait mises dans ses poches. Carole lui parla avec éloquence de Las Vegas, du climat sec, de la belle piscine, de leurs agréables marches à pied.

– Sans aller voir un seul spectacle? rétorqua Julie.

– Non, personne qu'on connaissait vraiment, rien d'assez intéressant. Il y avait trois ou quatre musiciens à la porte d'un hôtel qui nous jouait de la musique chaque soir. C'était exquis!

– Sans doute, puisque tu le dis… Tu as d'autre café?

– Heu! non, mais je peux en faire, ce ne sera pas long.

– Non, oublie ça, tu as tout nettoyé déjà. Donne-moi juste un verre d'eau, Carole. Tu as mis un peu trop de cannelle dans tes pommes.

– Tu trouves? Jean-Louis les aime telles quelles…

– Oui, j'imagine… D'ailleurs, il aime tout ce que tu fais.

Suivant des yeux son beau-frère qui était allé lui chercher un verre d'eau, elle s'écria:

– Pas l'eau du robinet! Celle de ta fontaine d'eau de source! Tout de même!

Carole, embarrassée par la bévue, la questionna sur son départ, sur John, sur la nouvelle vie qui l'attendait et, Jean-Louis, intéressé, lui chuchota:

– Il paraît qu'il a pas mal d'argent. C'est vrai, Julie?

– Tiens! Maman vous a parlé de lui? Oui, il est à l'aise, généreux en plus. Il veut tout m'offrir, même une Mercedes! lança-t-elle à son beau-frère pour le faire baver.

Et sur ce pieux mensonge, elle prit congé du couple médusé.

Il ne lui restait que Sylvain à rencontrer. Celui de qui elle avait été le plus près quand elle était jeune. Combien de fois ne s'était-elle pas rangée de son côté quand il était pris à parti par Roger ou que sa mère lui reprochait d'être mou comme son père? Elle le plaignait pour l'échec de son mariage, mais se consolait à l'idée de le voir quitter cette petite peste de Pascale qu'elle avait toujours détestée. Sylvain lui avait donné rendez-vous dans un bistrot de la rue Saint-Denis à l'heure du souper. Il l'invitait et, de plus, il voulait lui présenter Claire, sa petite amie. C'est vêtue telle une star de cinéma que Julie alla les rencontrer, le soir venu, dans ce quartier soi-disant branché.

Le bistrot-café était bondé et, sur son passage, les têtes se tournaient. Julie était vraiment trop élégante pour cet endroit. La plupart des gens avaient une allure décontractée; plusieurs étaient même en *jeans* avec blouson de velours côtelé ou de nylon. Elle reconnut Sylvain qui lui faisait un signe de la main et se dirigea vers sa table où Claire, impressionnée, souriait timidement. Julie mit vite à l'aise la jeune femme de six ou sept ans sa cadette en la tutoyant sur-le-champ et en lui demandant d'en faire autant. Sylvain, en tenue soignée mais simple, semblait heureux de voir que sa petite sœur approuvait du regard sa nouvelle amie. Claire, légèrement maquillée, portait une jupe en denim et un chandail de laine marine. Mais Julie la trouva fort jolie avec ses cheveux roux tombant sur les épaules et ses yeux verts de la couleur de la mer. «En compétition», songea-t-elle en riant, sans pour autant en être contrariée, puisque les yeux des hommes allaient de l'une à l'autre tout au long du souper. Non pas que Julie cherchait à flirter, mais elle ne détestait pas être remarquée. Le côté fier de sa mère, quoi!

— Alors, tu changes de route? Les Maritimes, ce n'est pas les États-Unis.

— Non et c'est ce qui me plaît. Tu vois ce qui se passe à New York? J'ai vécu assez longtemps chez l'oncle Sam, il est temps que je retrouve le Canada. Et comme j'ai quelqu'un qui m'attend…

– Oui, quelqu'un de bien, paraît-il. Je suis content pour toi.

– Je… je, excuse-moi, Claire, ce n'est pas pour mal faire, mais parle-moi de ta petite, Sylvain. Elle va bien? On ne la voit plus… Maman s'en plaint parfois.

– Oui, Maude va bien, elle grandit, je l'ai avec moi de temps à autre… Mais je n'ai pas toujours le loisir d'aller chez maman.

– Elle est adorable! lança Claire. Et elle s'amuse beaucoup avec moi!

– Et comment donc! C'est facile avec sa profession, d'ajouter Sylvain. Claire enseigne dans une maternelle.

– Oui, maman me l'a dit. Quelle patience! Je t'admire, Claire!

– Je n'ai pas de mérite, j'ai toujours aimé les enfants. Les tout-petits surtout.

– Et mon frère? Tu sais, c'est un grand enfant, celui-là!

– Aïe! Ne viens pas me démolir devant ma blonde, toi!

Après l'éclat de rire de la part des trois, Claire répliqua:

– Tant mieux! Parce que moi, les hommes trop sérieux… Dis, Julie, tu étais actrice et tu as tout laissé tomber?

– Oui! Mon orientation n'était sans doute pas aussi précise que la tienne. J'ai aimé ce que j'ai fait, j'ai joué au théâtre durant cinq ans. J'avais fait des trucs ici avant, mais, avec le temps, je me suis rendu compte que j'avais envie d'autre chose, que j'en avais marre de la scène. Je me cherchais, je tentais de trouver ce qui me passionnerait. Et puis j'ai rencontré John.

– Et cette fois, c'est l'amour, le véritable amour, pas vrai?

– Mon frère me pose cette drôle de question parce que j'ai butiné d'un gars à l'autre depuis mes seize ans, mais, que veux-tu, je ne tombais pas amoureuse. Et comme je sors d'une relation qui a duré cinq ans… Mais cette fois, tu n'as pas à en douter, Sylvain. Ç'a été le coup de foudre réciproque. John est un être merveilleux. J'ai hâte que tu le rencontres. Parce que tu viendras nous visiter, non?

– Heu! oui, si le temps me le permet.

– Tu le trouveras! Tu es libre maintenant! Oh! excuse-moi, Claire. Je parlais de l'autre…

– Pas d'offense, j'ai compris ce que tu voulais dire, tu n'as pas à t'excuser. De toute façon, Sylvain et moi n'en sommes pas rendus aussi loin que toi, Julie. Ce n'est qu'une fréquentation…

Sylvain avait sourcillé, mais il n'avait pas relevé la remarque de sa jeune compagne. Il avait pourtant l'impression d'être très engagé, lui! Toutes ces sorties, ces rencontres, ces nuits au lit… «Qu'une fréquentation», avait-elle dit? Il se promettait bien, plus tard, demain…

– Écoutez, je me sauve. Je vous laisse rentrer, vous travaillez demain, tous les deux.

– Non, pas Claire, elle a congé, elle vit et travaille à Joliette, tu sais. Sans ce congé, tu n'aurais pas pu la voir ce soir.

– Alors, je suis ravie du privilège et fort heureuse de t'avoir rencontrée, Claire. Quand Sylvain me parlera de toi, j'aurai désormais un visage en mémoire et vice versa. Et vous pourriez venir tous les deux en vacances; nous avons une très grande maison.

– C'est quelque chose qui pourrait arriver, répondit Sylvain.

Après s'être embrassés, Julie se dirigea vers sa voiture; eux, vers la leur. En cours de route, voyant que Sylvain parlait peu, Claire éteignit la radio:

– Charmante, ta petite sœur. Je l'aime beaucoup. Tu ne parles pas… C'est son départ qui te rend triste?

– Non, Claire, mais le fait que nous n'en soyons qu'à «une fréquentation». Je nous sentais très engagés, même plus que Julie et John.

Lui prenant la main, la serrant dans la sienne, elle le rassura.

– Donc, c'est ce qui t'a rendu muet... Grand fou, va! Je n'allais tout de même pas lui dire que toi et moi, sous les draps... Je t'aime, tu sais.

Il soupira de contentement, reprit le volant des deux mains et lui sourit tendrement.

Assez chaud, ce dimanche 21 octobre 2001. Un beau dix-neuf degrés, mais avec de la pluie. Ses bagages déjà faits depuis la veille, Julie attendait que son père vienne la prendre pour la conduire à l'aéroport de Dorval. Elle avait parlé à John au petit matin et ce dernier jubilait à l'idée de la revoir et de l'étreindre. «Je serai à Charlottetown une heure d'avance. Je veux voir l'avion qui va te mener à moi se poser au sol.» Madame Durelle, par contre, était triste. Heureuse de voir sa fille se diriger vers le bonheur, mais navrée de la perdre. Elle avait vendu l'auto deux jours plus tôt au fils d'une dame de l'immeuble, afin que Julie ait le temps de s'occuper de la transaction. Puis, la mort dans l'âme, elle avait regardé sa fille remplir ses valises. Pourtant, Julie allait s'installer à l'Île-du-Prince-Édouard, pas en terre étrangère, mais Jeanne tremblait déjà à l'idée de se retrouver seule. Ah! non, elle n'allait pas rester si loin des siens dans sa solitude! Elle allait vendre ce condo, déménager, se rapprocher de Carole ou de Roger, malgré le peu d'intérêt que ce dernier lui démontrait. Elle n'était tout de même pas pour se rapprocher de Sylvain, «le portrait de son père», qui cohabitait ou presque avec une fille qu'elle n'avait même pas rencontrée. Julie n'était pas encore partie que Jeanne planifiait déjà: un appartement plus au nord, pas d'achat, une location. Pas trop éloigné des enfants et pas trop loin de Martial au cas où…

Ce dernier s'était présenté en fin de matinée et Julie, manteau sur le dos, embrassa sa mère pendant que son père descendait les deux valises. Martial avait à peine parlé à Jeanne, sinon pour s'enquérir de sa santé. Elle ne lui avait même pas offert un café. Comme s'il avait été un déménageur ou un simple chauffeur. Jeanne laissa tomber quelques larmes que Julie essuya en la rassurant.

— Allons, maman, pas de pleurs, nous allons nous revoir… Tu viendras aussi souvent que tu en auras envie.

Madame Durelle acquiesça de la tête, incapable de répondre, la gorge nouée par la tristesse et l'émotion. Julie la serra contre sa poitrine et sa mère, s'y blottissant, réussit à marmonner:

— Bon voyage et sois heureuse, Julie. Va vite, ton père t'attend.

La jeune femme emprunta l'ascenseur, sortit avec son sac à main sous le bras, un fourre-tout sur l'épaule et, avant de s'engouffrer dans la voiture de son père, jeta un dernier regard sur l'immeuble et les longues avenues. En cours de route, pour camoufler son désarroi, son père lui parla de tout et de rien. La veille il avait regardé, sur une chaîne américaine, un autre excellent film avec Annette Bening dont il avait oublié le titre. Il fit aussi un résumé du dernier bulletin de nouvelles.

— Ça va encore mal dans le monde et ça va s'aggraver, tu vas voir! La violence engendre la violence et appelle la vengeance! C'est rendu que je ferme le téléviseur pour ne plus voir ce qui se passe. Le Canada est une passoire, les terroristes entrent par ici, l'immigration n'est pas assez rigoureuse, le ministre a des œillères!

Puis, retrouvant un ton plus intime, il lui dit en approchant de Dorval:

— Je suis content pour toi, Julie. Tu vas être heureuse là-bas. Et je vais être moins inquiet que si tu vivais encore aux États-Unis. Avec les quatre belles saisons de Summerside, la paix environnante, les vagues de l'océan, le soleil ardent, tu peux en faire un paradis. Surtout avec celui qui t'attend. C'est la première fois que je te vois partir et que je m'en réjouis, ma chouette. Parce que là-bas, je vais te sentir protégée, à l'abri des intempéries. Qu'importe si c'est froid l'hiver, c'est froid partout au Canada, ici aussi!

— Mais toi, tu n'as pas peur de tout ce qui vient, papa?

— Non, ma chouette, à mon âge, on ne craint plus grand-chose. La santé est bonne, Dieu merci, mais je sais que ça ne tient qu'à un fil. L'usure du corps, tu sais… Puis, on a beaucoup plus d'années derrière soi que devant. Alors, nous, on vit en attendant de partir…

— Papa! Ne parle pas comme ça! C'est noir, c'est pessimiste ce que tu dis là!

— Bien non, c'est réaliste, Julie. Je ne suis pas déprimé pour autant. Mais je regarde l'horloge de ma vie, tu sais, et je sens que j'en ai presque fait le tour. Plus rien n'est pareil quand on est retraité. On vit bien, on se gâte, on ne se demande plus si c'est lundi ou mardi, rien d'important ne nous attend. Et je constate que plus j'avance en âge, plus je me dégage. Tu sais, dans la trentaine, on s'approprie de tout et, trente ans plus tard, on s'en départit. Parce qu'on se sent courber sous le poids de tout ce qu'on a acquis et qu'on se rend compte qu'on a besoin de presque rien pour être heureux.

— Pourquoi ne voyages-tu pas? Tu as toujours rêvé de voir la Grèce ou l'Italie!

– Tu vois? C'est vrai, j'en rêvais, mais autrefois. À trente-cinq ans quand je n'en avais pas les moyens. Aujourd'hui, à mon âge, ça ne m'intéresse plus. Si tu savais tout ce que la sagesse t'enseigne… Mes voyages, je les fais avec l'Internet, Julie, sans me déplacer et sans risquer une crise d'angine en chemin. Mais, ne parlons plus de moi, ma chouette, nous sommes à deux pas de l'aéroport. Tu veux que je me gare et que je t'aide avec tes bagages?

– Non, non, papa. Dépose-moi aux départs et reprends la route. Je n'ai que deux valises et un sac de voyage que je garde avec moi. Je vais prendre un chariot et m'enregistrer le plus vite possible. Après, je vais décompresser, prendre un café, lire et attendre l'heure du départ. Ça me fera le plus grand bien d'être seule, papa, j'ai vu tous les membres de la famille ces derniers temps. Non, dépose-moi…

Martial Durelle se stationna non loin de l'enseigne d'Air Canada et aida Julie à empiler ses valises sur le porte-bagages. Puis, l'embrassant en la serrant sur son cœur, il lui dit:

– Bon voyage, Julie, et que le Ciel veille sur toi.

– Oui, papa, le Ciel et John. Merci de m'avoir accompagnée jusqu'ici. Prends soin de toi, je t'aime, tu sais. Et tu viendras me voir…

– Bien sûr, ma chouette, lui répondit son père avec un tremblement dans la voix et tentant de retenir ses larmes.

– Je me sauve, papa, avant que l'émotion me gagne aussi, j'ai peur d'éclater… Et ne m'en veux pas, mais je ne me retournerai pas, j'ai le cœur au bord des lèvres…

Martial Durelle, regarda sa fille entrer avec ses bagages sans se retourner, reprit le volant de sa Jetta et, contournant l'aéroport, étouffa quelques sanglots retenus depuis son départ. Sa petite dernière, sa «chouette», s'en allait une fois de plus au loin. Pour son bonheur, certes, mais sans se douter à quel point son pauvre père souffrait d'ennui loin d'elle. Il ravala sa salive, prit une grande respiration et ouvrit la radio pour s'évader de ses émotions. Mais une belle chanson d'Isabelle Boulay le garda fragile. D'un doigt, il se rendit à CJPX FM, où *Le Cygne,* un extrait du *Carnaval des Animaux* de Camille Saint-Saëns, le détendit peu à peu.

Entre ciel et terre, assise près du hublot, Julie, les yeux mi-clos, s'évadait tout doucement de la réalité. Regardant les nuages que l'avion venait de traverser, elle crut déceler dans l'un d'eux le visage de son bien-aimé. Puis, comme d'un livre d'images, surgirent des reliquats de son passé. Son premier amour, les autres qui avaient suivis, celui qui avait versé des larmes d'amour pour elle, et Warren qui l'avait rejetée. Quel parcours pour une jeune femme d'à peine trente ans. Jamais vraiment amoureuse, jamais vraiment heureuse. Chaque fois, elle n'avait pensé qu'à elle. À son bien-être, à son profit. Par opportunisme. Même avec celui qui l'avait aimée à en pleurer et qu'elle avait fréquenté le temps d'un voyage à Londres qu'il avait payé.

Mais cette fois, c'était une autre histoire. Inexplicable. Complètement à l'opposé de tout ce qu'elle avait vécu. C'était la première fois qu'elle volait en plein ciel avec, dans le cœur, autant de sentiments. Car, il lui fallait vraiment aimer pour s'exiler ainsi dans les Maritimes, juste avant les rafales de l'hiver glacial. Somnolente et pensive, Julie se demandait encore comment John avait pu la chavirer de la sorte lorsque l'agent de bord, la sortant de sa rêverie, lui tendit un verre: «Votre vin, madame.»

Turbulence, vents forts inattendus, le vol n'avait pas été de tout repos. Au point que la dame âgée qui avait le siège de l'allée, avait manifesté en anglais son angoisse: «*God! What a flight! I'm more than anxious to reach the ground, believe me!*» Julie aussi était impatiente d'arriver à l'Île-du-Prince-Édouard. Pas parce qu'elle avait peur – elle avait pris l'avion tant de fois dans sa vie – mais parce qu'elle avait hâte de poser le pied sur le sol de sa nouvelle patrie, de se jeter dans les bras de John et de ressentir toute la chaleur qui se dégageait de son amoureux. Ils arrivèrent à destination sains et saufs et, tel qu'elle l'avait imaginé, elle se jeta dans les bras de John et sentit la chaleur de ses mains lui embraser la taille, le cou, les joues et… le corps! Il était si heureux de la revoir qu'il en avait les yeux embués. En dessous de son imperméable beige, elle pouvait discerner, par l'entrebâillement d'un bouton de chemise défait, sa poitrine velue, réconfortante.

Ils s'embrassèrent longuement devant les passants comme s'ils étaient seuls au monde. Ce qui fit rire nerveusement une fillette d'environ six ans qui les sortit tous deux de leur emportement. Souriant à la petite, ils se sentirent tout de même embarrassés d'avoir été ainsi observés, et se dirigèrent vers les bagages où l'on apercevait déjà les valises beiges de Julie. Il voulut lui offrir un café, elle refusa; elle avait hâte d'être chez lui… chez elle. Ils prirent place dans la voiture et, en dépit des vents violents, empruntèrent le long Sentier de la Confédération. Décoiffée, les cheveux ébouriffés dans le visage, Julie tentait de replacer quelques mèches dans le petit miroir du pare-soleil.

– Laisse, c'est joli comme ça. Et tu devras t'y faire, il vente sans cesse ici.

La regardant, lorgnant son genou, ses mains douces et son profil parfait, il ajouta lorsqu'elle se tourna de son côté:

– Plus belle qu'avant de partir, Julie… *God, I love you!*

Il lui prépara un gentil souper arrosé d'un vin de la région de Bourgogne et, devant le feu de foyer où crépitaient quelques bûches, ils terminèrent avec un Cointreau sur glace, le digestif préféré de Julie. Elle exprima le désir de prendre un bain chaud, de revenir emmitouflée dans sa robe de chambre. John en profita pour se détendre sous la douche et réapparaître revêtu d'un pagne de ratine blanc noué autour des hanches. Elle lui revint, l'aperçut et en sourit d'aise. Elle avait devant les yeux, selon elle, le plus bel homme de l'univers. Lorsqu'elle se penchait, sa robe de chambre de velours rouge qui s'ouvrait, laissait découvrir un sein ferme imprégné de l'huile de bain. Les odeurs fraîches de lavande et de vanille se mêlaient délicieusement à l'eau de toilette de John. Se faisant toute petite, blottie contre lui, elle laissait glisser sa main de son cou jusqu'à sa poitrine. Enivré, le désir au corps, il l'embrassa langoureusement tout en descendant une main brûlante dans l'encolure de sa robe de chambre. Une main caressante, douce, dont la paume se faufilait d'un sein à l'autre. Elle, enflammée, amoureuse, fiévreuse, osa de ses doigts longs une incursion qui le fit frémir et fermer les yeux d'aise. Et c'est ainsi, après l'amour, sur la peau d'ours de la salle de séjour, qu'ils s'endormirent dans les bras l'un de l'autre, alors que les dernières bûches fumaient encore doucement sur leur lit de cendres.

Jeanne, sans voiture, avait repris le petit autocar pour aller faire son marché avec les autres résidentes de son immeuble. Des commères pour la plupart. Des voisines qu'elle fuyait comme la peste tout en les saluant poliment. Elle avait pris un panier et l'emplissait de légumes et de fruits, de beurre, de lait et de fromage et, revenant sur ses pas pour prendre les œufs qu'elle avait oubliés, elle croisa un monsieur qui lui céda courtoisement le passage.

– Vous êtes madame Durelle, n'est-ce pas?

– Heu… oui. Nous nous connaissons?

– Non, pas encore, mais permettez-moi de me présenter, Antoine Rochet. J'habite le même immeuble que vous, mais trois étages plus haut.

– Enchantée de vous connaître, monsieur, mais comment savez-vous qui je suis?

– En m'informant, madame. Je me suis renseigné, mais sans arrière-pensée, croyez-moi. Veuf depuis un an et vivant seul, je me trouve bien inconfortable dans mon appartement. De nature réservée, je fréquente peu de gens.

– Pour ça, je vous comprends, on tente trop de se mêler de nos affaires. Moi aussi…

– Oui, je sais que vous êtes discrète, réservée même, et c'est ce qui me plaît chez une personne. Vous vivez avec votre fille, je crois?

– On vous a bien informé à ce que je vois, répondit-elle en souriant, mais elle est partie, ce n'était que temporaire.

– Ah! bon. Dites, j'ai ma voiture. Vous permettez que je vous raccompagne avec vos victuailles? Moi, je n'ai qu'un tout petit sac…

– Ce serait gentil, mais je ne vous connais pas. Vous m'avez dit… monsieur?

– Rochet, Antoine Rochet. Je vous sens prudente et je vous comprends, mais informez-vous auprès du chauffeur de l'autocar. Il me connaît bien. D'ailleurs, il faudra l'avertir.

– Bien, je ne dis pas non. Moi, toutes ces commères… Oh! pardon! ce n'est pas ce que je voulais dire.

– Mais c'est le terme qui leur convient, répondit-il en riant.

Heureux de lui rendre ce service, l'homme costaud aux cheveux blancs lui indiqua sa voiture après avoir averti le chauffeur de ne pas attendre cette passagère. Ayant ouvert le coffre de l'auto, il s'empara des sacs de madame Durelle et les rangea soigneusement pour ensuite lui ouvrir galamment la portière. Installée sur un siège confortable, luxueux même, elle put lire sur une petite plaque métallique, Cadillac, elle qui ne connaissait rien ou presque aux automobiles. «Une voiture flambant neuve», songea-t-elle, parce qu'elle se souvenait quand même des longues Cadillac convertibles de son jeune temps, et que celle-ci, quoique moins élancée, était munie de tout ce qui se faisait de plus cher. De l'appuie-tête jusqu'au cuir du volant. Mine de rien, elle fit en sorte d'en apprendre un peu plus sur lui.

– Vous êtes retraité, me disiez-vous? Est-ce indiscret de vous demander ce que vous faisiez?

– Pas du tout, j'ai toujours été dans l'immeuble, j'ai acheté et revendu des maisons toute ma vie. J'avais commencé avec la mienne, puis j'ai poursuivi avec d'autres. J'ai même eu des immeubles à condos, mais ma femme m'a tout fait vendre il y a cinq ans. Malheureusement, elle n'a pas vécu assez longtemps pour que nous puissions voyager. Un cancer généralisé…

– Je suis navrée, excusez ma curiosité, je ne voulais pas vous faire parler…

– Je le sais, mais aussi bien vous en dire un peu plus puisque je connais des choses de vous, et vous, rien de moi. J'ai aussi un fils. Un fils unique, Stéphane, qui vit à Vancouver avec sa femme et leurs deux petites filles. Il s'est marié tard, le pauvre. Il a quarante ans et les petites ont à peine sept et cinq ans. Ce n'est plus comme dans notre temps. Il est dans la location d'appartements haut de gamme à travers le Canada. Il gagne très bien sa vie…

– Vous dites connaître beaucoup de choses de moi? N'est-ce pas indiscret de votre part?

– Sans doute, mais permettez-moi de vous en préciser la cause. J'ai su que vous étiez séparée et que vous aviez quatre

enfants, rien de plus. C'est tout ce que je voulais savoir, madame Durelle, parce que, honnêtement, j'étais intéressé par vous.

Stupéfaite quoique flattée, Jeanne lui répondit:

– Vous avez bien mené votre enquête, mais permettez-moi
de ne pas retenir vos dernières paroles, monsieur Rochet, j'en
suis embarrassée.

– Pardonnez-moi, ce n'était pas mon intention. J'ai la mauvaise manie d'être trop direct dans mes boniments.

Elle resta silencieuse et, de retour au condominium, il voulut s'offrir pour lui monter ses quelques sacs mais Jeanne, le
remerciant de son amabilité, s'y objecta. Il la déposa à la
porte principale, elle allait emprunter l'ascenseur lorsqu'il la
rejoignit d'un pas rapide avant de garer sa voiture.

– Pourrais-je vous inviter à prendre un café un de ces
jours? Pas à mon appartement, soyez rassurée, mais pas loin,
dans un petit restaurant.

– Je ne sais pas, je ne tiens pas à m'engager, j'ai ma famille… Laissons le hasard en décider, monsieur Rochet, et
merci encore de votre obligeance.

– Une dernière question si vous le permettez. Une seule et
je vous laisse aller… Auriez-vous la bonté de me dire votre
prénom? Il n'y a qu'un *J* avant Durelle sur le tableau à la réception.

Elle le regarda et répondit dans un sourire:

– Jeanne.

Chapitre 9

L e 14 janvier 2002. Un lundi plus froid que la veille avec douze degrés sous zéro. Jeanne s'était levée, avait déjeuné et, sans se hâter, prenait le temps de regarder le bulletin de nouvelles en dégustant son café. Elle avait un rendez-vous chez son coiffeur à dix heures et un autre chez l'esthéticienne une heure trente plus tard. Elle se remémorait le temps des Fêtes et en souriait encore. Elle était allée réveillonner chez Roger qui avait cru bon d'inviter la parenté. Sylvain était venu avec Claire qu'il avait présentée aux siens et tous en furent ravis, sauf Jeanne qui la trouvait trop jeune pour lui.

Martial, pour ne pas avoir à partager ces réjouissances avec «elle», avait refusé l'invitation, quitte à s'y rendre le jour de Noël même et se contenter des restes de dinde et de tourtière. Quand Roger lui avait demandé: «Mais, que vas-tu faire tout seul? La nuit de Noël!», le père avait répondu: «Ne t'en fais pas pour moi, mon garçon. Je vais regarder la télévision et ensuite, j'irai me coucher. Je serai donc en forme pour le repas du lendemain.» Las de tous ces chants traditionnels et des spectacles des Fêtes qu'on présentait depuis quelques jours, il avait loué un film l'après-midi même. Parmi les nouveautés, il avait choisi *Love Affair*, avec Annette Bening et Warren Beatty, sans savoir que ce dernier était le mari de son actrice préférée. Un film d'amour qui le laissa indifférent mais, une fois de plus, il se laissa séduire par sa très chère Annette... Décidément! Elle troublait son cœur de sexagénaire, celle-là!

Chez Line et Roger, il y avait eu l'échange de cadeaux comme de coutume et Jeanne avait bien ri avec sa bru parce que cette dernière, dont le nom avait été choisi par Jean-Louis, avait reçu une carafe de verre remplie de vin, dont le bouchon était encerclé d'un chou blanc jauni. Une carafe bon marché comme celle que Jeanne voyait depuis des années dans le bas du meuble vitré chez Carole et Jean-Louis. Et le vin, sans doute celui du vignier le moins cher qu'il achetait périodiquement. Claire, pigée par Carole, reçut en cadeau de la sœur de son *chum,* une écharpe de laine rouge, sortie tout droit du magasin où Carole travaillait. Mais le plus drôle, c'est que le prix collé au dos de la boîte, sans que Carole l'ait vu, avait été changé à trois reprises: de 4,95$ à 2,95$ pour finalement être baissé à 1,49$. Sans compter l'escompte dont elle profitait à titre d'employée. Outrée cette fois, Jeanne avait chuchoté à sa fille:

— Tu aurais pu te forcer, c'est une étrangère, tu ne la connais pas, Carole! Un foulard à rabais! Rouge en plus, pour une rousse! T'as même oublié d'enlever le prix! Je te savais économe, ma fille, mais jamais aussi *cheap* que Jean-Louis! C'est honteux... Une Durelle!

Carole, saisie, humiliée, s'était excusée pour aller aux toilettes et se mettre à pleurer. C'était la première fois que sa mère la rappelait ainsi à l'ordre.

Le lendemain, Martial était arrivé pour le souper les bras chargés de cadeaux pour les petits, un Bourgogne aligoté de Noirot pour Roger et une grosse boîte de chocolats Laura Secord pour sa bru. Et Line, qui aimait beaucoup monsieur Durelle, avait pris soin de lui à partir du potage aux légumes jusqu'aux succulents desserts. Elle le plaignait d'être seul, compatissait en silence, sans se rendre compte que son beau-père, dans sa liberté retrouvée, vivait peut-être ses plus belles années.

Le jour de l'An s'était levé sans rien d'autre au menu de la famille, sinon que Jeanne avait invité Carole et Jean-Louis au restaurant. Probablement pour se faire pardonner d'avoir fait pleurer sa fille. Ils étaient venus la prendre avec leur voiture toute propre. Jean-Louis l'avait lavée dans le garage de leur immeuble le matin même, avec deux petites bouteilles de gel de douche d'un hôtel, dilué dans de l'eau chaude prise à même le robinet du sous-sol. Il avait mis sa chemise blanche, sa cravate rouge, son éternel complet gris et Carole, sous son manteau de drap encore neuf malgré les ans, avait enfilé une robe de velours noire qu'elle avait depuis des lunes. Au cou et aux lobes d'oreilles, des perles à rabais du magasin où elle travaillait et, au poignet, sa petite montre *Timex*, cadeau de son mari lors de leurs fréquentations. Mais ce soir, invités par Jeanne dans un chic restaurant du Vieux-Montréal, on ne les reconnaissait plus. Après une entrée assez chère, ils commandèrent le plus gros filet mignon à la carte et Jeanne choisit un vin de grande qualité. Pour le dessert, ils prirent également ce qu'il y avait de plus cher, quitte à en avoir des crampes d'estomac. Puis, en guise de digestif, Jean-Louis y alla d'un cognac double et Carole, d'une crème de menthe verte avec glaçons. Madame Durelle souriait, se souvenant que lorsque c'était eux qui l'invitaient et qui payaient, ils commandaient des pâtes, le vin maison en demi-litre, avec café et dessert inclus, c'est-à-dire le petit pudding au tapioca. Jeanne mangeait alors comme eux pour que l'avare et sa gratteuse de femme ne soient pas victimes d'une syncope. Ayant fait remarquer à sa fille que le velours de sa robe ne s'usait pas, Carole répondit: «C'est parce que je la suspends dans la toilette dès que je l'enlève et que la vapeur du bain que je me fais couler le préserve. Et Jean-Louis, de son côté, brosse son complet, ce qui lui évite de le faire nettoyer et donc, de l'abîmer. De toute façon, nous sommes beaucoup plus confortables dans nos pantoufles, moi en jaquette et lui en pyjama.»

Juste avant les Fêtes, Antoine Rochet était revenu à la charge, s'offrant pour conduire Jeanne faire ses emplettes chaque semaine. Elle refusait toujours poliment, prétextant que, la plupart du temps, elle commandait par téléphone ou que, pour sa grosse commande du mois, un de ses fils se faisait un plaisir de l'accompagner. Non pas qu'elle désirait être distante, elle se sentait un tantinet intéressée, mais elle ne voulait pas qu'il devienne trop entreprenant. Elle le trouvait charmant, certes, mais pas au point de s'engager telle une jouvencelle, parce qu'il semblait vouloir la choyer. Non! Pas Jeanne Valance! Pas celle qui venait enfin de se libérer après avoir été enchaînée toute sa vie... à la monotonie! Même en dépit de son manque d'indépendance! Pas si tôt, pas si vite, pas après avoir attendu quarante ans avant de pouvoir enfin respirer. Et, naturellement méfiante, comme toute femme d'expérience, elle avait peur de bêtement changer le mal de place.

Mais voilà que deux semaines plus tard, après le souper avec sa fille et son gendre, Antoine, insistant, réussit à la convaincre de prendre le café au restaurant, chez lui ou chez elle. Elle hésita pour finalement accepter de le recevoir pour un café d'après-midi avec, sur une petite table, quelques biscuits et amuse-gueule. Chez elle, parce que c'était plus décent que de monter chez lui: elle le connaissait à peine…

Il se montra ravi de la décoration du salon et aurait certes apprécié faire le tour de l'appartement, mais Jeanne le garda bien assis dans son fauteuil. Il lui parla du temps passé, de sa jeunesse, de Stella, sa défunte femme, de son dur travail dans l'achat et la vente de maisons et d'immeubles. Se répétant plus d'une fois dans son éloquence, il lui redisait ce qu'il lui avait dit trente minutes plus tôt. Expressif, il parlait de tout: de lui, de son fils, de ses frères et sœurs. Moins ouverte, Jeanne ne se livrait guère malgré le feu nourri des questions d'Antoine. Elle lui parla de ses enfants, de sa fille partie vivre à l'Île-du-Prince-Édouard, de ses petits-enfants, mais sans souffler mot sur sa jeunesse, son mariage et sa séparation. Et pas la moindre mention de Martial, détournant le sujet lorsqu'il s'y aventurait. Elle trouvait qu'il avait la curiosité très aiguisée pour un homme soi-disant réservé!

Néanmoins, le questionnant discrètement à son tour, remontant le fil des ans, elle apprit qu'il avait soixante-dix ans et cacha fort bien son étonnement. Elle le croyait un peu plus jeune. Il tenta de connaître son âge et elle lui révéla, en mentant légèrement, qu'elle avait dix ans de moins que lui. Constatant qu'elle n'avait plus rien à dire, ayant pris deux heures de son temps, voulant aller aux toilettes, mais se retenant à cause du cérémonial, il s'esquiva enfin et remonta chez lui non sans lui avoir demandé:

– Vous croyez qu'il serait possible de nous revoir?

– Je ne sais pas… j'ai tant à faire… j'ai mes enfants…

– Allons, Jeanne, un après-midi au cinéma, un gueuleton dans un restaurant…

Il l'avait appelée par son prénom! Ce qui l'avait embarrassée et irritée. Elle avait refermé la porte après lui avoir répondu, déçue:

– Non, vraiment, pas pour l'instant, monsieur Rochet. J'ai trop à faire, excusez-moi.

Janvier tirait à sa fin, le soleil était absent, le temps était plus doux, l'humidité présente, et Jeanne, dans son coquet appartement, se questionnait: allait-elle vendre, trouver ailleurs ou tout simplement rester en place? Apprivoisant sa solitude, elle savait maintenant que si elle avait besoin de quoi que ce soit, Antoine n'était pas loin, attendant en vain un signe d'elle depuis l'après-midi des confidences. Elle n'avait pas cru bon donner suite à cet échange, de peur qu'il ne revienne à la charge et redouble d'ardeur. Bien sûr qu'elle aurait apprécié aller voir un film quelque part avec lui, mais elle craignait qu'il considère cette sortie comme un début de fréquentation. Pour rien au monde, elle ne voulait lui donner le moindre bout de ficelle, de peur que ça se retourne contre elle. Parce qu'elle n'éprouvait rien pour lui, sauf un grand respect, et qu'elle ne voulait pas, une seconde fois, se lier… sans aimer. Même si lui, d'un regard, lui avait presque avoué ce qu'il ressentait pour elle.

À l'aise dans sa robe d'intérieur de satin, pantoufles aux pieds, un café chaud près d'elle, la télécommande du téléviseur entre les mains, elle se promenait d'une chaîne à l'autre afin d'y trouver quelque chose, lorsque le téléphone sonna. Surprise, elle décrocha, sûre et certaine de tomber sur quelqu'un qui avait composé un faux numéro. Si tôt le matin…

– Maman? C'est Julie! Comment vas-tu?

– Julie? Toi? De si bonne heure? En quel honneur?

– Je me retenais, je voulais attendre, t'appeler plus tard, mais ça vaut le coup, maman! On se marie, John et moi! Je vais être sa femme!

– Déjà? Quelle heureuse nouvelle! Pourtant, toi, le mariage…

– Mais avec lui, c'est autre chose… Je l'aime, tu ne peux pas savoir!

– Non, mais je m'en rends compte. Et c'est pour quand, l'événement?

– Le 16 février, maman. L'église est réservée, la salle de réception aussi!

– Quoi? En plein cœur de l'hiver? Vous êtes fous ou quoi? Pourquoi ne pas attendre la fin du printemps ou l'été? Février, Julie! Penses-y! Les rafales, le froid glacial…

– Allons, ne viens pas gâcher ma joie, maman. Février ou juillet, ça ne change rien. Et en avion, c'est si peu long…

– Je veux bien le croire, mais l'avion en plein hiver, dans ce coin-là… Tu ne t'attends quand même pas à ce que toute la famille soit là.

– Non, non, viendra qui voudra bien venir. Mais toi, c'est important. Et papa…

– Ah! non! Tu ne crois tout de même pas que je vais me rendre à Summerside avec ton père, Julie! On est séparés, voyons! Ce serait une vraie farce!

– Maman, je t'en supplie, fais-le pour moi. Une fois! Je me marie, c'est important… Et mon plus beau cadeau serait de vous voir tous les deux partager mon bonheur. Toi, dans le premier banc avec ton bouquet de corsage et moi, au bras de papa jusqu'à l'autel. J'ai traversé bien des épreuves, maman, avant de trouver mon rayon de soleil. Ne me refuse pas cette seule et unique faveur. Fais-le avec ton cœur, pour moi.

Attendrie, sachant que sa petite dernière avait attendu très longtemps avant de croiser le regard de celui qui deviendrait son mari, Jeanne soupira avant de répondre:

– Bon… ça va, j'irai, Julie. Avec lui ou séparément, mais là-bas, je te promets que rien n'y paraîtra. À moins que ton père…

– Non, papa est déjà au courant et il accepte de bon gré ce compromis.

– Tu… tu l'as appelé avant moi, Julie? Tu as annoncé la nouvelle à ton père sans même en avoir parlé à ta mère? Tu voulais d'abord savoir si, lui, accepterait qu'on soit ensemble à ton mariage? Tu me déçois…

– Maman! Pour l'amour du Ciel! Je ne l'ai pas appelé dans ce but, je n'ai pas fait de choix de la sorte. J'ai tout simplement parlé à papa hier soir, sachant qu'il se couchait aux petites heures et que toi, tu sommeillais déjà. Cesse, je t'en prie, ces petites boutades constantes, ces enfantillages. Ce n'est plus de ton âge!

– Ne me fais surtout pas la morale, toi! Je ne suis pas d'humeur aux réprimandes!

– Maman! Enfin! Tu es heureuse pour moi, oui ou non? Tu aimes John?

– Bien sûr que je suis heureuse pour toi, Julie, et que j'aime ton futur mari, mais ne me parle plus sur ce ton. Moi, les petites observations… Cela dit, ne t'inquiète pas, je serai là. Mais ça nous donne peu de temps, que vais-je porter? Ta belle-mère va-t-elle être élégante?

– Tu as tout ce qu'il te faut, maman, choisis parmi tes robes, tu en as au moins douze qui sont dignes de l'événement. Tu as des chapeaux, des sacs à main et des gants de toutes les couleurs. Tu es une boutique ambulante, maman! Et pour ma belle-mère, tu n'as rien à craindre. Je t'en ai déjà parlé, elle est très simple, modeste même. Elle m'a dit qu'elle allait porter sa robe bleue qu'elle avait à Noël. Sa robe bleue de l'an dernier. En taffetas avec quelques pierreries à l'encolure. Et elle va se coiffer elle-même. Tu vois ce que je veux dire, non?

– Bon, dans ce cas-là, je porterai quelque chose qui te plaira et que tu n'as sans doute jamais vu. J'ai mon idée... Et les autres, tu les appelles? Préfères-tu que je m'en charge?

– J'aimerais mieux, oui. Je ne veux pas qu'ils se sentent obligés. Dis-leur qu'ils sont les bienvenus, mais comme ils travaillent tous... L'important, c'est que mes parents soient là. On ne se marie qu'une fois...

– Tu l'aimes, Julie? Tu l'aimes vraiment, n'est-ce pas?

– De tout mon cœur, maman! Je sais ce que tu penses, c'est normal de ta part mais, maintenant, on ne se marie plus comme dans votre temps. On ne le fait pas sans amour ou presque. Et puis, de nos jours, on ne s'embarque plus aveuglément à vingt ans.

Julie avait raccroché après l'avoir embrassée et Jeanne était restée songeuse. Se retrouver avec «celui» dont elle n'osait prononcer le prénom dans ses pensées, c'était toute une concession. Elle s'était pourtant juré que jamais plus... C'est à peine si elle l'avait regardé lors des funérailles de sa sœur. Martial ne faisait plus partie de son parcours ni du moindre de ses buts, pas même en image. Et voilà que Julie allait les réunir de gré ou de force pour son mariage. Pour lui, c'était sans doute de bon gré. Que ne ferait-il pas pour ne pas décevoir sa chouette! Mais pour elle, il s'agissait d'un véritable tour de force. Plus qu'un compromis, ça devenait un sacrifice. Altière, entêtée comme elle l'était, se sentir obligée... Elle aurait préféré répondre «non», ne pas s'y rendre, quitte à la décevoir, mais Julie, subtile et adroite, l'avait bien eue en invoquant… son cœur de mère.

Le soir même, Jeanne avait téléphoné à Line pour lui apprendre la nouvelle. Sa bru était ravie, Roger aussi, mais ils ne comptaient pas s'y rendre. Avec les jeunes, ça devenait coûteux, et au cœur de l'hiver en plus… Roger et Line ne pouvaient se permettre un tel déplacement, risquer une tempête et ne pas être de retour à leurs postes respectifs le lundi matin. Surtout dans le domaine de l'éducation. Et puis, financièrement, avec deux jeunes enfants et une maison à payer… Non, c'était vraiment au-dessus de leurs moyens après un fastueux temps des Fêtes. Roger expliqua à sa mère qu'il allait appeler Julie pour s'excuser de son absence et qu'il lui ferait livrer un superbe cadeau.

Carole se montra réjouie et exprima même le souhait de s'y rendre avec sa mère si Jean-Louis ne voulait pas se déplacer, mais voyant sourciller et soupirer son mari, elle se reprit:

– Non, à bien y penser, je ne peux pas y aller. Ça me ferait perdre un samedi au magasin et s'il fallait qu'il y ait une tempête et que je sois prise là-bas, je perdrais un ou deux autres jours de travail. Et puis, comme dit Jean-Louis, le billet d'avion n'est pas donné, c'est pas mal cher pour aller juste dans les Maritimes. Il y a de meilleurs *deals* pour aller en Floride… Non, je vais plutôt lui faire parvenir un cadeau que tu pourras lui apporter. Et puis je vais lui téléphoner…

Jetant un coup d'œil à son mari qui l'observait, elle changea d'idée:

– Non, je vais plutôt lui écrire!

Ce à quoi Jeanne rétorqua sur un ton de découragement:

– J'y avais bien pensé… Il n'est pas loin de toi, lui, hein?

Sylvain était vraiment content pour sa petite sœur. Elle lui avait tellement parlé de John, l'homme de sa vie. Il consulta le calendrier et, calculant, il regarda sa mère chez qui il était venu souper et lui dit:

— Tiens! Je pense que je vais y aller! Avec toi, maman!

— Tu le pourrais? Ton travail…

— Je prendrai le lundi de congé, on sera moins pressés de revenir. Vont-ils en voyage de noces quelque part?

— Bonne question, elle ne m'en a rien dit. Mais elle va sûrement rappeler… Et Claire, tu vas la laisser derrière?

— Bah! pour un week-end, ce ne sera pas la fin du monde! Elle restera à Joliette et nous nous reverrons dès mon retour. Et ça tombe bien, je n'ai pas la garde de Maude cette fin de semaine-là. Remarque que j'aurais aimé que Claire m'accompagne. J'aurais tout payé pour elle, mais c'est comme pour Roger et Line, dans l'enseignement tu ne peux pas t'absenter à ta guise, et comme c'est son premier emploi… On aura l'occasion d'y retourner en vacances tous les deux. Moins pressés et en voiture. En amoureux, quoi!

Jeanne ne releva pas la remarque. Elle n'était pas tout à fait d'accord avec cette relation et trouvait l'institutrice beaucoup trop jeune pour son fils qui avait déjà un bon bout de chemin de fait. Lui versant une autre bière, elle lui avoua:

— Ça me soulage de savoir que tu seras avec moi. Le seul fait de ne pas me retrouver là seule avec ton père… On risque d'être dans le même avion, tu sais.

— Pas grave, maman, il aura son siège, nous les nôtres. Et puis, vous n'allez pas vous éviter de la sorte jusqu'à la fin de vos jours, non? Il y aura d'autres événements, tu sais. Vous n'êtes pas des ennemis, vous n'êtes qu'un couple désuni. D'un commun accord, à part ça! Alors, là-bas, je t'en prie, fais comme si de rien n'était pour la famille de John. Sont-ils au courant de votre rupture?

– Bien sûr, ils l'ont appris quand je suis retournée à French River avec Julie. C'est d'ailleurs à cause de ça qu'elle a trouvé un mari. Sans ces vacances, elle n'aurait jamais connu John.

– Tu vois? Le malheur des uns fait le bonheur des autres! Dans ces cas-là, on n'a qu'à être soi-même, ne pas faire semblant. De plus, nous serons trois de la famille; tu seras sans doute plus à l'aise.

– Et comment donc! Pour ton cadeau de noces, Sylvain, veux-tu que je m'en occupe? Je sais qu'ils ont à peu près tout, mais j'ai vu dans l'ouest de la ville une nappe importée d'Italie ornée d'une broderie on ne peut plus rare, mais passablement chère...

– Achète-la, maman, qu'importe le montant. Je n'aurais pas su quoi leur offrir. Bon, il faut que je parte, j'aimerais bien appeler Claire à Joliette avant qu'elle se couche. Tu n'as besoin de rien d'autre? Tout est sous contrôle?

– Oui, oui, va mon gars, et sois prudent, les routes sont sournoises. Et salue ta petite amie de ma part.

– Ce sera fait et merci encore pour le bœuf bourguignon, maman, il était vraiment succulent.

– C'est la moindre des choses. Si tu venais plus fréquemment, je te cuisinerais d'autres bons plats. De cette façon, tu mangerais moins souvent sur le coin de la table...

Il sourit, l'embrassa, ferma la porte derrière lui et reprit l'ascenseur jusqu'au stationnement chauffé, où Jeanne avait encore droit à son espace.

Après le départ de son fils, soupirant d'aise, elle sentit que tout était fin prêt pour le petit voyage hivernal à l'Île-du-Prince-Édouard. Le seul fait d'avoir Sylvain avec elle la rassurait. Elle se serait sentie embarrassée d'avoir à côtoyer son mari seule durant tout le week-end. Non pas qu'elle lui en voulait, mais depuis leur éloignement volontaire, elle était presque gênée de le croiser et d'avoir à lui parler. Comme s'il était redevenu pour elle un étranger. Elle se torturait même à se demander ce qu'elle allait lui dire. S'informer de sa santé? Le questionner sur ses loisirs? Lui parler des enfants de Roger... Tandis qu'avec Sylvain dans le décor, son angoisse s'était complètement dissipée. Elle n'aurait qu'à lui dire: «Bonjour, ça va, et toi...» ou quelque chose du genre, sans avoir à soutenir son regard, puisque Martial n'hésiterait pas, lui non plus, à porter son attention sur son fils afin d'éviter tout contact avec elle. Et Jeanne, qui se demandait quoi offrir aux tourtereaux, se rappela de jolies torsades en or quatorze carats qu'elle avait vues chez Birks. Une pour homme, une pour femme. Identiques! Et dans un coffret double de velours noir.

À la grande satisfaction de la mère de la mariée, Martial était arrivé un jour avant eux à l'Île-du-Prince-Édouard. Ce qui lui avait permis de se relaxer avec Sylvain dans l'avion, sans s'inquiéter de savoir si son mari allait être voisin ou non de leurs sièges. Monsieur Durelle, avisé du moment de leur départ par Carole, avait cru bon de voyager le jour précédent, dans le seul but de ne pas «l'indisposer» par sa présence à bord du même avion. Julie était allée le chercher à l'aéroport avec John, et Martial, après avoir étreint sa «petite chouette» sur son cœur, serra la main ferme de son futur gendre. Au premier regard, John Miller lui apparut très sympathique, et après avoir soupé avec le couple à la salle à manger de l'hôtel où il logeait, il savait qu'il allait être un bon mari pour sa fille. John la regardait avec tant d'amour et de tendresse...

Lorsque l'avion de Jeanne et Sylvain se posa au sol le lendemain, Julie et John étaient encore là pour les accueillir. Jeanne les embrassa chaleureusement et Sylvain, conquis par ce nouveau coin du pays, avait tout de suite établi un bon contact avec son futur beau-frère. Jeanne avait choisi de s'installer dans une petite auberge, tout près de l'église et à proximité de la demeure des futurs mariés. Sylvain, par contre, était allé rejoindre son père à l'hôtel où une chambre lui était réservée, et les deux hommes, heureux de se retrouver, étaient descendus prendre une bière au bar du hall d'entrée.

– Tu as fait un bon voyage? Ta mère aussi?

– Oui, ça bardassait un peu, maman était nerveuse, elle ne raffole pas de l'avion, mais je l'ai rassurée.

– Tant mieux! Moi, hier, ça planait, les vents étaient moins forts. Tu as vu le futur? Qu'est-ce que tu en penses?

– Un type formidable, papa! Un gars qui va la rendre heureuse, je le sens. Il semble être à ses pieds et tu sais, elle… Pas toujours facile, la petite sœur, elle aime contrôler.

– Oui, mais je crois qu'elle s'est assagie de ce côté, elle a eu sa leçon avec l'autre… Il ne marchait pas à la baguette, lui.

– Bien, j'espère qu'elle a changé, car John est un fichu de bon gars! J'ai aussi rencontré son père, un brave homme, souriant, affable.

– Oui, c'est un chic type et un bon père de famille. Lui, je le connaissais, nous sommes venus si souvent ta mère et moi, mais je ne peux pas dire que nous étions intimes avec lui. Nous gardions nos distances…

– Je te connais, papa! Juste courtois. Toi, les familiarités…

– Oui, Sylvain, parce que la familiarité engendre le mépris! Et c'est en imposant le respect qu'on évite d'en être la proie. Dis, tu soupes avec moi, ce soir, ou avec ta mère?

– Avec toi, papa, Julie a invité maman chez elle. Comme ça, on va pouvoir parler entre hommes pour une fois.

– As-tu des problèmes avec ton ex-femme? Tu as l'air soucieux.

– Non, je n'en ai pas, ça marche assez bien de ce côté-là. Je ne vois pas Maude autant que je le voudrais, Pascale la garde dans ses jupes, mais elle va grandir et je me reprendrai.

– Et avec l'autre, la nouvelle, ça va? J'oublie son nom…

– Claire? Oui, ça va, nous sortons encore ensemble. C'est une belle fréquentation…

– Tu n'as pas l'air convaincu. Quelque chose qui cloche?

– Heu! non, je songe, j'envisage l'avenir, mais j'avoue être devenu craintif, méfiant. Tu sais, chat échaudé…

– Oui, mais Claire semblait différente de l'autre, de Pascale, je veux dire… De la façon dont tu m'en parlais, du moins.

– Oui, tu as raison et je maintiens ce que je t'ai dit d'elle, mais c'est une femme. Très jeune en plus… Enfin, ne parlons plus de cela, papa, ça va bien entre elle et moi, je ne devrais pas m'en faire. Et toi, pas trop seul?

– Moi? Non. J'ai apprivoisé la solitude en deux temps, trois mouvements. Et comme on est aussi seul qu'on veut bien l'être…

– Est-ce à dire que tu aurais rencontré? Que tu…

– Non, non, que vas-tu chercher là! Mais j'ai découvert des passe-temps qui me comblent. J'ai un ordinateur, comme tu le sais, et je navigue. Je fais aussi des petits achats sur l'Internet. Des livres, des films…

– Pas des films érotiques, papa?

Ils s'esclaffèrent et Martial Durelle enchaîna:

– Non, pas à mon âge, la flamme est plutôt vacillante de ce côté-là, mon gars. Sexagénaire, il y a bien des choses qui peu à peu s'éteignent. Non, je commande des films que j'ai ratés et qui ne passent plus à la télévision. Des films comme *Ben Hur* avec Charlton Heston, *Julius Caesar* avec Marlon Brando, et des plus récents, parfois. J'en ai fait venir deux avec Annette Bening. J'aime beaucoup cette actrice-là. J'ai aussi fait venir des plus anciens que j'avais vus avec ta mère lors de nos fréquentations. Des films avec Humphrey Bogart, Irene Dunne, James Cagney, Hedy Lamarr… Ces grandes vedettes d'autrefois. Et des livres sur tous les sujets, des biographies, des récits de guerre, les dessous du cinéma muet… J'avoue que ça nous porte à dépenser, mais si c'est pour se faire plaisir. J'en fais même venir d'Europe…

– Donc, l'Internet prend beaucoup de ton temps.

– Oui, parce que, de plus, je voyage à travers le monde de cette façon. La semaine dernière, j'ai passé une soirée entière à visiter la Belgique. Puis, le lendemain, l'Australie… Bon, assez bavardé, je monte me rafraîchir et je te rejoins à la salle à manger pour sept heures, ça te va, mon gars?

– Comme tu voudras, répondit celui qui, selon sa mère, était le portrait de son père. Celui qu'elle préférait à Roger qui, pourtant, avait son caractère à elle… tout craché!

Enfin le grand jour arriva pour Julie Durelle et John Miller. Elle était ravissante dans sa robe de dentelle blanche, un collier de perles au cou, quelques autres dans le chignon. Une jolie cape de velours avec capuchon complétait la toilette de la mariée, sans oublier le bouquet de roses blanches déferlant sur le ruban de satin. Que du blanc pour cette jolie femme blonde comme les blés. Lui, grand, élégant dans son smoking noir avec bouton de soie au col de sa chemise, regardait celle qui venait de devenir sa femme avec émotion, amour et… passion. Elle, heureuse, pressait de sa main fine l'annulaire dans lequel elle lui avait glissé son jonc en or.

Jeanne avait l'allure d'une grande dame dans son joli tailleur vert émeraude, avec bijoux en or sertis de parcelles de diamants et un chapeau en feutre, de la même teinte que son ensemble, orné de plumes de paon. Madame Miller, dans sa robe bleue de l'an dernier, avec deux pastilles en pierres de lune aux lobes d'oreilles, frisée comme un mouton, coiffée d'un petit chapeau de fourrure gris pour aller avec son manteau quelque peu défraîchi, regardait Jeanne avec une certaine envie et sa bru avec méfiance et un tantinet de mépris. Déjà! Parce qu'elle venait de lui ravir son fils préféré.

On fit la connaissance de Frank, l'autre frère venu de loin, peu dégourdi et mal vêtu, ainsi que de Matthew, le benjamin, beau à croquer dans son complet usé, et de son amie, mignonne et belle à dévorer. Un gentil petit couple qui devait certes se complaire ailleurs, loin de la foule et... des lumières! Les mariés avaient ouvert la danse sur une chanson tendre d'Elton John, et presque tous leur avaient emboîté le pas, Jeanne dans les bras de Sylvain alors que Martial, voyant venir le coup, s'était évaporé on ne savait trop où.

Jeanne avait bien sûr remarqué que son mari s'était acheté un complet neuf pour conduire, la tête haute, sa «chouette» à l'autel. Un complet sobre et noir qui allait certes lui servir par la suite. Racé, droit, élégant, Martial Durelle avait fait autant d'effet que sa femme sur les invités, la plupart étant des parents et des amis des alentours, ainsi que plusieurs employés à leur service avec leurs conjoints respectifs.

Sur les tables rondes disposées autour de la table d'honneur, on pouvait trouver un buffet froid, des vins et des spiritueux, ainsi que des desserts en quantité. Après le champagne, qui permit à Peter Miller d'offrir ses vœux en anglais au jeune couple, on servit à chaque convive le rôti de bœuf au jus avec pommes de terre sautées et légumes, le vin, puis le café ou le thé. Bière en fût et digestifs étaient également offerts. Le festin se termina par un immense gâteau d'une seule pièce que Julie et John tranchèrent tout en souriant au photographe attitré.

Jeanne fit de son mieux pour être aimable avec Martial, surtout à la table d'honneur, et lui fut plus que gentil avec elle, sans toutefois avoir l'audace de l'inviter à danser. Jeanne valsa donc dans les bras de son gendre, alors que Martial faisait vi-revolter sa fille. Mais monsieur et madame, depuis presque deux ans séparés, s'étaient quand même mutuellement informés de leur état de santé. Ils avaient aussi parlé des enfants de Roger et, Sylvain, les sentant embarrassés dans leurs propos futiles, avait réussi à les faire sourire puis rire, en leur racontant, en catimini, la plus récente «pingrerie» de leur gendre Jean-Louis.

Ce dernier avait invité un collègue et sa femme à souper et il avait demandé à Carole de leur préparer de la ratatouille, ce dont ils raffolaient, semblait-il. Devant les assiettes remplies de courgettes, d'aubergines, de poivrons, de tomates et d'oignons, les convives en avaient laissé, trouvant la portion généreuse pour une entrée, préférant se garder de la place pour le plat de résistance. Mais Carole était ensuite arrivée avec... le dessert! Des carrés aux dattes faits maison. Ils en ont tellement ri les pauvres, que sur le chemin qui les ramenait à Sainte-Adèle, ils se sont arrêtés dans un petit restaurant... pour souper! Martial n'en revenait pas, Jeanne haussait les épaules, alors que Sylvain ajoutait:

– Tout se sait, voyez-vous. La femme du collègue de Jean-Louis connaît Line. Elles ont déjà travaillé ensemble et conservé un lien d'amitié. Une fois de plus, c'est Line qui a eu vent du fameux souper qui a fait rire Roger à en être crampé. Et c'est elle qui me l'a raconté lorsque j'ai appelé pour savoir s'ils n'avaient pas changé d'idée pour les noces de Julie.

– Pauvre Carole! Quelle honte pour la famille! On l'a pourtant élevée comme les autres... C'est lui qui l'a rendue ainsi!

– Peut-être, reprit Martial, mais elle en avait la semence. Souviens-toi de tous ces sous qu'elle accumulait dans sa tirelire.

– C'est vrai! Elle me demandait parfois de l'argent pour une blouse et revenait sans avoir rien trouvé. Avec le montant déjà déposé à la banque! Pourtant, il n'y avait personne de pingre de mon côté ni du tien, Martial. De qui a-t-elle pu hériter cela? Et par-dessus le marché, mariée à un avare!

– C'est triste, mais que veux-tu, ils semblent heureux ensemble. Ils ont les mêmes vertus et le même vice!

Soudain, Jeanne se rendit compte qu'elle était en train de bavarder avec son mari comme si rien ne s'était passé, comme s'ils étaient encore ensemble. Perplexe, elle recula sa chaise, demanda à Sylvain où se trouvait la salle des dames et s'esquiva sans s'excuser. Ce geste n'avait pas échappé à Martial qui aurait souhaité renouer avec le passé, ne fut-ce que l'espace d'une journée. Rempli de bonne volonté, il aurait aimé poursuivre la conversation, lui parler de Roger, de l'Internet, de ses vieux films, de ses plantes, de ses derniers compacts de musique classique, et s'informer de ses loisirs. Mais il avait senti que Jeanne ne voulait rien rallumer. Encore moins les cendres de ce passé qu'elle avait réussi à fuir. «Non, aucun rapprochement», se promettait-elle en se poudrant le bout du nez.

Car elle avait eu peur, un court instant, que l'atmosphère, la joie, ravive la flamme. Sa flamme à lui! Et pour tout l'or du monde, malgré les tentatives naïves de la part de Sylvain, elle ne voulait renouer le moindrement avec celui qui l'avait presque fait mourir d'ennui. Et la gaieté éphémère céda sa place... à la distance.

La noce se termina le soir venu et les invités, les uns après les autres, reprirent le chemin de leur destination. Sylvain, qui avait fraternisé avec beaucoup de gens, avait eu du mal à se départir d'une femme mariée, la quarantaine, grassette et ivre, qui lui chuchotait à l'oreille, en dansant avec lui, qu'elle était prête à défaire son joli couvre-lit. Son mari qui l'observait avait sourcillé et, après la danse, on put entendre le couple s'engueuler jusqu'à ce que le mari entraîne sa femme loin des invités.

Sylvain, s'étant généreusement servi dans la bière et les digestifs, avait certes la langue déliée. Il reluqua une jolie célibataire dans la trentaine, mais cette dernière, aussi intéressée fut-elle, n'aurait pas pu le suivre. Elle était la nièce de madame Miller, la fille de sa sœur. Et, à Summerside, une aventure d'un soir avec un homme... Aussi timide pouvait-il être lorsqu'il était sobre, aussi osé et charnel devenait-il sous l'effet de l'alcool. Ce que sa mère savait et ce à quoi elle remédia en s'approchant de lui:

– Avale deux bons cafés, mon gars, prends une douche, et pense à Claire!

L'avion de monsieur Durelle allait partir dans les prochaines heures, à peine le temps d'embrasser sa chouette, de féliciter John, de les inviter et de leur souhaiter tout le bonheur du monde. Il leur avait fait don d'une somme d'argent à dépenser selon leur bon vouloir. Sur une table, tous les cadeaux étaient en vue. Jeanne en fit le tour, s'arrêtant sur des choses pratiques et des babioles sans importance des gens de la place, lorsqu'elle sursauta: dans un coin, une petite assiette murale avec des fleurs de toutes les couleurs et une bordure peinte en or.

Une assiette pas plus grosse qu'une soucoupe. Le présent de Carole et Jean-Louis. Le cadeau qu'elle avait apporté dans ses bagages de leur part. Plus elle la regardait, plus elle la reconnaissait. Bien sûr! C'était une assiette que Carole avait gagnée lors d'un tirage de Noël au magasin. Le prix de consolation! Elle l'avait remise dans sa boîte après l'avoir montrée à sa mère, ce dont elle ne se souvenait sans doute plus. «Là, ça dépasse les bornes», songea Jeanne tout en se promettant d'admonester sa fille.

Une assiette dont le bord était déjà terni. En cadeau de mariage à sa sœur qui épousait un homme riche! Quelle honte pour les Durelle! D'autant plus qu'elle avait vu la belle-mère de Julie la regarder de près. Un cadeau de moins de dix dollars, pas même payé, gagné dans une «rafle» de dindes!

Comme Jeanne et Sylvain ne devaient reprendre l'avion que le lendemain, ils décidèrent de se rendre à la maison des nouveaux mariés avec les parents de John. Madame Miller adressa peu la parole à Jeanne, se contentant de lui parler de ses autres fils et de la petite amie du plus jeune. Sylvain causa longuement avec le père du marié qui s'était fait une joie de reconduire Martial à l'aéroport. Madame Miller, non loin d'eux, avait sourcillé lorsqu'elle l'avait entendu dire à son mari qu'il était divorcé, qu'il avait une petite fille en bas âge et qu'il fréquentait une institutrice depuis quelques mois. Décidément, les ruptures semblaient être monnaie courante dans cette famille, ce qui la faisait redouter «l'intruse», la chère *Honey* de son fils John, sa bru qu'elle aimait plus ou moins. La soirée tirait à sa fin et Julie, entraînant sa mère à l'écart, s'informa:

– Tu t'es amusée, maman? Ça s'est bien passé avec… papa?

– Oui, ça s'est enduré… Non, j'exagère, tout s'est déroulé sans incident. Mais, dis-moi, Julie, pourquoi remettre à plus tard le voyage de noces?

– Parce que nous voulions voir l'Irlande et que février…

– Février est un mois inutile! Même pour se marier, ma fille! C'était beau, c'était romantique, mais imagine ce même bonheur en juin ou juillet, avec des parterres en fleurs. Pourquoi ne pas avoir attendu à l'été? Roger et Line auraient pu venir. Même Carole et Jean-Louis, en voiture…

– Parce que je suis enceinte, maman! s'exclama doucement Julie à son oreille.

Jeanne resta bouche bée et, la regardant, étonnée, lui dit tout bas:

– Enceinte? Ah! c'est donc pour ça… Et ta belle-mère?

– Elle n'en sait rien encore, John s'en chargera. Madame Miller est une grenouille de bénitier, fervente et pieuse, je te l'ai déjà dit, non? Et comme elle ne me porte pas trop dans son cœur…

– Enceinte! Je n'en reviens pas! Remarque que de nos jours… Alors, ma petite dernière va être mère… Quelle joie! Mais je me demande bien ce que va en penser ton père.

– Il le sait déjà, maman, il l'a appris en arrivant.

Jeanne Valance, fière, exclusive, se faisant pour la deuxième fois damer le pion par son mari, avait sévèrement froncé les sourcils.

Depuis son retour de Summerside, Jeanne comptait les jours pour voir le printemps renaître. Confinée dans son bel appartement, elle sortait peu. Sans voiture et n'ayant jamais conduit, elle était à la merci de ses enfants qui se relançaient la balle quand venait le temps d'aller la chercher pour qu'elle puisse aller magasiner. Envahie par la solitude, dépendante mais forcée d'être autonome, elle ne réussissait pas pour autant à se faire des amis dans son immeuble ou ceux des alentours. Fuyant toute réunion, elle saluait les dames qu'elle croisait, sans plus. Le seuil de politesse convenable, pas un sourire de plus.

Mais Antoine Rochet, le veuf de quelques étages plus haut, tentait encore de revenir à la charge malgré la distance que gardait Jeanne envers lui. Lasse de regarder ses quatre murs et la télévision, elle finit par accepter d'aller prendre le thé avec lui, un certain après-midi, dans un restaurant tout près. Enchanté et heureux de l'avoir enfin convaincue, il se mit à lui parler de tout et de rien. Elle, un peu plus disposée cette fois, lui parla du mariage de John et Julie, et de leur jolie maison à Summerside. Puis, de plus en plus en confiance, elle évoqua Line et Roger, leurs enfants qui grandissaient. Elle parla aussi de Carole et Jean-Louis, sans s'attarder sur leur avarice. Elle raconta la séparation de Sylvain, sa petite Maude qu'elle voyait peu et Claire, sa nouvelle amie. Bref, elle se confia comme jamais, comme si soudain, elle en ressentait le besoin. Antoine Rochet, plus sûr de lui, osa alors une question sur elle et son mari. Brusquement, Jeanne changea de ton et son sourire fit place à un rictus.

– Non, monsieur Rochet, je ne parlerai pas de lui, je ne vous parlerai pas de nous. C'est un sujet tabou et je vous saurais gré de respecter ce choix.

Embarrassé, Antoine s'excusa, essaya de bifurquer sur un autre sujet, mais Jeanne, regardant sa montre, lui dit:

– Il faut que je rentre, j'attends un appel.

Elle ne souriait plus et se montrait de moins en moins affable. Pressée de regagner son appartement, elle se dirigea vers la voiture et son prétendant, désolé, se reprochant sa maladresse, songeait qu'il venait encore de la perdre après l'avoir presque gagnée. Toutefois, quelle ne fut pas sa surprise de l'entendre lui dire, alors qu'elle sortait de l'ascenseur:

– À un de ces jours. Faites-moi signe... et merci pour le goûter.

Antoine avait laissé s'écouler quelques jours et il avait, une fois de plus, convaincu Jeanne d'aller faire son marché avec lui, de ne pas s'y opposer, puisque cela ne l'engageait en rien. Dépourvue de vivres, lasse de commander par téléphone et de recevoir de grands formats de denrées alors qu'elle en commandait des petits, elle accepta de bon gré. Ils s'y rendirent ensemble à deux reprises et, la troisième fois, s'approchant d'elle, il lui dit:

– Donnez-moi le plus gros sac, c'est trop lourd...

Sentant son souffle dans son cou, Jeanne répondit vivement:

– Non, Antoine, j'ai encore de bons bras...

Sans se rendre compte qu'elle venait de l'appeler par son prénom, lui qui utilisait le sien depuis leur première rencontre. Prenant conscience de son erreur, elle voulut s'excuser, mais Antoine l'interrompit:

– Non, non, et de grâce, continuez! Nous sommes enfin sur un pied d'égalité.

À la fin du mois de février, le samedi 23 plus précisément, Antoine avait téléphoné pour lui demander:

– Dites, vous aimez le cinéma, Jeanne?

– Heu! oui, ça dépend, je ne raffole pas des comédies.

– Alors, ça tombe bien, j'aimerais vous inviter à voir un film sérieux, ce soir, si vous êtes libre, naturellement. Il s'agit de *A Beautiful Mind* avec Russell Crowe, un film basé sur une histoire vécue et que mon fils m'a recommandé. Il paraît que c'est un succès. Vous comprenez l'anglais? Parce que, sinon, on le passe aussi en version française ailleurs.

Il avait tout débité d'un trait pour l'empêcher de dire «non». Elle, sous l'effet de la surprise, ne se référant à rien d'autre qu'à sa dernière question, répondit:

– Bien sûr que je comprends l'anglais! De toute façon, j'aime les films dans leur version originale. Et j'ai lu une critique de ce film. On vante le jeu de Russell Crowe...

– Alors, vous acceptez? La première séance est à dix-neuf heures, mais il y en a une autre plus tard si vous préférez.

– Non, j'opterais pour la première projection. L'autre finirait beaucoup trop tard.

Dans sa fierté démesurée d'avoir pu lui dire qu'elle était bilingue, Jeanne venait d'accepter, sans s'en apercevoir, une sortie avec Antoine. Au cinéma, de surcroît! En pleine noirceur... Elle le regrettait déjà, elle craignait que ça l'engage, elle avait surtout peur que ça l'encourage. S'il fallait que sa main frôle la sienne? Non pas qu'elle était pudique à l'excès, mais elle ne ressentait rien pour lui. Pas même un léger tressaillement quand il effleurait son épaule de son bras en rangeant les sacs de provisions dans le coffre de la voiture.

Le soir venu, il descendit la prendre, vêtu de son plus bel habit, d'une chemise blanche et d'une cravate bleue à motifs abstraits. Il avait son paletot sur le bras et sa tuque de laine dans l'autre main, juste au cas où le froid sévirait. Elle, foulard au cou, portait sous son manteau un tailleur gris rehaussé d'un chemisier rose. Ils descendirent en bavardant gauchement; il lui ouvrit solennellement la portière de la voiture et quand ils arrivèrent au complexe où l'on présentait le film, il y avait déjà foule au guichet. Ils réussirent néanmoins à se trouver deux places dans la neuvième rangée. Un peu trop près de l'écran selon lui, ce dont Jeanne ne s'incommoda pas.

Intéressée par le sujet et par la prestation de Russell Crowe, Jeanne, dont la main était appuyée sur le bras du siège, sentit celle d'Antoine s'en saisir pour la réchauffer dans la sienne. Interloquée, elle ne la retira pas pour autant, de peur que le geste ne soit remarqué par l'entourage, jusqu'à ce qu'il la presse entre ses doigts pour ensuite tenter de la porter à ses lèvres. Décontenancée, comprenant que l'ami voulait être plus qu'un «ami», Jeanne la dégagea graduellement pour ensuite la dissimuler sous son gros sac à main. Antoine n'insista pas, mais elle avait encore présent, à l'oreille, le soupir qu'il avait poussé alors qu'elle délivrait sa main de la sienne.

La représentation terminée, ils attendirent la fin du générique pour éviter d'être bousculés en cours de route par les jeunes pressés de rentrer. Ils longèrent le centre commercial, aperçurent un petit resto resté ouvert pour la clientèle des cinémas. Il l'invita à prendre le café, elle accepta, mais préféra le thé.

– Vous avez aimé? Ça vous a plu, ce film?

– Beaucoup, répondit-elle. Votre fils avait raison. C'est à voir.

– La prochaine fois, nous choisirons un soir de semaine, il y a trop de monde le samedi. Et puis, un seul reproche, pourquoi le son est-il aussi fort? Moi, je l'aurais baissé de deux crans, ça casse les oreilles!

– Oui, vous avez raison, c'est une nouvelle tendance que je déplore. Pour les plus jeunes, sans doute…

– Damnée jeunesse! On fait tout pour eux! Pourtant, ils ne sont pas sourds à cet âge-là? Pourquoi tant de bruit? Et puis, pense-t-on à nous dans cette nouvelle vague? Imaginez si c'eut été un film de guerre!

– Si vous avez remarqué, Antoine, il y avait peu de gens de notre génération. Les aînés sont de plus en plus devant leur téléviseur. Ils sortent moins… Surtout le samedi soir en plein cœur de l'hiver!

Il la regardait, lui souriait et elle, mal à l'aise, lui demanda:

– Qu'est-ce qu'il y a? Est-ce que j'ai tort dans ce que…

– Non, Jeanne, je vous regarde et je vous souris parce que je vous aime. Voilà, c'est fait, je l'ai dit! Depuis le temps que je retenais cet aveu…

Déconcertée, quelque peu effarée, elle enfila ses gants et lui répondit d'un ton plus ferme:

– Bon, allons-y, il se fait tard et je dois me rendre chez ma fille demain.

– Pourquoi changer de ton, Jeanne? Vous ai-je offensée, ma douce amie?

– Non, mais je préfère ne rien ajouter. Partons, voulez-vous? Je me sens lasse.

Quelques semaines plus tôt, avant le mariage de sa fille, Martial Durelle avait fêté seul son anniversaire de naissance. Bien sûr, les enfants avaient téléphoné, mais il était seul à table le soir venu, ce 8 février, alors qu'il célébrait dans le silence, ses soixante-quatre ans révolus. Sylvain lui avait offert ses souhaits le matin même, lui promettant de se reprendre pour aller fêter, que ce n'était vraiment pas possible présentement. Julie lui avait fait parvenir un foulard de laine et des gants de cuir avec ses vœux venant du cœur. Elle, il la comprenait, elle vivait loin, «sa chouette», et elle préparait son grand jour avec John. Son cadeau était accompagné d'une carte fort belle imprimée de mots tendres, d'affection et de tendresse, et signée de son nom et

de celui de John, avec amour. Roger et Line s'étaient mani-
festés au bout du fil en fin de soirée. Son aîné l'invitait à venir
souper le dimanche avec eux et les enfants. Line et Roger lui
avaient acheté un très beau sac de voyage qu'ils comptaient bien
lui remettre le soir de sa visite, alors que Gabriel et Charles
avaient enveloppé pour leur grand-père des cassettes vierges
pour l'enregistrement de ses films à la télévision. C'était de
bon cœur, Martial en était conscient, mais pour le jour même,
rien. Le néant. Sauf le calendrier de son vivoir qui lui rappelait sans cesse que ce qui appartenait au passé... ne referait
guère surface dans l'avenir. Jean-Louis s'était fait une joie de
lui faire parvenir de son bureau... une carte virtuelle! En ajoutant le nom de Carole, évidemment! «Pas cher... mais bien
pensé!» s'exclama le sexagénaire en souriant.

Mais ce qui l'avait le plus chagriné, c'était de n'avoir rien
reçu de Jeanne. Pas même un mot ni un coup de fil. Comme
s'il avait été mort et enterré! Chagriné, mais à bien y penser,
avait-il souligné son anniversaire à elle l'an dernier? Non!
Donc, puisque tous deux s'ignoraient depuis leur rupture, à
quoi bon les souhaits d'occasion? Des vœux qui n'auraient
pas été sincères de part et d'autre. Des souhaits de politesse,
quoi! Puis, avec les jours, il avait oublié l'incident, d'autant
plus qu'au mariage de leur fille, Jeanne aurait encore pu le
souligner en lui offrant ses vœux. Ce qu'elle n'avait, hélas,
pas fait. Il avait beau être séparé d'elle, certains rituels lui
tenaient encore à cœur. Ce qu'ils fêtaient naguère à deux, ce
qu'ils n'oubliaient pas de célébrer malgré le peu de courant
qui passait entre eux. Moins conventionnelle que lui, cependant, Jeanne avait plus facilement fait le deuil de ce qu'elle
qualifiait de manies. Partie de son côté, loin de lui, elle avait
tout laissé derrière elle, surtout les coutumes.

Martial était-il, malgré tout, plus sensible que Jeanne? Parce qu'il lui arrivait encore d'être mal à l'aise, de se lancer lui-même même la pierre quand il songeait à Jeanne qui vivait seule, isolée, dépendante et sans personne sur qui s'appuyer. Il lui arrivait aussi d'éprouver quelques remords à la savoir sans sécurité, laissée à elle-même dans ce monde de noirceur. Puis, il se ressaisissait. N'était-ce pas elle qui avait abordé la première l'idée de leur séparation? Bien sûr, il n'en aurait pas eu le courage, pensa-t-il. Non pas qu'il était lâche, il s'en défendait bien, mais pour ne pas la peiner, encore moins la blesser.

Martial était donc allé souper chez Roger. Line avait garni son gâteau d'anniversaire de six bougies et d'un gros chiffre quatre qui soulignait l'année qui s'ajoutait. Ce qui avait amusé Gabriel et Charles. Et les garçons, en plus des cassettes vierges, lui avaient offert un disque compact des œuvres de Schubert que Martial avait déjà sur un microsillon qui ne tournait plus, faute d'appareil. Mais il n'en souffla mot et les remercia en leur disant que Schubert allait désormais jouer sa grande musique... sur son ordinateur! Ce qui les impressionna fortement. À savoir s'il voyait souvent sa mère, Roger lui répondit: «de temps en temps», et son père le gronda quelque peu en lui recommandant d'en prendre soin, qu'elle s'ennuyait sans doute, toute seule. Line intervint pour lui dire qu'ils l'invitaient autant que possible, mais qu'ils aimaient aussi songer à lui qui était également seul, sans oublier ses parents à elle... Ils n'avaient que les samedis de libres, parfois les dimanches. Ils travaillaient tous deux, les enfants prenaient beaucoup de leur temps, il y avait aussi le ménage, la lessive, l'épicerie, et Roger, la fin de semaine arrivée, avait parfois besoin d'être seul pour se remettre de ses élèves dissipés. Martial comprit, aux propos de sa bru, qu'il serait certes plus sage qu'il se mêle de ses affaires.

Pourtant, deux jours plus tard, au bout du fil, il tint le même discours à Carole et Jean-Louis qui, sans enfants, n'avaient aucune excuse… Sa fille lui répondit qu'elle l'invitait régulièrement, mais que sa mère préférait rester à la maison, qu'il faisait froid…

– Elle se trouve toujours des prétextes pour ne pas venir, papa!

Ce qui fit sursauter Martial qui répliqua:

– Peut-être, mais si vous la receviez avec un bon souper de temps à autre! Mettez-y le prix et je vous rembourserai s'il le faut! avait-il ajouté pour ensuite le regretter, car Carole et Jean-Louis en avaient été offusqués.

À Sylvain, il avait dit d'un ton autoritaire:

– Lâche ta blonde un peu et occupe-toi de ta mère!

Insulté, aussi mou était-il, ce dernier ne s'était pas laissé faire:

– Écoute, papa, maman a fait un choix? Qu'elle l'assume! Tout comme toi! Et depuis quand t'inquiètes-tu de son sort? Se plaint-elle de quoi que ce soit?

Deux jours plus tard, ils les avaient tous rappelés pour s'excuser. Il ne comprenait pas pourquoi, soudainement, il s'était fait l'avocat de celle qui n'aurait certes pas apprécié le voir plaider pour elle. Pourquoi son cœur s'était-il ainsi rebellé? Par bienveillance ou mû par quelques parcelles d'amour tapies sous les souvenirs? Il en était confus, hagard, ne sachant trouver la réponse à sa question. Lui qui allait la revoir au mariage de leur fille sans pour autant être son époux, pas même son conjoint de fait. Comme un étranger qu'elle allait sans doute ignorer… Ce qui lui avait fait rappeler Sylvain pour se disculper:

– Excuse-moi, je me suis emporté, je ne sais pas pourquoi. Je l'ai imaginée esseulée et comme elle n'est pas indépendante… Mais tu as raison, mon garçon, c'était là notre choix.

Personne n'a à nous soutenir, nous sommes solides sur nos deux jambes, elle et moi.

Julie et John filaient le parfait bonheur, Jeanne avait retrouvé sa quiétude, et mars venait de se lever avec de la neige, du vent et du verglas. Comme pour se venger de février qui avait été trop indulgent en cette froide saison. Ce qui n'empêcha pas Martial de sortir, d'aller faire des courses, et se rendre en passant chez Vidéotron où il louait ses films pour la fin de semaine. Comme il n'y avait rien de nouveau avec Annette Bening, il fureta dans les classiques et s'empara de la cassette *Le Colonel Chabert* avec Gérard Depardieu. Puis, jasant avec le proprio de l'établissement, ce dernier lui offrit de bon cœur deux billets pour un concert symphonique, alléguant qu'il ne connaissait rien à la musique classique et qu'il les avait gagnés lors d'un concours de grilles de mots croisés. «Prenez-les, ma femme n'y tient pas non plus, tandis que vous... Je commence à connaître vos goûts, vous savez.»

Les billets étaient pour la semaine suivante et Martial, intéressé par le concert donné en grande salle, se demandait bien avec qui partager la paire. Si Julie avait été tout près, elle l'aurait certes accompagné, mais là, qui inviter? Une idée lui traversa l'esprit mais, y pensant une seconde fois, il la chassa prestement. Puis, analysant de plus près ce qui avait effleuré ses neurones, il se dit que ce serait poli, courtois, gentil, que ça n'engagerait à rien d'autre qu'à un concert... Il songeait à Jeanne, évidemment. Elle aimait la grande musique. Elle, si seule, dépourvue d'activités. Pourquoi pas? Ne serait-ce que pour la sortir de son assoupissement...

Il lui téléphona le soir même et elle resta bouche bée au bout du fil.

– Tu es là? As-tu raccroché?

– Non, c'est la surprise. Pas une mauvaise nouvelle, au moins?

– Non, Jeanne, un appel amical tout simplement. On m'a offert deux billets pour un concert et j'ai pensé à toi. Ça te plairait d'y assister avec moi? Voilà qui te permettrait de renouer avec la grande musique.

Embarrassée mais déterminée, elle répondit calmement:

– Non, Martial, trouve quelqu'un d'autre. Je te remercie, mais je ne suis pas intéressée. Je ne tiens pas à raviver…

– Écoute, Jeanne, ne joue surtout pas la carte de l'indifférence! Pas avec moi! Pas à ton âge! Tu es seule, on ne t'invite presque pas chez les enfants. Ce n'est qu'une sortie…

– Désolée, mais j'ai quelqu'un pour me sortir.

Il cessa de respirer, pas tout à fait certain d'avoir bien entendu. Le sentant devenir muet au bout du fil, elle en profita pour lui annoncer:

– J'ai un ami, nous avons nos sorties, je ne suis pas seule comme tu sembles le croire.

Renversé, puis choqué contre lui d'avoir commis la gaffe de l'appeler, il lui répondit dans un semblant de fierté:

– Bon… dans ce cas, oublions tout cela et bonne fin de soirée.

Elle tenta de s'expliquer quelque peu, mais il l'interrompit:

– J'ai compris, Jeanne.

Et alors qu'elle le remerciait quand même de sa bonne volonté, outré, il avait coupé court en lui disant:

– N'en parlons plus, veux-tu? Tout est conclu.

Il raccrocha aussitôt, quasi insulté, mais surtout blessé de la savoir engagée. Elle! Celle qui rêvait de liberté! Celle qui, dans leur choix mutuel, n'avait jamais manifesté la moindre envie de refaire sa vie. Un ami? Hors de lui, tournant en rond, humilié d'avoir été éconduit, il jeta les deux billets dans la poubelle et, frustré, composa le numéro de son fils aîné pour lui dire d'un ton brusque dès qu'il le sentit au bout du fil:

    – Ne t'en fais plus pour ta mère, Roger, et oublie tout ce que je t'ai dit. Elle a un autre homme dans sa vie!

Chapitre 10

Roger avait attendu que la fin de semaine s'écoule avant de s'en prendre à sa mère, malgré les avertissements de Line qui lui priait de ne pas intervenir, que ça ne le regardait pas, et qu'il était en voie de rechute malgré ses promesses. Impatienté, il lui avait rétorqué: «C'est ma mère, pas la tienne! Et je ne la laisserai pas nous ridiculiser!» Line avait sourcillé, soupiré, mais elle n'avait pas répliqué, craignant d'engendrer une querelle de couple dont elle pouvait se passer. Surtout avec deux fistons d'âge scolaire qui dépendaient plus souvent d'elle que de lui.

Rentrant de l'école le lundi, maugréant comme de coutume contre ses élèves «mal élevés», Roger allait sûrement, selon les appréhensions de Line, appeler sa mère le soir même pour se défouler sur elle. Quand il se retira dans son bureau, Line lui jeta une dernière fois un regard réprobateur mais Roger, détournant les yeux, ferma la porte derrière lui et composa le numéro de sa mère.

– Oui, allô?

– Maman? C'est Roger. Je ne te dérange pas, tu as soupé?

– Oui, j'ai terminé, mais qu'est-ce qui t'amène, toi? Le ton est...

– Celui qu'il doit être, maman! Parce que j'ai appris, figure-toi, que tu avais un homme dans ta vie.

– Tiens! Ton père n'a pas perdu de temps à ce que je vois! Et il savait à qui l'annoncer en premier! Non, je n'ai pas d'homme dans ma vie, mais j'ai un ami, si c'est ce que tu cherches à savoir!

– Un ami? Un *chum!* Ma mère qui sort avec un homme! On aura tout vu! La soixantaine bien sonnée, la supposée sagesse et ma mère se conduit comme une adolescente! Tu n'es pas sérieuse, maman? Tu n'as pas laissé un bonhomme te courtiser?

– Antoine n'est pas un bonhomme, mais un monsieur charmant, Roger. Et je me demande bien en quoi cela te regarde.

– Antoine! Déjà au prénom! À quand le premier baiser?

– Écoute-moi bien, toi! Tu m'as déjà apostrophée deux fois depuis notre séparation et tu as rappelé pour t'en excuser, souviens-toi! Je t'avais rayé de ma liste, ne l'oublie pas! Et tu récidives? Tu as passé une autre mauvaise journée avec tes élèves? Tu n'as pas encore compris que tu aurais été meilleur plombier que professeur? Pauvre femme que la tienne...

– Ne t'éloigne pas du sujet, je t'en prie. C'est déshonorant ce que tu fais là, maman! Pour tes petits-enfants! Nous venons à peine de leur faire comprendre que, des grands-parents, ça pouvait aussi se séparer, qu'il va falloir maintenant leur expliquer que leur grand-mère peut maintenant avoir un *chum*, sortir comme une jeune fille...

– Oui, Roger, explique-leur tout ça et dis-leur que leur grand-père peut, lui aussi, refaire sa vie s'il en a envie! Et n'oublie pas d'ajouter que les enfants, toi et les autres, n'ont pas à remettre en question les décisions de leurs parents! Est-ce possible! Je te dis tout cela comme si je parlais à un gamin! Toi, le prof! Toi qui prétends tout savoir, tout connaître! Sans même te rendre compte que tu peux, toi aussi, perdre ta femme un jour. Parce qu'avec ton caractère de chien, Line ne fera pas long feu avec toi, mon fils! Vient un jour où le couvercle de la marmite... Et puis, je n'ai plus rien à te dire! Et cette fois, ne rappelle pas pour t'excuser, je vais te raccrocher au nez! Fais le tour de la famille, dis-leur que ta mère les a déshonorés et ensuite, quand tu seras soulagé, inspire, expire et oublie-moi, Roger! Ne m'invite surtout pas à Pâques, je n'ai rien à foutre de ton jambon et, de tout façon, Antoine m'a déjà proposé un souper...

— Maman! Arrête! Tu ne t'entends pas? Tu parles sans réfléchir! Tu es fière, orgueilleuse, le nez en l'air, mais incapable d'être indépendante. Il t'a toujours fallu quelqu'un sur qui t'appuyer. Même au temps du père!

— Quoi? Tu penses que ton père a été un soutien pour moi? Lui? Mou comme un ver de terre? Je me suis toujours suffi à moi-même...

— Parce que nous étions là, maman! Parce que tu n'étais jamais seule! D'ailleurs, tu as quitté papa parce que tante Dolorès t'attendait! Ensuite, tu t'es sentie perdue jusqu'à ce que Julie arrive. Et là, ta fille partie, encore en proie à ton insécurité, tu t'accroches à un bonhomme...

— Je ne veux plus t'entendre, Roger! Et je te ferai remarquer, une fois de plus, que je n'ai pas quitté ton père, que nous nous sommes quittés d'un commun accord, lui et moi.

— Ça, je ne le croirai jamais! C'est toi qui l'as embarqué dans ce pacte-là! Jamais papa ne t'aurait quittée! Il a peut-être ses défauts, mais il serait resté à tes côtés jusqu'à la fin de ses jours. Par fidélité, par attachement, par accoutumance, appelle ça comme tu voudras, mais jamais il ne t'aurait fait ça. C'est toi qui as tout planifié, c'est toi qui te plaignais de mourir d'ennui avec lui. Comme si c'était plus drôle pour lui! Tu en dépendais et tu le malmenais! Parce qu'il était doux, commode, sans la moindre parcelle de rebuffade en lui. Tu vois? À vouloir être bon, on est puni, piétiné, quitté! Comme ce fut le cas pour Sylvain aussi! Et papa s'inquiète de toi, lui! Il nous reproche même de te négliger, de ne pas t'inviter assez souvent. Même séparé, il pense à ton bien-être, lui! Ce qui n'est pas ton cas, maman! Jamais un mot aimable...

Jeanne, ayant momentanément perdu le contrôle, ne sachant plus quoi dire, se mit à sangloter:

– Toi... toi, tu es dur comme de la pierre! Pas comme ton père ni ton frère. Je ne sais pas d'où tu sors pour être comme ça!

– De toi! En droite ligne de toi! Avec le même sale caractère! Sauf que je ne quitterai jamais ma femme, moi! J'ai des principes, j'ai de l'honneur! Et si jamais il survenait une fissure dans notre couple, nous saurions la réparer, Line et moi. Nous nous parlons, nous deux, nous nous aimons...

– Alors, que le bon Dieu continue de prendre soin de votre petit ménage, Roger, mais pour la dernière fois, sors de la vie de ta mère. C'est moi qui ai tous les torts? Alors, ferme la porte, je préfère ne plus te voir que d'être mal jugée. Et si je t'ai fait tel que tu es, Roger, si tu sors tout droit de moi avec tout ce que tu me reproches, penche-toi vite sur ton cas avant que ce ne soit ta femme qui, un jour, te claque la porte au nez. Maintenant, assez, n'ajoute plus rien. Rappelle vite ton père et dis-lui qu'il a gagné, que tu as crucifié ta mère, et ne me donne plus signe de vie. Je ne veux plus te revoir ni t'entendre, compris? À mon tour de ne pas me gêner pour te rejeter!

Estomaqué, n'ayant jamais pensé que sa mère pourrait le bannir de la sorte, Roger sortit de son bureau et, la bouche ouverte, regarda Line qui s'emporta:

– Voilà! Content maintenant? Juste à te voir l'air, elle t'a renié ou presque! C'est beau, ça! C'est encore les enfants qui vont en pâtir!

– Je ne comprends pas! Je ne l'ai quand même pas agressée! Elle ne prend rien de moi, la mère! Elle et son fichu caractère!

– Vous êtes pareils, elle et toi! C'est pour ça que ça ne marche pas entre vous deux. Ça n'a jamais marché, Roger! Vous étiez toujours à couteaux tirés! Quand nous nous sommes mariés, elle semblait soulagée. Tu la rendais folle avec tes préjugés!

– Faudrait quand même pas exagérer... Est-ce que je suis si difficile à vivre? Pour toi, sans cesse à mes côtés...

– Non, parce que je ne suis pas comme elle, moi. Je suis de nature plus calme, je ne m'emporte pas. Mais disons que j'ai du mérite, comme m'a déjà lancé ton père. Parce que si j'avais un bouillant caractère...

– Je ne suis quand même pas si exécrable! Tout le monde est contre moi! Si c'était le cas, tu ne serais plus là, Line, tu aurais foutu le camp!

Et, pour une fois, sans l'excuser pour autant, sa femme lui répliqua:

– Oui, Roger, mais on a des enfants à élever, nous autres!

De son côté, sans toutefois se ranger du bord de son frère aîné, Carole avait été déçue d'apprendre que sa mère avait un ami. Jean-Louis, au courant à son tour, lui avait prédit:

– Tu vas voir, il va lui rafler son argent. C'est sans doute un vieux ratoureux...

Et ce, sans le connaître et sans savoir qu'Antoine Rochet était dix fois plus riche que sa belle-mère. Mais pour essayer de sauver la moindre parcelle d'héritage de la part de Jeanne, il avait poursuivi:

– Il faudrait l'inviter plus souvent, Carole. Demande-lui de venir pour Pâques, vu qu'elle n'ira pas chez Roger. Convie-la avec son Antoine si elle hésite. Invite-les à souper, on verra bien de quel bois il se chauffe, le prétendant.

Carole, songeuse, avait répliqué:

– Les inviter, je veux bien, mais avec quoi? Ça risque de nous coûter un bras, ce repas-là!

Mais son mari, habitué à lésiner, avait déjà trouvé la solution.

– Ne t'en fais pas, on va s'en sortir pour presque rien. J'ai une bouteille de vin qui date du temps des Fêtes au bureau. Une bouteille de notre *party* qui n'a pas été réclamée. Un bon petit Pisse-Dru que je garde dans un tiroir. Pour le souper, tu pourrais préparer une omelette espagnole. On a plein de restants de légumes dans le tiroir du réfrigérateur. Avec la boîte d'asperges qu'on a encore dans la dépense… Tout ça avec un pain croûté, on ne peut pas se tromper. Ta mère mange si peu…

– Une omelette avec du vin… Sais pas…

– Sinon, fais des pâtes, Carole. Avec ta sauce rosée maison. Et comme dessert, tu sais le gâteau *Betty Crocker* en sachet que j'ai acheté à rabais? Ce serait l'occasion de le mettre au four. Tu vas voir, ça va leur plaire. C'est pas difficile, les vieux. Prends ton père…

Carole, convaincue, constatant que le repas n'allait pas affecter leurs économies, promit de les inviter. Sans même se rappeler que sa mère, naguère, à Pâques, avait toujours un énorme jambon dans la fesse à poser sur la table.

Jeanne, quelque peu remise de ses émotions, ne voulait pas que Martial s'en tire «les quatre pieds blancs». Il avait osé la rabaisser aux yeux de Roger? Elle allait lui dire sa façon de penser! Elle attendit le lendemain pour l'appeler mais, par malheur, elle tomba sur sa boîte vocale. Peu importe! Elle allait lui défiler ce qu'elle avait sur le cœur sans risquer d'être interrompue:

– C'est moi, Jeanne! Laisse-moi te dire que je ne suis pas fière de toi! À cause de ton indiscrétion, je viens d'écarter Roger de ma vie. Tu savais à qui te confier à ce que je vois. Mais il a osé me rappeler à l'ordre et en profiter pour me faire des reproches. Alors, tu me connais, non? Et ce n'est pas parce qu'on a un ami qu'on a un homme dans sa vie, Martial! De plus, qu'est-ce que ça peut te faire? Serais-tu indisposé du fait que...

Mais le monologue avait été coupé par un message qui précisait que le temps alloué était écoulé. Un bip sonore avait rompu la communication. Trop bien partie, elle recomposa le numéro pour ajouter:

– Bon, je n'irai pas plus loin, Martial, mais je te ferai remarquer que je suis libre. Tout comme toi! Alors, si le fait que j'aie un ami te dérange, tu n'as qu'à en faire autant de ton côté. À chacun sa vie!

Et elle avait brusquement raccroché.

Rentrant de sa promenade, Martial prit connaissance des deux messages avec stupeur. Légèrement mécontent que Roger se soit manifesté aussi rapidement, il n'en était pas moins fier qu'il ait pu faire le procès de sa mère. Quitte à se sentir perdant une fois de plus. Quelque chose pourtant, l'avait secoué dans les messages de Jeanne, c'est lorsqu'elle lui avait dit: «si ça te dérange.» Parce que non seulement il était dérangé du fait qu'elle ait un ami, mais profondément agacé. Sans pouvoir s'expliquer pourquoi... C'était comme si sa femme le trompait pour la première fois. Une femme qu'il prétendait n'avoir jamais aimée... ou presque. Une épouse dont il s'était séparé sans en paraître trop affecté. Une habitude rompue, un lien coupé, quoi! Mais aujourd'hui, deux ans plus tard, l'imaginer avec un autre, penser qu'elle pourrait lui tenir la main, se serrer contre lui... Malgré lui, Martial se sentait envahi par la jalousie. Lui qui avouait pourtant, à qui voulait l'entendre, même à «sa chouette», qu'il n'avait jamais rien ressenti pour elle. Ou, à peine... Mais, à le voir à cette minute-ci, songeur, affligé, un rictus au coin de la lèvre... On aurait presque pu croire qu'il avait été cocufié!

Il était néanmoins peiné d'avoir ainsi accablé sa femme par l'entremise de son fils. Repentant d'avoir agi de la sorte, écoutant encore les messages de Jeanne, il se sentait comme le dernier des hommes. Sa femme ne méritait pas cela, elle qui ne l'embêtait pas; elle qui le laissait vivre à sa guise. Elle qui l'ignorait... Trop, peut-être? Était-ce cette indifférence qui avait poussé Martial à la discréditer aux yeux de ses enfants? Car il savait que Carole allait désapprouver le «faux pas» de sa mère. En silence, bien entendu, pour ne pas se la mettre à dos. Quant à Sylvain, il le voyait déjà hausser les épaules. Rien ne l'atteignait, celui-là! Pas même son divorce ni l'éloignement de sa petite Maude. «Un gars sans couenne...» avait-il songé, sans penser qu'il était de la même cuvée que lui. Mais il savait que Julie allait malgré tout approuver sa mère et se réjouir de son petit bonheur. Parce que sa chouette n'avait pas de parti pris et qu'elle était ouverte sur toute nouvelle façon de vivre. En autant que le bonheur soit là! Sa chouette qu'il aurait voulu avoir de son côté, mais qui tranchait toutes ces questions comme le roi Salomon.

Martial réécouta pour la troisième fois le message en deux parties de Jeanne et regretta sincèrement son geste. Il voulut la rappeler, mais se retint et raccrocha. Il n'allait quand même pas s'excuser, lui qu'on disait si juste, si sage dans ses propos comme dans ses gestes. Et il n'allait certes pas lui avouer que le fait de la savoir avec un autre l'avait dérangé. Ne serait-ce pas avouer que, peut-être, il l'avait en quelque sorte aimée?

Soulagée d'avoir rappelé Martial à l'ordre par le truchement de sa boîte vocale, Jeanne s'était ensuite empressée d'appeler Julie à Summerside dans le but de s'enquérir de sa santé et de lui parler d'Antoine.

– Tout va bien? Tu n'as pas trop de nausées?

– Non, maman, je pense que je le porterai plus facilement que ce ne le fut pour toi. Et John est si prévenant… Un ange!

– Alors là, pour entendre cela de ta bouche, ma fille, ton mari doit être exceptionnel! Toi qui leur trouves toujours des défauts…

– Je lui en ai cherché, mais en vain. Et comme je l'aime…

– Oui, j'imagine que l'amour, ça ferme les yeux, soupira la mère. Et ta belle-mère? Ça se passe bien avec elle?

– Disons qu'elle ne me porte pas dans son cœur comme je l'aurais souhaité, je suis encore «l'étrangère» venue lui enlever son fils aîné. Mais ça peut aller. Sans être sur la même longueur d'ondes, il lui arrive de m'inviter à prendre le thé. Tu sais, dans le fond, elle est contente de savoir qu'elle sera grand-mère. Elle ne le démontre pas trop, mais un enfant de John, son préféré…

– Il ne fait pas trop froid? Tu t'accoutumes là-bas?

– Oui, oui, c'est un bel hiver et nous aurons un beau printemps. De temps à autre, je vais aider mon beau-père dans ses affaires. Quelle soie que cet homme-là! Tout le contraire de sa femme!

– Oui, monsieur Miller est un brave homme et, parlant d'homme, Julie, aussi bien te le dire avant que ton père te l'apprenne, je me suis fait un ami. Juste un ami, pas plus!

– Oh! maman! Quelle bonne nouvelle! Tu l'as rencontré où?

– Ici! Dans l'immeuble! Il habite quelques étages plus haut. Il est veuf, il n'a qu'un fils qui vit à Vancouver. Charmant, dévoué, il m'accompagne pour faire l'épicerie, il a une belle voiture.

– Un homme de ton âge?

– Pas tout à fait... Déjà soixante-dix ans, mais très en forme. Son nom est Antoine Rochet. Un retraité des affaires. Mais tu devrais voir comme il est alerte!

– C'est tout ce qui compte, maman! Il te sort? Tu l'invites?

– Il est venu prendre le thé, nous sommes allés au cinéma, au restaurant, mais je ne voudrais pas qu'il devienne entreprenant. L'amitié, oui...

– Mais il te plaît, au moins? Il est intéressant? Il est bien de sa personne?

– Oui, si on veut, mais ne me demande pas si j'en suis aux sentiments, Julie. Tu me connais, n'est-ce pas? Il ne faudrait pas qu'il...

– Qu'il quoi? Tu t'es arrêtée.

– Qu'il devienne trop collant! Qu'il se fasse des idées!

– Maman! Tu es libre! Laisse la vie se charger de te gâter. Pourquoi cette retenue? Il peut t'arriver ce qui m'est arrivé, tu sais.

– Voyons Julie! À mon âge! Non, que de l'amitié, pas davantage.

– Il est en moyens, ce monsieur?

– Passablement. Il roule en Cadillac, il avait des immeubles...

– Bien, voilà! Place-toi les pieds! Ne laisse pas passer ta chance!

– Petite matérialiste, va! Pour toi, que l'argent, que le confort...

– Non, non, tu sais combien j'aime John, mais si j'étais toi, si j'avais ton âge, ton fameux âge comme tu nous le répètes sans cesse, je serais certes moins exigeante. Mais, imagine! De l'argent, des voyages…

– Toujours aussi gamine, toi! Oh! j'oubliais, Antoine te connaît de vue. Il t'a déjà aperçue dans l'immeuble; il croyait que tu vivais encore avec moi. Il savait tout de nous ou presque.

– Ah! oui? Je ne me souviens pas… Tiens! Voilà John qui rentre. Il a le nez rouge, maman, il est gelé, mon bel amour.

Jeanne entendit un «*Hi, Honey!*» puis le bruit sec d'un baiser échangé et le gendre, apprenant que sa belle-mère était au bout du fil, lui cria: «*Hi, Mom! Hope everything is fine with you.*» Julie reprit le fil de la conversation après que sa mère lui eut dit de remercier John de ses salutations, en lui demandant tout bas:

– Les autres le savent, maman?

– Oui et j'ai eu droit à une verte semonce de la part de Roger. Une fois de plus, je l'ai renié! Ah! celui-là! Il va me faire damner! Le pire, c'est que c'est ton père qui le lui a appris et qui l'a monté contre moi,

– Papa? Comment l'a-t-il su?

– Bien, crois-le ou non, mais ton père m'a appelée pour m'inviter à un concert et j'ai dû refuser, j'avais une sortie avec Antoine.

– Oh! maman… Ç'aurait été beau de vous savoir ensemble, ne serait-ce qu'une fois. Comme il a dû avoir de la peine. Pourquoi n'as-tu pas accepté? Une fois, juste une fois. Tu aurais quand même pu lui parler de l'autre, mais de là à lui refuser cette joie…

– Mais j'avais une autre sortie, je viens de te le dire.

– Une sortie que tu aurais pu remettre. Papa aurait dû avoir ta préférence. D'autant plus qu'il t'invitait en toute amabilité...

– Désolée, Julie, mais je ne tenais pas à raviver la moindre flamme. Nous sommes séparés, nous avons chacun notre vie et ce n'est pas parce que nous avons feint de nous rapprocher pour ton mariage que je vais me remettre à le laisser me courtiser. Non, fini tout ça! Ton père, c'est derrière moi, Julie! Je peux te paraître intransigeante, mais c'est la seule façon de poursuivre, sinon tout sera toujours à recommencer. Mais, vois-tu, fier, insulté, il en a parlé à Roger le premier, sachant très bien que son aîné sauterait au plafond pour ensuite m'agresser de la plus vile façon. Poltron, va! Sa propre mère!

– Tu ne devrais pas lui en vouloir, maman. Roger a des principes qui ne sont pas de son temps. Et ses sautes d'humeur proviennent du fait qu'il t'aime. Ça fait au moins dix fois que tu le renies et que tu te réconcilies avec lui depuis ses vingt ans. Tu devrais le connaître, non? Il s'emporte, puis il le regrette. Et si papa l'a choisi pour lui confier en quelque sorte son dépit, c'est sans doute parce qu'il s'est senti humilié, avili... Pauvre lui! C'était de bon cœur...

– On sait bien, ton père, toi, c'est ta vie! Tu vois? Le fait que j'aie un ami ne dérangeait personne jusqu'à ce que ton père entre en scène. Mais moi, j'ai une autre image de lui, Julie. Je ne suis pas «sa chouette», j'ai été sa servante, sa bonne à tout faire!

– Maman! De grâce, ne t'emporte pas de la sorte! Bien sûr que ton refus de sa bonne intention me peine, mais je ne m'en réjouis pas moins de te sentir heureuse avec ton ami. Je ne veux que ton bonheur, tu le sais bien. Et ne laisse pas tes paroles dépasser ta pensée. Tu sais fort bien que papa ne t'a jamais considérée comme une servante, maman. Tu as trimé dur avec quatre enfants, c'est vrai! Mais même sans grand amour, comme tu le dis, il t'a toujours portée sur la main. Tu obtenais tout de lui! Tu le manipulais si bien.

— Est-ce un reproche? Ton père était mou, il avait besoin d'être constamment secoué!

— Mou? Je dirais souple, maman, et bon comme du bon pain. Il ne nous refusait rien. Tiens! Comme Sylvain!

— Oui, et vois où ça l'a mené, celui-là! Sa femme l'a quitté lui aussi!

— Grand bien lui fasse, c'était une petite peste, une face à claques! Tu es injuste de parler de la sorte, tu détestais Pascale! Tu souhaitais que Sylvain sorte ses couilles, qu'il la brasse un peu, qu'il s'en détache... Et c'est fait! Arrêtons-nous là, maman, nous sommes en train de dérouler le tapis encore une fois. Et John m'attend, il a envie de souper.

— C'est ça, occupe-toi de ton homme, ma fille! On se rappellera!

— Maman! Pas sur ce ton! Tu sembles contrariée! Ai-je dit quelque chose...

— Non, non, c'est mon ton habituel, je n'ai pas la souplesse de ton père, moi! Alors, à bientôt Julie et salue John de ma part. Prends soin de toi et de l'enfant que tu portes. N'attrape surtout pas froid, ne sors pas sans chapeau, fais des siestes l'après-midi...

Après tous ces conseils d'usage, Jeanne raccrocha. Préoccupée, elle se demandait si sa fille était de son côté ou de celui de son père. Elle savait qu'elle adorait Martial, qu'elle était sa préférée, mais elle n'avait guère apprécié les sinueux petits reproches sur son refus d'accepter l'invitation au concert symphonique. D'un autre côté, Julie semblait se réjouir de voir sa mère avec un ami... C'était à n'y rien comprendre. Et Jeanne, encore plus songeuse, commençait à regretter d'avoir été aussi intransigeante avec son mari alors que lui, faisant sans doute un dur effort, les deux billets entre les mains... Bien sûr qu'elle aurait pu accepter. Un simple concert ne les aurait tout de même pas raccordés. Et, chemin faisant, elle aurait pu lui avouer tout doucement, sans le blesser, qu'elle avait un ami tout en le remerciant de la soirée. Bien sûr qu'elle aurait dû accepter!

Tel que prévu, Jeanne avait accepté l'invitation à souper chez Carole et Jean-Louis pour Pâques. Surtout pour narguer Roger, pour le punir d'avoir été impertinent avec elle. Antoine Rochet, convié par l'intermédiaire de sa douce amie, s'était réjoui de connaître enfin deux membres de la famille de sa bien-aimée. Carole et Jean-Louis avaient tout préparé pour les recevoir avec dignité, sauf qu'à la dernière minute le gendre avait troqué le Pisse-Dru contre le vin rouge de son vignier en disant à sa femme:

– En le versant d'une carafe, ils n'y verront que du feu. Le Pisse-Dru, j'aime mieux le garder pour mon patron et sa femme quand nous les recevrons. Pour eux, ça vaudra un peu plus la peine de se forcer.

Jean-Louis surveillait de sa fenêtre le terrain de stationnement de son immeuble, quand il vit une puissante Cadillac s'y garer et sa belle-mère en descendre accompagnée d'un homme âgé. Il faillit tomber à la renverse et cria à sa femme:

– Wow! Il n'est pas à pied, le prétendant de ta mère! Une Caddie!

Carole, nerveuse, occupée à monter la table avec soin, laissa Jean-Louis répondre lorsque les invités sonnèrent à la porte. Jeanne lui fit la bise, étreignit sa fille qui les rejoignit et leur présenta Antoine Rochet, l'ami dont elle leur avait parlé. Jean-Louis tendit sa main moite à l'ex-homme d'affaires qui lui offrait, tout en répondant «enchanté», un sac contenant une bouteille. Carole s'empara des fleurs et des chocolats que Jeanne avait emballés dans un papier orné de lilas et se montra ravie de connaître le soupirant de sa mère. Mal à l'aise de n'avoir rien acheté à sa mère, elle tenta de corriger l'oubli en lui demandant si son taux de cholestérol lui permettait encore les friandises. Puis, délicatement, elle déposa sur la table du salon, un plat de crudités. Des bouts de céleri, des carottes tranchées minces, trois pointes de brocoli et quelques doigts de poivron vert. Au centre, un petit bol avec une trempette maison!

Jean-Louis, retirant la bouteille du sac, faillit s'évanouir. Un Châteauneuf-du-Pape! Rien de moins de la part de leur invité qui leur semblait de plus en plus fortuné. Confus, il aurait voulu remettre le Pisse-Dru sur la table mais, trop tard, la carafe bien en vue trônait déjà parmi les fleurs.

Jeanne regarda sa fille et, sans en être tout à fait incommodée, se sentit un tantinet gênée. En ce jour de Pâques, Carole avait revêtu une robe à grosses fleurs jaunes et mauves qui datait de plusieurs années. Avec des marguerites de plastique aux lobes d'oreilles et sa petite montre *Timex* au poignet. S'approchant de sa mère, elle lui fit voir le bracelet de montre de cuir blanc flambant neuf qu'on y avait posé en lui disant:

– C'est le cadeau de Jean-Louis pour Pâques. Il vient d'où je travaille, car avec mon escompte... Pas mal beau, hein?

Jean-Louis, pour sa part, avait enfilé son complet gris, sa chemise blanche et remonté sa cravate rouge dont le nœud n'était jamais défait. Rasé, ses quelques cheveux lavés et coupés par sa femme, il dégageait une odeur d'eau de toilette forte et désagréable qui venait encore du magasin où Carole travaillait. Son cadeau de Pâques à elle! Du panier des liquidations!

Curieux de tout apprendre sur monsieur Rochet, le gendre le bombarda de questions frôlant l'indiscrétion, jusqu'à ce que le septuagénaire lui déploie son curriculum, sans omettre ses immeubles vendus, sa fortune en placements et les intérêts perçus régulièrement qui le faisaient vivre largement. Ce qui laissa Jean-Louis... la bouche ouverte!

Ils passèrent à table où, après une petite salade frisée arrosée d'une vinaigrette sans nom, Carole leur servit des rigatonis rehaussés d'une sauce rosée, dont les portions n'étaient pas très généreuses. On aurait dit une entrée! Mais avec les «biscuits soda» *Premium* de *Christie* et quelques tranches de pain croûté rassemblés dans un panier, Jeanne et Antoine réussirent à se rassasier en partie.

Jean-Louis servit le vin deux gorgées à la fois dans de petits verres sur pied. Avec raffinement, comme s'il s'agissait d'un vin précieux. Ce qui intimida Antoine qui n'osa pas en redemander, préférant attendre d'être servi de nouveau, ce qui n'arriva qu'à la fin du repas. Et encore de... deux doigts! «Chiche même avec du vin *cheap*! Après le vin cher qu'Antoine vient de lui offrir! Plus gratteux que ça...» songea Jeanne, embarrassée. Carole n'était guère mieux avec ses rigatonis comptés d'avance pour chaque assiette! Le souper se termina avec la carafe à moitié pleine que Jean-Louis s'empressa de remettre au frais, alors que Carole leur présentait une pointe de gâteau *Betty Crocker* non glacé avec une tasse de thé. Assis en face de monsieur Rochet, Jean-Louis lui parla de son travail, Carole très peu du sien, et la soirée s'écoula sans digestif ni chocolats à la menthe. Monsieur Rochet, demandant poliment un verre d'eau, en reçut un directement du robinet, alors que la fontaine d'eau de source était bien en vue à deux pas. Jeanne aurait voulu hurler tellement elle était offensée.

Par amour pour sa fille et parce que c'était Pâques, elle se retint mais ne put s'empêcher de réagir:

– Moi aussi, j'ai soif! Aurais-tu autre chose que de l'eau?

Se levant, Carole énuméra:

– J'ai du jus de pomme, de l'orangeade et du cola. Qu'est-ce que tu préfères?

Madame Durelle, regardant ailleurs, reprit innocemment:

– Du cola? Coke? Pepsi?

– Non, du cola en deux litres, la marque du magasin, mais il est aussi bon, tu sais… marmonna Carole mal à l'aise.

Jeanne le refusa dans le but de lui donner une leçon et lui lança:

– Ton jus de pomme, tu l'as depuis quand? Parce que, tu sais, ça ne se conserve pas pendant dix ans, ces boissons-là.

C'était plus fort qu'elle! Elle ne pouvait s'empêcher de rappeler sa fille à l'ordre. Devant un étranger en plus! Jean-Louis grimaça, mais ne se mêla de rien de peur d'écoper à son tour d'un dard en droite ligne. Il laissa Carole se débrouiller avec sa mère, sachant très bien que leur jus de pomme n'était pas de la veille. Et comme Jeanne avait envie de se sucrer le bec et que rien ne venait, elle ajouta à l'endroit de sa fille:

– Si tu ouvrais la boîte de chocolats que je t'ai apportée, on pourrait peut-être se régaler un peu et ça permettrait à Antoine d'en apprécier un ou deux.

Et c'est du bout des ongles que Carole délivra la boîte du cellophane qui l'entourait pour ensuite l'ouvrir devant son mari qui, déçu du geste, laissait paraître du regard qu'il aurait préféré la garder pour eux.

La soirée fut monotone, les propos aussi et Jeanne sentait que son ami s'ennuyait avec le mari de sa fille. Tout comme elle d'ailleurs, dont les échanges avec Carole ne levaient pas bien haut. Elle prétexta une lassitude et pria Antoine d'aller réchauffer la voiture. Jean-Louis s'évertuait à parler des condos à vendre dans l'immeuble, qu'elle serait plus en sécurité près d'eux, qu'elle s'ennuierait moins, et Jeanne, ironiquement, ne put s'empêcher de lui répondre:

– Tu crois?

Elle les embrassa, lui par politesse, sa fille de bon cœur, et après tous les remerciements d'usage, ils reprirent le chemin dans la luxueuse Cadillac d'Antoine qui, par délicatesse, vantait la gentillesse de sa fille, la complaisance de son gendre, quand, le regardant, elle l'interrompit:

– Très aimable à vous, Antoine, mais j'avais oublié de vous avertir qu'ils étaient pingres tous les deux. Vous l'avez sans doute remarqué et, comme j'ai à la maison un succulent dessert et de bons digestifs, que diriez-vous d'entrer?

Souriant, ayant saisi la raillerie de Jeanne sans la commenter, il lui répondit:

– Voilà qui ne sera pas de refus. Surtout en votre compagnie, ma douce amie.

Dans son modeste appartement de la rue Saint-Denis, depuis quelques mois, Sylvain se tracassait. Il fréquentait encore Claire, mais il lui semblait que la jeune enseignante était un peu plus distante qu'au début de leur relation. Et moins ardente. Elle venait parfois de Joliette passer la journée du samedi avec lui, mais retournait le soir même malgré les supplications de Sylvain pour qu'elle reste jusqu'au lendemain. Un peu avant Pâques, elle s'était laissée convaincre, mais il avait remarqué que ses élans n'étaient plus aussi fougueux entre les draps, que Claire devenait passive et que sa jouissance semblait feinte. Lui, toujours aussi sexuel, essayait de lui transmettre sa rage au corps, mais elle semblait moins réceptive, moins en admiration devant sa virilité et son savoir-faire. Et ce qui l'intriguait davantage, c'est que les mots d'amour des premiers jours s'estompaient. Claire se donnait encore à lui, mais sans le prendre... lui. Il ne la sentait plus complice de ses ébats et avait de plus en plus l'impression de l'agresser que de lui faire l'amour. Parce qu'il ne ressentait plus le partage.

Songeur, il se demandait bien ce qui se passait... Il avait peur de la perdre. Il l'aimait. À sa façon, bien sûr, mais avec conviction. Il aurait tant souhaité qu'elle vienne habiter avec lui, mais elle repoussait l'échéance, lui faisant comprendre que, dans sa profession, il y avait plus d'avenir à Joliette que dans la métropole. Les petits poussaient encore comme des champignons dans la région de Lanaudière, tandis qu'à Montréal on accusait une dénatalité fort peu encourageante. Les écoles primaires avaient de moins en moins d'élèves et les postes allaient devenir de plus en plus rares.

Sylvain voulut se confier à Maggie, sa collègue, la tante de sa dulcinée, mais celle-ci avait vite répondu qu'elle ne tenait nullement à se mêler de leurs fréquentations. Elle ne cherchait même pas à comprendre ni à compatir, elle s'éloignait du sujet dès qu'il l'abordait. Sylvain saisit, à son attitude, qu'elle savait quelque chose de leur histoire, que Claire s'était confiée, que cette soudaine discrétion venant de celle qui l'avait tellement encouragé à fréquenter sa nièce, «clochait». Claire devait descendre en ce vendredi d'avril pour passer le week-end avec lui, mais elle se désista, prétextant une visite médicale le lendemain. Un samedi! Comme si on allait chez son médecin en fin de semaine. Il voulut se rendre à Joliette, passer deux jours avec elle, mais elle lui fit comprendre qu'elle préférait être seule, qu'elle avait un «malaise de femme» à régler, qu'elle souhaitait se détendre, se reposer. Elle promit de venir passer le samedi suivant chez lui, ce qui le rassura peu. Soucieux, de plus en plus inquiet, craignant que la flamme ne s'éteigne du côté de celle qu'il aimait, Sylvain ne trouva qu'une solution pour la garder... l'épouser!

Il avait presque compté les jours avant de voir le samedi suivant se pointer et pouvoir aller chercher Claire au terminus d'autobus. Il n'avait parlé de rien à Maggie, se doutant bien que sa nièce l'avait mise au courant de leur dernière conversation. Le temps était plus frais en cette fin d'avril, le mercure avait chuté de vingt degrés depuis la veille et c'est avec un béret sur la tête et un foulard autour du cou que Claire descendit de l'autobus pour s'engouffrer dans la voiture. Ils se firent l'accolade et Sylvain proposa un léger goûter quelque part. Partie tôt le matin, elle accepta, et ils se retrouvèrent devant une quiche aux épinards dans un resto à l'angle des rues Saint-Denis et Cherrier. Claire semblait en forme, de bonne humeur même, et le petit brunch s'écoula paisiblement, chacun racontant sa semaine de travail, le dernier film visionné et pestant contre le froid qui revenait sévir comme pour les punir de rêver du printemps. Bref, ils causèrent de tout et de rien. Sylvain gardait l'entretien «pour le dessert» à son appartement.

Elle s'installa comme si elle était chez elle, les souliers sous le divan, les pieds sur le tabouret. Il lui offrit un verre de vin qu'elle accepta, se déboucha une bière et, prenant place sur un fauteuil en coin à la droite de Claire, il la regarda et amorça affectueusement:

– J'ai quelque chose de sérieux à te demander. Tu permets?

– Bien sûr! De quoi s'agit-il?

– Voudrais-tu m'épouser, Claire?

Stupéfaite, elle déposa son verre sur la desserte et s'empara du coussin comme pour s'en faire un bouclier. Elle ne savait quoi répondre. Elle s'attendait à tout, sauf à cela. Jamais elle n'aurait cru que Sylvain envisagerait un jour d'en faire sa femme. Pas si vite, pas si tôt, du moins.

– Tu es surprise? Tu ne réponds pas. Tu as bien entendu?

– Oui, oui… mais je ne m'attendais pas à cela. Je ne sais quoi dire…

– C'est bien simple, dis oui, embrasse-moi et j'aurai tout compris.

Mais Claire, peu exubérante et plutôt embarrassée, rechaussa ses souliers, croisa la jambe et les bras, et le fixa.

– Je ne peux pas te répondre, Sylvain. Pas comme ça, là, tout de suite. Pas sans avoir songé à ta demande. J'ai tout juste vingt-quatre ans…

– C'est la différence d'âge qui te fait peur? Tu me trouves trop vieux pour toi?

– Non, mais je ne suis pas sûre de voir la vie de la même façon que toi.

– Que veux-tu dire? Pourquoi?

– Parce que, moi, je veux des enfants, Sylvain, et que je me rends compte depuis quelque temps que ce n'est pas tout à fait dans tes vues.

– Bien, non… oui… C'est vrai que je n'en veux pas. J'ai presque trente-cinq ans. On ne commence pas une famille à mon âge. Une fois m'a suffi… D'ailleurs, j'ai déjà une fille.

– Justement! Parlons-en! Une petite fille que tu vois de moins en moins et qui ne te manque pas. Tu n'as pas la fibre paternelle, Sylvain. Je m'en suis rendu compte en te parlant des petits bouts de chou de mon groupe. Aucune réaction. Même quand je te raconte leurs prouesses.

– Je n'ai peut-être pas la fibre comme tu dis, mais je me considère comme un bon père. Maude ne manque de rien, je verse ma pension chaque mois.

– Sylvain! Comme si un enfant n'était qu'une affaire d'argent! Tu l'as complètement abandonnée à ton ex-femme. Tu payes, bien sûr, mais que fais-tu de l'affection dont tu la prives? Une petite fille, ça veut des caresses, de grosses bises…

– Bien, quand elle les réclame… Mais la petite n'est pas près de moi, elle a toujours été plus attirée par sa mère.

– Parce que tu l'ignores, voyons! Je t'ai observé quand elle était ici lors de tes fins de semaine de garde. Distant comme ça ne se peut pas. À tel point qu'elle se jetait dans mes bras pour que je la cajole. Et tu ne t'en apercevais même pas! Tu t'amusais à peine deux minutes avec elle!

– Bon, ça va, ne hausse surtout pas le ton pour ça. Nous sommes loin du sujet qui nous concerne, Claire. Je t'ai demandée en mariage.

– Oui, je sais et je t'ai demandé de me laisser y réfléchir.

– M'aimes-tu, au moins? Assez pour devenir ma femme?

– Là n'est pas la question. Je t'ai clairement fait savoir que j'étais encore jeune, que je désirais des enfants et tu as sourcillé. Ça demande réflexion, non?

Se rapprochant d'elle, l'entourant de ses bras, il soupira:

– Bon, si c'est là une condition, je ne dis pas non…

– Tu ne dis pas non? Tu oses me répondre que ça, et sur un ton blasé? Alors, c'est moi qui te dis non, Sylvain! Je ne veux pas d'un géniteur, moi, mais d'un époux et d'un père à part entière. C'est incroyable me répondre comme tu l'as fait! On aurait pu jurer que je demandais la charité! Je mettais tout simplement les cartes sur table, moi. Je ne veux pas me tromper, faire un faux pas et me retrouver seule avec un enfant sur les bras. Non, Sylvain, je ne cours pas le risque. Pas avec toi!

Il est trop évident que tu n'aimes pas les enfants et je n'ai pas l'intention de passer ma vie à t'apprendre ou à te forcer à les aimer. La paternité, c'est inné! On a la fibre ou on ne l'a pas! Désolée, mais je ne suis pas la femme pour toi. Cherches-en une de ton âge et vérifie dès la première sortie si elle a envie ou non d'avoir des petits!

– Voyons, Claire, ne t'emporte pas pour si peu. Que fais-tu de notre amour? Et si le Ciel décidait de nous en donner...

– Voilà ce qu'il fallait dire au lieu de faire la moue. Peut-être ne suis-je pas fertile? Mais, me dire qu'un homme à trente-cinq ans... Non, arrêtons ça tout de suite, n'allons pas plus loin, Sylvain. Je suis trop jeune pour toi, je commence à peine ma vie de femme et toi, tu as déjà un passé avec une épouse, un divorce et un enfant derrière toi.

Sylvain avait pâli. Aussi maladroit pouvait-il être, il ne tenait pas à la perdre.

– Claire! Tu ne vas pas me quitter pour cette seule raison. Tu vois? J'ai été franc et ça cause ma perte! Ça sert à quoi d'être honnête?

– Écoute, je ne t'en veux pas pour autant, nous avons eu du bon temps, d'agréables moments ensemble. Je veux juste que ça se termine, Sylvain. Nous somme allés au bout de nos attentes, toi et moi. Et j'aimerais qu'on se quitte...

– Qu'on se quitte? Tu me plaques là, comme ça? Sans prévenir?

– Allons, tu sentais sûrement que ça tournait moins rond entre nous...

– Oui, je m'en suis rendu compte, mais pourquoi? Tu disais m'aimer...

– Oui, je t'aimais, j'ai même cru pouvoir toujours t'aimer, mais avec le temps, j'ai vu le revers de la médaille. Non pas que tu n'es pas un bon gars, un compagnon charmant, mais j'attends autre chose de la vie comme je te l'ai dit. En t'observant, j'ai découvert, j'ai…

– J'ai quoi? Va jusqu'au bout, ne m'épargne pas!

– Tu vois, c'est toi qui hausses le ton maintenant. J'ai découvert que nous n'étions pas faits l'un pour l'autre. Je ne m'attendais pas à une demande en mariage, je l'avoue, mais je n'envisageais même plus une cohabitation avec toi. C'était fini… C'est ce que j'étais venue te dire aujourd'hui, mais ta proposition inattendue m'a quelque peu déroutée…

– Toi, tu as quelqu'un d'autre dans ta vie!

– Non, personne, je te le jure, et je me promets d'attendre celui que le destin va me désigner. Celui avec lequel je pourrai me compléter. Je ne reviendrai plus, Sylvain, c'est notre dernier soir…

Il la regarda piteusement, se mit à pleurer, et elle, émue, essuya aussi une larme.

– Arrête, je t'en prie, ce n'est pas un désastre. Une autre viendra…

Il se leva d'un bond, lança son verre contre le mur et lui cria:

– Qu'en sais-tu? Je suis toujours perdant! Une autre viendra! Qui es-tu, toi, pour décider de mon sort? Tu as à peine vécu!

Claire, gardant son calme, répondit:

– Tu vois? Tu viens de le dire, j'ai à peine vécu. Je n'ai pas de leçon à donner à personne, je fais mes premiers pas dans tout, même dans ma profession. Et j'ai envie de vivre pour moi, pour les petits qui sont sous ma garde, pour mes amis. Je veux m'appartenir…

– Soit! Appartiens-toi! Et trouve-le, celui qui te fera une marmaille!

Constatant qu'elle avait froncé les sourcils et baissé les yeux, Sylvain regretta ses derniers mots et, s'en excusant, ajouta:

– Pourquoi ne pas aller souper dans un bon restaurant? Arroser le tout d'un excellent vin et reprendre le discours demain?

– Non, je pars, je vais prendre le premier autobus disponible. Je ne reste pas. Il n'en était pas question, d'ailleurs. Je m'en vais, je retourne chez moi. C'est fini, Sylvain, inutile de prolonger avec un souper, c'est déjà assez pénible comme ça... Si tu voulais bien me reconduire au terminus...

Blessé, quitté une fois de plus, Sylvain qui, d'habitude, avait la courtoisie de la ramener jusqu'à Joliette, lui dit dans un semblant de fierté:

– C'est fini? Alors, pars, mais ne compte plus sur moi! Saute dans un taxi!

Rassemblant ses effets, remettant son manteau, son foulard et son béret, elle emprunta l'escalier sans qu'il la retienne d'un geste. Ni d'un mot. Espérant sans doute qu'elle se retourne, qu'elle le regarde les larmes aux yeux, le cœur plein de regrets. Mais il entendit la porte de l'immeuble se refermer sur elle et, de sa fenêtre, il la vit héler un taxi et s'y engouffrer. Il aurait pu sauter dans sa voiture, se rendre au terminus, tenter de la dissuader de partir... Un instant, il y songea. Mais, clés à la main, il s'en abstint, se versa une bière froide puis une autre, et démoralisé par ce second échec sentimental, il se dirigea vers sa chambre, ferma la porte brusquement et, se laissant choir sur son lit, pleura durant des heures comme un enfant.

Mal en point, n'ayant pas fermé l'œil de la nuit ni le lendemain, Sylvain n'était pas présenté au travail le lundi. Ni le jour suivant. Atterré, démoli, humilié par cette nouvelle défaite, il se sentait comme le plus bas des vaincus. Pourtant, il avait aimé Claire. Ne s'en était-elle pas rendu compte? Sans doute puisqu'elle lui avait rendu l'aveu lors de leurs nuits torrides. Il se remémorait la première fois, le soir où il venait à peine de la connaître et qu'elle n'avait pas voulu le quitter par la suite. C'était même elle qui l'avait dirigé jusqu'à l'enseigne d'un sordide motel. Le coup de foudre, quoi! Et voilà qu'elle ne ressentait plus rien pour lui, pas même le désir de son corps alors qu'il était encore imprégné du sien. Tout cela parce qu'il ne voulait pas d'enfants! Lui qui ne voyait plus sa petite fille et qui n'en souffrait pas, selon Claire. Elle avait été dure avec lui en ajoutant qu'il s'en détachait facilement. «Faux», songea-t-il, il aimait Maude, mais comme il était peu démonstratif, on aurait pu croire qu'il s'en éloignait alors que c'était Pascale qui, lentement, la lui retirait. Il n'avait pas obstiné Claire quand elle lui avait dit qu'il n'aimait pas les enfants, trop craintif pour lui avouer, sans la blesser, que ce n'était pas qu'il ne voulait pas d'enfant, mais qu'il n'en voulait… pas d'autres! Ce qui était nettement différent. D'autant plus qu'elle semblait vouloir fonder une famille comme on ouvre une école!

En ces jours sombres, il avait peur de déprimer. Personne ne le comprenait. Parce qu'il ne savait pas se défendre, livrer son propre plaidoyer. Mou! Oui, mou comme son père jadis, mais avec du cœur au ventre. Claire, pas encore assez mûre, n'avait pu détecter ses nobles qualités, elle n'avait cherché que ses carences. Elle n'était pas parvenue à le comprendre. Mais comment l'aurait-elle pu, passant toutes ses journées dans une maternelle?

Il lui fallait surmonter ce coup, rattraper le dessus, déposer les bouteilles de bière vides dans la caisse et reprendre du poil de la bête. Non, ce n'était pas cette fille, aussi jolie fut-elle, qui allait avoir raison de sa fermeté. Perdu dans ses noires pensées, il se fouettait presque pour l'oublier. Le surlendemain, de retour au boulot après une présumée gastro, il croisa Maggie et murmura:

– Ta nièce et moi, c'est fini.

– Je sais, Claire m'a raconté.

– Ah! oui? Alors, dis-lui que je m'en remets, mais que je n'oublierai jamais la façon dont elle m'a traité. Pour ensuite me juger…

– Non, je ne lui dirai rien, Sylvain. C'est fini? Point à la ligne.

– Tu as sans doute raison et puis, une de perdue, dix de retrouvées! lui lança-t-il, dans un désolant reste de fierté.

Le soir, seul devant son téléviseur, l'âme encore meurtrie, la plaie encore ouverte, il téléphona à son père pour s'enquérir de sa santé et ensuite lui demander:

– Tu accepterais que j'aille souper avec toi vendredi, après le travail?

– Bien sûr, ça me ferait plaisir. Qu'est-ce que tu aimerais que je te prépare? Des pâtes?

– Non rien, ne cuisine pas, papa, nous allons commander. Tu aimes toujours les mets chinois? Je me charge de l'addition.

– Bonne idée, ça fait longtemps que je n'en ai pas mangés. Tu sais, seul, on change ses habitudes. Et je vais acheter ta bière préférée!

– Parfait! Je serai là vers dix-huit heures. Avec l'affluence, tu sais, surtout le vendredi, on peut s'attendre à tout.

– Prends ton temps, j'ai tout le mien. On mangera un peu plus tard pour une fois. Mais, dis-moi, tout va bien? Pas de problèmes?

– Heu… non, pourquoi cette question?

– Parce qu'il est assez rare que tu m'appelles pour partager ma table. Depuis que tu habites en ville, on entend à peine parler de toi.

– Parce que j'ai du travail par-dessus la tête, papa. Mais là, ça se tasse un peu. De toute façon, nous en reparlerons.

– Comme tu voudras, mon gars, je t'attends. Ça va faire changement.

– Passe une belle soirée, papa, et sors un peu. Le printemps s'est finalement manifesté. Profites-en!

Les derniers jours de la semaine s'écoulèrent sans que Sylvain entende parler de Claire. Il aurait souhaité un coup de fil de sa part, un mot gentil, quelques explications… Mais non, rien! La jeune femme, soulagée d'être libérée de celui qui ne pouvait la satisfaire, avait déjà commencé à l'oublier dans un tête-à-tête avec un jeune professeur du primaire. Sans le connaître vraiment avant de rompre avec Sylvain, elle l'avait tout de même remarqué. Un type d'un an ou deux de plus qu'elle, jeune de caractère, libre comme l'air, et cherchant tout comme elle l'âme sœur. Une ébauche sentimentale dont Sylvain n'entendrait jamais parler, si l'on se fiait au mutisme de Maggie, sa discrète collègue. C'est à peine s'il pouvait lui soutirer que Claire se portait bien.

Le vendredi arriva enfin et, à l'instar de ses nombreux camarades de travail, Sylvain Durelle était fort aise de quitter son poste à l'heure précise. Pas une minute de plus entre ces murs où il se sentait enfermé depuis bon nombre d'années. Il traversa la ville en empruntant plusieurs artères principales, atteignit Montréal-Nord et, finalement, le boulevard Henri-Bourassa. Il stationna dans une rue avoisinante et, marchant vers le condo de son père, il prenait plaisir à reconnaître son ancien quartier. Le salon de barbier, la caisse populaire et le restaurant qu'il fréquentait, adolescent.

Martial fut ravi de lui serrer la main et précisa que les mets chinois commandés étaient déjà dans le réchaud et la bière au frais dans le frigo. Affamé après une épuisante journée, Sylvain fit honneur aux plats variés que son père avait insisté pour payer. Martial mangea très peu, lui avouant qu'avec l'âge, l'appétit s'était dissipé de moitié. Ils terminèrent le repas et, ayant croqué quelques *Fortune Cookies,* Sylvain passa au salon afin de s'entretenir avec son père.

– Papa, tu avais raison, je ne suis pas venu ici que pour souper.

– J'en étais sûr. Des problèmes d'argent? Je peux t'aider…

– Mais non, que vas-tu chercher là? J'ai des économies, je vis bien, j'ai même quelques placements. Non, ce qui m'amène, c'est… J'aurais besoin de tes conseils, papa.

– Parle et je verrai en quoi je peux t'être utile. Est-ce le travail?

– Non, ma vie personnelle. Je ne sais pas ce qui se passe avec moi, mais rien ne marche de ce côté. Après Pascale, c'est maintenant Claire qui m'a laissé. Je n'ai vraiment pas de chance avec les femmes.

– Allons, tu vas t'en remettre, elle n'était sans doute pas pour toi. Et je dirais que ce sont elles qui ratent leur chance, tu es un si bon gars. Et puis elle était trop jeune, ta petite amie…

Voyant qu'il ne répondait pas et qu'il avait les yeux embués, Martial s'empressa de lui presser le bras en ajoutant:

– Ne sois pas bouleversé de la sorte, Sylvain. Reste fort, reste digne. Tu ne t'étais tout de même pas engagé avec elle.

– Plus que tu ne le crois, je comptais l'épouser, papa. C'est quand je lui ai fait part de mes intentions qu'elle a mis un frein à notre relation. Parce que j'ai eu le malheur d'hésiter quand elle a exprimé le désir d'avoir des enfants. Elle aurait voulu que je saute de joie, mais à mon âge, avec déjà une petite... Je n'en veux plus, papa, et elle l'a vite senti. C'est ça qui a causé ma perte. Et elle ne s'est même pas arrêtée sur le fait qu'elle et moi, juste nous deux...

– Là, tu ne parles que pour toi, Sylvain. Tu oublies que le désir de presque toutes les femmes est d'être mère. Surtout à son âge, sans aucune attache. De plus, un divorcé de trente-cinq ans...

– Tu n'as peut-être pas tort, mais je ne peux pas concevoir que sa dite fibre maternelle soit plus forte que l'amour que j'éprouvais pour elle. D'ailleurs, elle est avec des petits tannants à longueur de journée... Elle devrait en avoir assez de ces diables d'enfants! Mais non, la fibre, le désir!

– Ce qui est normal pour elle. Si elle travaille avec de jeunes enfants, c'est qu'elle les aime, mon gars. Alors, de là à vouloir être mère, il n'y a qu'un pas. Tu vois? Le destin s'est chargé de vous épargner tous les deux. Ça n'aurait pas duré, encore une fois... Tu n'as pas...

Sylvain l'interrompit pour lui lancer:

– Comment ça encore une fois? Veux-tu dire que c'est de ma faute si Pascale m'a planté là pour reprendre sa liberté?

– Non, pas vraiment, mais avoue que vous n'étiez pas faits l'un pour l'autre. Et ça se serait reproduit avec Claire pour la même raison. Tu as le don de piger la mauvaise carte, toi.

– Bien, s'il y en a une bonne, montre-la moi, papa!

– Ça viendra, mon gars, ça viendra... Prends ton temps, ne te précipite pas. Et ne te laisse pas avoir, tu es si influençable. Tu vas finir par rencontrer une femme pour toi, une femme qui, comme toi, n'aura pas envie de fonder une famille. Mais, de grâce, monte d'une marche ou deux, choisis-les au moins de ton âge.

– Ça paraît que tu ne connais rien de la vie d'aujourd'hui, toi! Elles veulent des enfants même à quarante ans, papa! Juste avant de ne plus être capable d'en faire! Ça dure longtemps, ce chatouillement-là! Si ça continue, pour en rencontrer une qui pense comme moi, il va falloir que j'attende qu'elle soit dans sa ménopause! C'est pas des farces ce que je te conte là, au bureau il y a un type de cinquante-quatre ans remarié depuis peu, dont l'épouse attend un enfant. Une femme de quarante-trois ans! Avec un futur père en âge d'être grand-père! Ils ont même de grands enfants tous deux d'un précédent mariage. Sont-ils tombés sur la tête?

– Oui, je sais, je lis, tu sais, ce n'est plus comme dans mon temps. Nous, à cet âge-là, c'était le petit dernier qui arrivait et, la plupart du temps, par accident. Mais oublie Claire et passe à autre chose. Ne sois pas trop fragile, ne laisse pas la famille dire encore que tu es mou comme ton père.

– Mais ce n'est pas vrai, tu n'es pas mou, papa, tu ne l'as jamais été! Indulgent certes, tu fais des concessions, oui, mais tu n'es pas mou pour autant. Tout comme moi! Si tu savais comme je sais me défendre quand vient le temps. Claire en sait quelque chose! Je suis souple, obligeant, je ne ferais pas de mal à une mouche, mais ce n'est pas être mou que d'être bon...

– Désolé, mais c'est ça être mou, selon ta mère. Il aurait peut-être fallu que j'élève la voix, que je la bouscule un peu, mais tu sais, quand on sent qu'on aime de moins en moins... Si seulement j'avais eu ta chance de reprendre ma liberté, sauf qu'avec quatre enfants... Au fait, ta petite Maude, tu la vois?

– Oui, mais moins souvent qu'avant. D'ailleurs, elle se cache maintenant derrière sa mère quand elle me voit. Je n'ai pas plus de chance avec elle qu'avec les femmes, papa! Je n'ai pas le don de l'attirer à moi, cette enfant-là. Que veux-tu, je ne suis pas doué et, à bien y penser, je crois que je n'étais pas fait pour le mariage.

— Te rends-tu compte de ce que tu viens de dire? Et tu voulais te remarier pas plus tard que la semaine passée…

— Oui, je sais… Somme toute, je ne sais plus. Je la trouvais belle, je l'aimais, je voulais la garder.

— Par amour-propre mon gars, pour toi, pour ton plaisir. Sa première qualité, selon ce que tu viens d'énumérer, c'était d'être belle. Sans vouloir entrer dans ta vie privée, je pense que ta petite amie, c'était plus pour…

— Non, je l'aimais, je voulais réellement vivre avec elle.

— Tu ne parles qu'au «je», Sylvain. Égoïstement. Sans penser qu'elle avait d'autres buts dans la vie. Voilà pourquoi tu l'as perdue, mon gars.

— Peut-être… Qu'est-ce que j'en sais? Je peux me verser une autre bière, papa?

— Bien sûr, sers-toi, mais ne me dis pas «peut-être», Sylvain. C'est exactement ce qui t'est arrivé. J'en mettrais ma main au feu! Là, tu vas t'en remettre et tenter de l'oublier. C'est ce que tu as de mieux à faire. Fais-en ton deuil comme elle fera le sien de toi. Et regarde ailleurs, mon gars. Celle que tu cherches, tu vas finir par la trouver. Tu voulais mes conseils? Je viens de te les donner!

— Tu as sans doute raison, papa. Sur toute la ligne. Quant à trouver… Pas sûr, ça… dans le centre-ville. Je déteste où j'habite, c'est bruyant, c'est malsain, l'air est vicié, il n'y a rien à voir et je m'ennuie.

Le père, sucrant son café, attendri, hésita à peine:

— Ça te plairait de venir habiter avec moi? À deux, tu sais…

– Quoi? As-tu dit «habiter» avec toi, papa? Où ça? Tu n'as même pas de chambre d'invité!

– Je ne veux pas dire chez moi, Sylvain, mais si tu avais envie de retrouver ton quartier, le coin de ton enfance où tu as été si heureux…

– C'est sûr que j'ai toujours aimé Montréal-Nord. Quand j'ai quitté la maison pour me marier, j'en avais les larmes aux yeux. On pensait que je pleurais d'émotion, mais c'était plutôt le fait de quitter la maison, le quartier. J'y étais très attaché.

– Alors, pourquoi ne pas habiter ensemble, toi et moi, jusqu'à ce que tu trouves enfin la femme de ta vie? Je serais moins seul, toi aussi. Et comme je suis du genre à me mêler de mes affaires…

– Je ne te suis pas, papa. Ici, c'est trop à l'étroit…

– Non, mon garçon, pas chez moi, je te l'ai dit, ni sur la rue Garon. Je fais ma marche de santé tous les jours et je regarde. Et hier, en déambulant, j'ai vu la plus jolie petite maison qui soit sur la rue Pelletier, la rue voisine de la nôtre, tu te souviens? Juste un peu plus au sud. Elle est à vendre, Sylvain, et si tu acceptais de venir la partager avec moi, je ferais une offre d'achat dès demain.

Surpris, s'attendant à tout sauf à cela, réfléchissant quelques instants, il répondit à son père.

– Je serais le plus heureux des hommes, sauf que c'est loin de mon travail…

– Pas plus loin qu'avant. Tu l'as fait si longtemps. Puis, pense à tous les avantages. Tiens! reviens demain et on fera le tour du quartier ensemble. Tu verras la maison dont je te parle et quelques autres.

– Bien, ton idée n'est pas bête, papa! Et si ça marche, je reviens! Mon bail se termine en juillet, mais je peux sous-louer.

C'est peut-être un tel retour aux sources qui va me permettre de me reprendre en main.

– J'en suis certain! s'exclama Martial, enthousiaste à l'idée de ravoir son fils avec lui. Dans une petite maison, comme autrefois, avec la même joie au cœur.

Sylvain se leva pour prendre congé et son père lui dit:

– Dors bien, la nuit porte conseil, tu sais. Moi, je vais regarder un film avant d'aller au lit.

Juste avant de partir, l'imperméable sous le bras, jetant un coup d'œil sur la cassette que son père allait visionner, Sylvain put y lire *In Dreams*, avec Annette Bening.

Chapitre 11

Jeudi 2 mai 2002. Carole venait de rentrer au magasin où elle travaillait lorsque le gérant, l'apercevant, lui fit signe:

– Viens vite, il y a quelqu'un au bout du fil pour toi. Ça semble urgent!

Affolée, avec son sac à main encore sur l'épaule, elle s'empara de l'appareil pour entendre une voix d'homme:

– Vous êtes la fille de monsieur Martial Durelle?

– Oui, en effet. Qui parle?

– Je suis le concierge de l'immeuble où habite votre père, madame, et je veux juste vous avertir qu'il a été transporté à l'hôpital il y a à peine une heure. J'ai trouvé votre numéro dans son carnet à la page *en cas d'urgence*. Il y en avait d'autres, mais j'ai commencé par vous…

– Que lui est-il arrivé?

– Votre père s'est effondré dans le couloir de son étage ce matin. C'est le voisin en face de son appartement qui, ayant entendu du bruit, a ouvert sa porte pour le trouver par terre, inanimé. On a appelé Urgence santé et on l'a transporté à toute vitesse.

– Où? À quel hôpital?

– Bien, le plus proche, j'imagine. Je ne le sais pas, sans doute sur la rue Fleury ou celui de Saint-Michel. Il faudrait vous informer… Personne ne vous a téléphoné?

– Non, vous êtes le premier. À moins qu'ils aient réussi à rejoindre un de mes frères. Mais je vais me renseigner, je vais trouver! Merci d'avoir appelé, monsieur.

D'un coup de fil à un autre, Carole apprit d'un collègue de Sylvain qu'on l'avait rejoint et qu'il était en route pour l'hôpital, mais il ne savait trop lequel. Elle se renseigna dans l'un des hôpitaux non loin, mais il n'y avait aucun monsieur Durelle. Désespérée, elle appela Jean-Louis pour lui faire part de son inquiétude:

– Je pars! Je retourne à la maison! De là, je vais le retracer.

– Bien, puisque Sylvain est auprès de lui, ce n'est peut-être qu'une faiblesse. Ne t'alarme pas à ce point, Carole, ton frère t'appellerait si c'était grave.

– Où? Ici? Il n'a que mon numéro à la maison. Non, je vais rentrer, je veux savoir ce qui est arrivé à papa.

– Comme tu voudras, mais est-ce vraiment nécessaire?

– Quelle drôle de question! Tu voudrais que je reste ici dans l'état où je suis?

– Non, pas absolument, mais si tu pars, tu vas perdre une journée sur ta paye, Carole.

Sylvain, averti par l'hôpital où avait été conduit son père, s'y rendit en brûlant prudemment un feu rouge. Aux soins intensifs, son père reposait dans le coma et une équipe de médecins s'affairait auprès de lui. Martial Durelle avait été victime d'un accident vasculaire cérébral qui lui avait paralysé le côté gauche. Des vaisseaux avaient éclaté au cerveau, d'autres menaçaient de le faire ailleurs. Mais on l'avait amené à l'hôpital juste

à temps et, selon un spécialiste, il allait sortir de cet état d'inertie. On ne pouvait par contre rassurer Sylvain sur les séquelles
de cette grave atteinte à sa santé. Allait-il recouvrer la raison?
l'usage de la parole? Sans aucun doute, selon les médecins,
mais graduellement. On ne pouvait cependant jurer de rien,
quoique l'attaque qui paralysait le côté gauche était moins
foudroyante que celle qui affectait le côté droit. Devant son
père qui reposait dans ce lit blanc, intubé partout, même à la
vessie, Sylvain avait le cœur gros, les larmes aux yeux. Hier
encore, ils avaient visité pour la seconde fois la petite maison
de la rue Pelletier. Son père était à deux pas de l'acheter, mais
il avait d'abord exigé une inspection qui devait se faire durant
la semaine. Il revoyait le visage heureux du paternel s'exclam-
mant: «On va être bien, là, tous les deux. Tu vas voir, mon
gars, ça va être comme autrefois.» Et Sylvain avait plus que
hâte de quitter son sinistre appartement de la rue Saint-Denis
et de faire une croix sur son passé, y compris sur Claire. Était-
ce ce surplus d'émotion qui avait eu raison de la santé de son
père? Était-ce parce que son cœur battait enfin de contentement qu'il avait failli s'arrêter? Était-ce parce que le bonheur
l'avait envahi que le malheur l'avait frappé? Autant de questions auxquelles le fils ne pouvait répondre. Regardant son
père inanimé, la débâcle au cœur, les yeux encore embués, il
implora Dieu… de ne pas venir le chercher.

Malgré les recommandations de Jean-Louis, Carole avait
quitté le magasin pour sauter dans un taxi et regagner son do-
micile. De là, elle avait appelé une autre voiture pour se rendre
à l'hôpital dès que Sylvain l'eut avertie au bout du fil. Triste,
tenant la main de son père, elle avait senti une larme glisser
sur sa joue.
– Pauvre papa, lui si bon, il ne méritait pas cela…

– Personne ne mérite un tel coup bas de la vie, enchaîna Sylvain, mais il faut croire que le fait d'être heureux n'est pas toujours avantageux. Oui, pauvre lui, juste au moment où…
– Où quoi? Que veux-tu dire?
– Nous nous apprêtions à acheter une maison, lui et moi. À Montréal-Nord, Carole. À une rue de celle de notre enfance et je revenais vivre avec lui.
– Toi? Et Claire? Ton avenir…
– C'est fini, elle et moi. Je m'étais confié à papa et c'est de là qu'a surgi l'idée de nous réunir pour vivre ensemble. Comme deux abandonnés…

Carole préféra ne pas soulever la dernière remarque qui touchait également sa mère. Ils sortaient de la chambre lorsque Roger arriva, l'air ahuri, le front plissé.
– Comment est-il? Il n'est pas…
– Non, calme-toi, le rassura Sylvain. Il devrait pouvoir s'en sortir, mais on ne sait dans quel état. Les médecins sont confiants, mais…

Roger voulut entrer, aller le voir à son tour, mais une infirmière le retint, lui expliquant que le patient était sous examen. Une charmante infirmière, aux yeux noisette et aux cheveux blonds, qui avait regardé Sylvain plusieurs fois sans qu'il s'en rende compte.

Carole téléphona à sa mère en après-midi pour lui annoncer la mauvaise nouvelle et Jeanne, atterrée au bout du fil, réussit à répondre avec difficulté:
– C'est pas possible… Lui, si solide… Mon Dieu!

Comme si un couteau lui avait transpercé le cœur. Sentant que sa mère était désemparée, Carole lui proposa:
– Veux-tu qu'on aille te chercher ce soir, Jean-Louis et moi?

– Non… pas ce soir. Je me sens mal, je suis encore sous le choc. Je vais m'y rendre demain en taxi. J'espère qu'il aura repris conscience… Appelle-moi toutes les heures, Carole, donne-moi de ses nouvelles. Ton père est encore mon mari, tu sais. Seigneur! Quelle tristesse! Lui qui n'a jamais été malade… Je vais appeler Julie, il faut l'avertir, même dans son état. Je vais y aller en douceur. Elle nous en voudrait de lui cacher ce qui arrive à son père. Oh! mon Dieu! Je n'en reviens pas encore!

Carole avait raccroché et, restée seule, Jeanne devint songeuse, voire angoissée. Ils ne s'étaient jamais vraiment aimés, disaient-ils, mais en ce moment précis, devant le malheur de l'un, l'autre, consternée, sentait son cœur battre très fort. Ce cœur qu'on croyait insensible et qui, pourtant, lui montait au bord des lèvres. Fermant les yeux, s'imaginant Martial allongé sur un lit d'hôpital, encore inconscient, peut-être paralysé… Jeanne, malgré sa fierté démesurée, selon son fils Roger, se mit doucement à pleurer.

Fragile, plus porcelaine que bois de chêne, Jeanne regrettait encore plus d'avoir refusé le concert symphonique. Qui sait si ça n'avait pas été là, la dernière occasion? Elle ferma les yeux de peur que sa question s'avère une certitude. À quoi bon se frapper la poitrine… La faute avait été commise, rien ne pouvait la réparer. Elle n'avait pas à se reprocher sans cesse d'avoir écouté sa conscience. De toute façon, malgré les regrets de Julie, ce n'était qu'un concert. Une musique qu'il avait dû apprécier avec quelqu'un d'autre. Au fait, avec qui? À quoi bon… Jeanne se serait sûrement sentie plus coupable si elle avait su que les billets qu'il ne voulait partager qu'avec elle avaient été jetés à la poubelle.

Elle attendit que le soleil se couche avant d'appeler Julie à Summerside. Elle voulait être sûre que sa fille ne cherche pas dans sa détresse, à partir le soir et à rouler de nuit avec John. C'est d'ailleurs elle qui répondit lorsque le téléphone sonna:

– Maman? Quelle bonne surprise! Tu t'ennuies du coin, n'est-ce pas?

– Oui, peut-être... John est avec toi?

– Juste à côté, il regarde un bulletin de nouvelles à la télé, il ne me quitte pas d'un pouce depuis que mon ventre grossit.

– Ça va bien? Pas trop de difficulté avec ta grossesse?

– Aucune! On croirait presque j'en suis à mon dixième enfant! Même ma belle-mère n'en revient pas! Elle se rapproche, tu sais...

– Tant mieux, c'est là son rôle, mais là n'est pas le but de mon appel, Julie. Je... je veux te dire que ton père est à l'hôpital.

– Quoi? Papa? Que lui est-il arrivé? Pas une collision...

– Non, ton père a été victime d'un accident vasculaire cérébral. Il n'a pas encore repris conscience. Il risque même de rester paralysé...

Au bout du fil, pas un mot, que des soupirs et des sanglots.

– Écoute, Julie, garde ton calme, surtout dans ton état. Les médecins sont confiants, selon Carole. Il va s'en sortir...

– Tu l'as vu?

– Non, pas encore, j'irai demain. J'aimerais tant qu'il sorte de son état comateux... Sylvain ne le quitte pas, Roger et Line seront là dès le matin.

– J'arrive, maman! Je vais prendre le premier avion et venir me joindre aux autres! Je veux le voir, être près de lui. Attends juste un instant...

Jeanne put entendre sa fille s'entretenir avec John, lui faire part de l'état de santé de son père entre deux hoquets, et ce dernier lui répondre en anglais des mots qu'elle ne distinguait pas. Reprenant le récepteur, Julie dit à sa mère:

– Nous serons là en fin de journée demain, maman. John va m'accompagner. Nous aurons des billets d'avion de dernière minute, ne t'en fais pas.

– Tu es certaine d'être capable de te déplacer dans ton état? Tu ne préférerais pas attendre que ton père prenne du mieux, qu'il puisse...

– Non, maman, je ne peux pas attendre. Plus la grossesse avance, plus c'est risqué, un voyage. Et je veux le voir. S'il fallait... Je me le reprocherais toute ma vie.

– Bon, comme tu voudras, mais où allez-vous habiter?

– À l'hôtel, voyons! Ne t'en fais pas pour nous et si papa reprend conscience, dis-lui que je serai auprès de lui le plus rapidement possible.

– Entendu, mais ne t'énerve pas trop, ma fille. Dans ton état...

– Non, ça va aller et John est là. Je te laisse maintenant, je suis encore sous le choc. Bonne nuit, maman, murmura Julie en sanglotant.

Au cours de la nuit, sous observation, Martial Durelle avait lentement repris conscience. L'infirmière de garde avait aussitôt prévenu le médecin qui était venu constater l'état du patient. Regardant partout, se demandant sans doute où il était, le pauvre homme se calma lorsque le médecin, lui tâtant le pouls, le rassura:

– Vous êtes hors de danger, monsieur Durelle.

Sylvain, qui était allé se chercher un café dans le distributeur, fut surpris de voir l'infirmière lui interdire l'accès à la chambre.

– Votre père a repris conscience. Le médecin est avec lui.

– Comment est-il? A-t-il toute sa connaissance?

– Selon les premiers examens, oui, mais le médecin vous renseignera.

Sylvain attendit patiemment que le spécialiste sorte de la chambre pour apprendre que son père semblait avoir recouvré ses facultés, qu'il comprenait ce qu'on lui disait, mais qu'il répondait aux questions par des signes de tête affirmatifs ou négatifs. Paralysé du côté gauche, sa bouche était croche et il ne parvenait pas encore à articuler.

– Ça risque d'être long, ce qui vous attend, expliqua le médecin. Il faudra le ménager, ne pas trop le forcer à parler ni à tout saisir, car il y a toujours un danger que d'autres vaisseaux éclatent.

Un tantinet rassuré, Sylvain entra dans la chambre et son père, l'apercevant, eut une espèce de sourire. S'approchant du lit et lui prenant la main droite en lui disant: «ça va aller, papa», il sentit que son père pressait sa main dans la sienne. Et, le regardant dans les yeux, Sylvain distingua une lueur d'espoir dans le regard de celui qui lui faisait signe qu'il avait compris.

Dès les premières heures du jour suivant, Roger arriva avec Line, et Sylvain les rassura sur l'état du paternel.

– Il dort en ce moment. On lui a administré un calmant.

– Est-ce qu'il t'a parlé? A-t-il perdu ses fonctions motrices?

– Il ne parle pas, il a la bouche de travers, mais il comprend ce qu'on lui dit. Il est paralysé du côté gauche, mais il m'a reconnu. Il m'a même serré la main dans la sienne en me souriant, ce qui est bon signe.

– Tu as passé la nuit ici? Tu dois être épuisé? lui demanda Line.

– Non, ça va, j'ai dormi quelques heures dans le fauteuil à côté de son lit et, comme j'ai pris congé, je vais rester et tenter d'en savoir davantage sur les dangers à redouter. Remarque qu'ils préviennent l'éclatement d'autres vaisseaux par des anticoagulants, m'a-t-on dit.

– On peut le voir?

– Oui, mais il dort. Entrez, jetez tout de même un coup d'œil.

Roger et son épouse entrèrent et, à pas feutrés, s'approchèrent du lit où reposait le patient. Il dormait, la tête bien droite sur l'oreiller, une main sur sa poitrine, l'autre, paralysée, dissimulée sous les couvertures. Ils ne restèrent que quelques instants près de son lit et, revenu dans le couloir, Roger dit à son frère:

– Il n'a pas l'air trop mal en point. Solide, le père! J'ai bien l'impression qu'il va s'en sortir. Comme tu restes à ses côtés, moi, je vais aller enseigner, les élèves ont un examen en matinée. Mais je reviendrai le voir en fin d'après-midi.

– D'accord, mais j'aime mieux te prévenir, maman sera là.

– Et puis après? Crois-tu que dans de telles circonstances, elle va me tenir tête? Non, il y a de ces moments dans la vie…

Line embrassa son beau-frère et partit avec Roger qui se mit à bougonner dans l'ascenseur:

– Fichue maladie! Lui qui n'a jamais fait de mal à personne! Terrassé de la sorte! Ah! je te dis que devant des injustices pareilles, mes croyances…

– Parle pas comme ça, Roger! Tout le monde a ses épreuves!

– Non, pas tout le monde! Le pire, c'est qu'il y a des *bums*, des voleurs, des violeurs, des drogués, des parias de la société qui sont en bonne santé! Il y a aussi tous ces ivrognes qui boivent à longueur de journée, qui fument comme des cheminées et qui n'ont rien! Tandis que lui, bon père, honnête, surveillant son alimentation… Des fois, le Tout-Puissant…

– Arrête, ça va faire, chacun a ses malheurs! Toi et tes révoltes… Sale caractère! lui lança sa femme en soupirant.

Carole aurait voulu se rendre au chevet de son père, dégager un peu Sylvain de ses longues heures de garde, mais Jean-Louis l'avait regardée de travers. Sans mot dire, mais elle avait compris qu'il redoutait les conséquences de deux journées de travail perdues. Parce que, pour lui, chaque sou comptait. Et comme il avait maugréé sur l'argent perdu la journée de la veille, en plus des taxis qui avaient coûté cher, elle s'était contentée d'appeler Sylvain pour prendre des nouvelles de son père. Ce dernier, comprenant la situation sans qu'elle ait à la lui expliquer, la rassura tout en la priant de transmettre ces bonnes nouvelles... à son mari! Mais, ce que Carole n'avait osé dire à son frère, c'est que le matin même, ayant appris que le beau-père s'apprêtait à acheter une maison avec Sylvain, Jean-Louis avait sursauté pour ensuite s'écrier:

– Finalement, ce qui arrive à ton père, c'est un mal pour un bien! Ton frère l'aurait lavé de tout son argent avec cette maison et toi, tu venais de perdre ton héritage, ma femme!

En après-midi, alors qu'il était seul au chevet de son père, Sylvain vit sa mère longer le couloir et se diriger jusqu'à lui. Coquette, même dans les moments les plus dramatiques, Jeanne avait revêtu un joli tailleur noir avec un blouson de soie rouge. Bien coiffée, maquillée, rubis entourés de diamants aux lobes d'oreilles, elle avait sauté dans un taxi pour se rendre à l'hôpital. Plus tôt dans la matinée, elle avait parlé à Antoine de l'état de son mari et ce dernier, compatissant, s'était offert de l'accompagner. Elle avait sursauté:

– Voyons! C'est une histoire de famille!

Antoine eut beau lui expliquer qu'il ne l'aurait que déposée à la porte pour ensuite revenir la reprendre, une fois la visite terminée, elle avait rétorqué:

– Non, je préfère m'y rendre seule! Et pour le retour, il y a mes enfants! Sur un ton qui avait laissé son bien-aimé perplexe.

Se levant pour accueillir sa mère, Sylvain l'embrassa et lui fit part du dernier rapport médical concernant le malade. Très attentive, elle lui demanda s'il dormait et, lorsqu'il acquiesça, elle se dirigea vers la petite chambre. Comme Sylvain la suivait, elle se retourna:

– Non, laisse-moi seule avec lui, je serai plus à l'aise.

Il comprit, reprit son fauteuil et Jeanne, tout doucement, ferma la porte derrière elle. Martial dormait. Paisiblement. Les traits réguliers, pas défaits, à première vue. Aussi beau qu'au mariage de Julie. S'approchant du lit, elle tira le fauteuil, et le bruit du métal sur le plancher fit que Martial ouvrit les yeux et regarda autour de lui. Apercevant Jeanne à deux pas, il fit l'effort de lui sourire. Émue, se rendant compte que sa bouche s'était arquée, elle sentit une boule lui étrangler la gorge et, sans s'en rendre compte, elle s'empara de la main droite de son mari et la retint dans la sienne.

– Comment vas-tu? Tu nous as fait peur, tu sais… C'est vrai, tu ne peux pas parler, mais je crois que tu m'entends, que tu saisis ce que je dis. Est-ce exact?

Il ferma les yeux, hocha affirmativement la tête, et elle reprit:

– On s'était toujours demandé lequel des deux tomberait malade en premier. Tu te rappelles? On en parlait encore à French River.

À l'évocation de ce nom, elle sentit que Martial pressait sa main dans la sienne, ce qui la fit tressaillir légèrement. Puis, voyant une ou deux larmes s'échapper de ses yeux humides, elle ne put contenir son émotion et lui murmura:

– Ne me mets pas à l'envers, Martial, j'ai déjà si mal de te voir ainsi. Et ne pleure pas, tu vas t'en sortir…

Elle le vit hocher la tête de droite à gauche et, la regardant de nouveau, il soupira longuement et parvint à lui murmurer:

– T… toi…

– Quoi, moi? Tu vois? Tu parles! Qu'est-ce que tu cherches à me dire?

Il serra encore plus fort sa main dans la sienne et, regardant le crucifix, il esquissa un sourire empreint de joie et de tristesse et parvint à marmonner dans un dur effort:

– T… toi… l… là.

– Oui, je suis là. C'est ce que tu veux dire? Et tu es heureux que je sois là, Martial? Aurais-tu préféré…

Il lui serra la main si fort qu'elle comprit qu'il était heureux, apaisé de la sentir tout près. Et ce, malgré tout le dévouement de ses enfants. Car, après une longue vie à deux, quand on passe à un pas de le perdre, c'est l'être cher qu'on veut à ses côtés. Ébranlée, libérée de sa fierté, Jeanne lui murmura à l'oreille:

– Tu sais, je pense que ce n'est pas vrai qu'on ne s'est jamais aimés ou presque… Je te regarde, tu pleures, moi aussi, il y avait sûrement quelque chose de fort entre nous.

Il délaissa sa main et, les yeux embués de larmes, il glissa ses doigts sur l'avant-bras de sa femme, dans un élan de tendresse. Délicatement, comme si sa peau était de velours. Réalisant par ce geste qu'il l'avait aimée, qu'il y avait certes eu quelque chose d'inexplicable entre eux et qu'il l'aimait sans doute encore, Jeanne lui épongea le front d'un papier-mouchoir avant de lui cajoler la joue de la paume de la main.

– Tu es fort, tu vas voir… Tu vas guérir, Martial, je vais t'aider, je ne te laisserai pas t'en sortir tout seul. Je vais t'emmener vivre avec moi s'il le faut, je prendrai soin de toi…

Il la regardait, emporté, ému, et tentait en vain de sortir sa main gauche de sous le drap. Puis, il y parvint en la soulevant de sa main droite et la laissa choir sur le matelas. Jeanne, ayant surveillé l'effort et sursautant au bruit de la main inerte sur le drap, sentit ses yeux s'humecter. Martial, attristé, soupirant comme pour s'excuser de la faire pleurer, lui glissa l'index de la main droite sur la paupière, dans le but d'empêcher une larme de tomber. Ébranlée, fortement perturbée par toutes ces émotions soudaines, Jeanne se leva et lui dit en reculant de quelques pas:

– Il faut que je parte, tu ne dois pas te fatiguer. J'ai mal aussi, Martial, mon cœur m'en avertit. Mais sois sans crainte, je reviendrai. Je serai là souvent, tu ne seras plus seul…

Elle s'éloignait et lui, des yeux et de la main, l'implorait de rester. Troublée, remuée jusqu'au plus profond d'elle-même, elle parvint à lui murmurer avant de baisser les yeux pour ne plus voir cette main tendue vers elle:

– Sois raisonnable, repose-toi, je serai à quelques pas. Dors un peu…

Puis, ouvrant la porte, elle sortit de la chambre sans se retourner.

Sylvain, l'apercevant, la sentant chavirée, se leva:

– Je savais, maman, qu'il en serait ainsi. C'est toute une vie…

Elle se jeta dans ses bras et, anéantie, laissa couler toutes les larmes qu'elle avait retenues. Sylvain, soulagé de sentir enfin sa mère si fragile sur son cœur, se confia:

– Tu sais, nous avions trouvé une petite maison, papa et moi. Sur la rue Pelletier, maman! Nous allions l'habiter ensemble, lui et moi. Nous étions à deux jours de signer les papiers!

– Et tu ne m'en avais pas encore parlé… Et Claire, elle?

– C'est fini entre nous, ça n'a pas duré, qu'importe… Et si je ne t'avais pas encore parlé de la maison, c'est que je voulais t'en réserver la surprise. Mais après l'achat seulement. D'ailleurs, nous n'en avions parlé à personne encore. Papa était si content de me ravoir avec lui, de retrouver un joli cottage comme autrefois, un jardin…

– C'est sans doute ce qui lui a causé de l'anxiété… Ton père est un sentimental, Sylvain. Et un redoutable nostalgique. N'en fais rien, annule tout! Quand il se remettra de cette brusque attaque, je vais l'emmener vivre avec moi. Pour tout le temps qu'il faudra pour sa convalescence. Après, on verra… Mais éloigne-le de sa mélancolie. Ne lui parle plus de cet achat, dis-lui que la maison avait des failles, que vous en trouverez une autre plus tard. Il ne faut plus qu'il vive dans ses souvenirs, c'est ça qui le mine, qui le tue.

– Ne crains rien, maman, j'ai déjà tout annulé. L'agent avait un autre acheteur et moi, je resterai où je suis. Pas loin de mon travail…

– Tu traverses un dur moment, toi aussi, n'est-ce pas?

– Je le croyais, mais après avoir vu papa se battre pour sa vie, j'ai compris qu'une peine d'amour, c'était minime. Non, le mauvais moment est passé, maman. Papa m'en a sereinement délivré, puis guéri.

– T'ai-je dit que Julie allait arriver ce soir avec John?

– Vraiment? Voilà qui va faire grand bien à papa. Ça va lui remonter le moral de la voir à côté de son lit. Tu sais, sa chouette…

– Oui, je sais, et si un sourire de Julie lui redonnait la santé… Tiens! Va voir s'il dort. Jette un coup d'œil discret.

Sylvain s'exécuta et lui fit un signe affirmatif de la tête.

– Alors, viens, allons prendre une bouchée et un café avant que les autres arrivent. C'est au premier étage, n'est-ce pas?

– Oui et ce sera tranquille. À cette heure-ci, la cafétéria est presque vide.

314

Après avoir offert son bras à sa mère, ils longèrent le couloir et, juste en tournant, ils arrivèrent face à face avec l'aimable infirmière de la veille. Apercevant Sylvain, elle lui sourit et il lui présenta sa mère. Francine, c'était son prénom, les avisa qu'elle allait reprendre son service et qu'elle veillerait sur le malade. Sylvain la remercia et, regardant sa mère, lui dit:
– Quelle femme charmante… Et jolie, tu ne trouves pas?

Il était dix-sept heures lorsque Jeanne et Sylvain remontèrent pour s'enquérir de l'état du patient. L'infirmière les avisa qu'il était stable et qu'un autre de ses fils était avec lui. Ils attendirent quelques minutes et Roger sortit de la chambre. Surpris de se retrouver face à face avec sa mère, il leur dit que le père semblait prendre du mieux, mais qu'il se fatiguait très vite. Puis, insistant pour que Sylvain aille dormir un peu, il réussit à le convaincre, l'assurant qu'il allait rester au chevet du paternel avec sa mère. Sylvain accepta donc d'aller se reposer à son appartement et non au condo de son père. Il avait besoin de retrouver un lieu familier, sa chambre, son havre de paix. Il avait dit à Roger qu'il reviendrait le lendemain, sachant que Carole, Jean-Louis, Julie et John seraient également là pour la soirée. Il embrassa sa mère et partit se détendre chez lui, en pleine heure de pointe.

Resté seul avec sa mère, Roger ne savait quoi lui dire ni comment engager la conversation, et c'est elle qui rompit le silence:
– Qui aurait pu prédire? Ton père était fort comme un bœuf. De plus, avec la vie paisible qu'il menait…
– Ah! tu sais, parfois, c'est dans le trop grand calme que tout se détériore. Peut-être souffrait-il de solitude?
– Non, Roger, et nous n'allons pas recommencer à nous obstiner. Pas dans un moment pareil!

– Telle n'était pas mon idée, maman, tu n'étais pas en cause. Je m'exprime parfois si mal… Mais je ne comprends pas…

– C'était sans doute dans ses gènes. Son grand-père a fait une thrombose. Et pour ce qui est de la solitude, tel n'était pas son cas, il s'apprêtait à acheter une maison avec Sylvain. Pour vivre ensemble tous les deux.

– Oui, j'en ai eu écho, Sylvain en a glissé quelques mots à Line ce matin. Mais j'avoue être surpris de te retrouver ici si rapidement, maman. Vous étiez séparés, tu étais en train de refaire ta vie.

– Comme tu peux être bête, toi! Comme si ton père n'était pas encore mon mari! Nous n'étions que séparés de corps, pas de cœur.

– Mais tu disais… Vous disiez ne vous être jamais ou si peu aimés.

– Je l'ai cru, lui aussi, mais qui sait si c'était vraiment le cas? Nos retrouvailles ont été émouvantes. Il a pressé ma main dans la sienne, il m'a effleuré la joue…

Jeanne, ne pouvant retenir ses sanglots, éclata, et Roger, peu habile dans les attendrissements soudains, se contenta de la regarder.

– Tu n'as pas à entrer dans les détails si ça t'affecte, maman. Je te posais des questions d'ordre familial. On ne sait plus à quoi s'en tenir, nous.

– Alors, une fois pour toutes, je vais te délivrer de tes tourments, mon garçon. Ensuite, tu feras ce que tu voudras de ces aveux, parce que je ne les répéterai à personne d'autre. Écoute-moi bien et ne m'interromps surtout pas, tu me ferais perdre le fil.

Roger croisa les bras, regarda le sol, et sa mère amorça:

– Tu sais, ton père et moi avons éprouvé des sentiments l'un pour l'autre. Ce n'est pas tout à fait vrai qu'on s'est mariés sans amour. Lui m'aimait sans doute plus que je l'aimais,

mais je n'étais pas indifférente. Ton père était bel homme et il avait un cœur d'or. Trop, peut-être. Trop pour la femme altière que j'étais. Je ne t'apprendrai rien en te disant que j'ai toujours été dépendante, que j'ai peine à fonctionner seule, mais il en faisait trop pour me choyer au début de notre mariage et ça m'a dérangée. Dépendante et bataillant contre ma nature pour ne plus l'être, je tentais quand même de faire montre d'une certaine indépendance. Malgré tous mes efforts, je n'y arrivais pas et c'est mon orgueil et ma fierté qui m'ont fait peu à peu décrocher. Je reprochais à ton père d'avoir fait de moi une mère de famille, une femme de ménage, malgré le fait que c'est moi qui désirais quatre ou cinq enfants. J'en voulais plusieurs dans le but de pouvoir le mettre à ma main et d'en faire ce que je voulais. Parce que ça me torturait de le voir manipuler si bien sa vie alors que la mienne dépendait de lui. En l'ayant sous ma poigne à cause de la marmaille et en le rendant peu à peu moins sûr de lui, ça s'est retourné contre moi, il s'est graduellement éloigné sans protester. Finies les gentillesses de sa part et les petites surprises occasionnelles. Fini aussi ou presque le lien conjugal que je n'alimentais plus… Tu comprends? Et c'est là que j'ai senti qu'il avait décidé de m'endurer. Pour vous autres! Tout doucement, nous nous sommes éloignés l'un de l'autre, mais je n'ai jamais su s'il avait, oui ou non, cessé de m'aimer. Parce que dans notre temps, Roger, c'était pour le meilleur et pour le pire. En silence. Surtout avec quatre petites bouches à nourrir…

— Je m'excuse de t'interrompre, maman, mais à part le fait qu'il composait mieux avec sa vie que toi, qu'avais-tu d'autre à lui reprocher?

— Peut-être le fait qu'il ne me tenait pas tête? Tu sais, j'ai toujours eu un penchant pour les bonnes discussions et ton père se taisait. C'est pourquoi je le traitais de mou alors qu'on

pourrait dire qu'il était plutôt souple et subtil. Je lui reprochais, intérieurement, d'avoir un meilleur caractère que moi.
Et puis, je me suis sentie peu à peu frustrée de n'être qu'une
«ménagère» comme ma mère l'avait été. Je le tenais responsable du fait que je n'étais plus sur le marché du travail, que je
dépendais de sa paye chaque semaine, que je n'arrivais pas à
m'épanouir. Je lui mettais tout ça sur le dos. Pourtant, je n'avais
pas envie d'entreprendre quoi que ce soit, je m'en sentais incapable. Je n'ai même jamais voulu apprendre à conduire la
voiture, il le faisait si bien... Tu vois? Je n'étais pas heureuse
et je ne savais pas comment l'être. Aucun indice, aucune idée...
C'est alors que ton père est devenu mon souffre-douleur. Par
dépit. Et c'est à partir de ce jour qu'il a jeté son dévolu sur
Julie, sa chouette, la petite dernière, pour déverser sur elle son
trop plein d'affection dont je ne voulais plus. Même là, j'étais
perdante. Il n'était pas normal de vivre ensemble, encore si
jeunes, sans échanges. Et c'est moi qui étais responsable de
l'éloignement, de ce manque qui me déchirait peu à peu...
Remarque que ton père a aussi eu ses torts. Son plus grand
tort a été d'être trop tolérant, trop faible. Si seulement il
m'avait engueulée, mis cartes sur table au lieu de se tasser
et de toujours plier. Il aurait pu me rappeler à l'ordre et me
vaincre facilement. S'il avait été plus fort, plus tenace, je pense
que mon cœur se serait remis à battre. J'avais besoin qu'on me
remette à ma place. Dépendante, j'avais aussi besoin d'être
dominée. À quoi bon gagner la manche si j'étais incapable
d'utiliser mon emprise sur lui à bon escient? Je suis devenue frustrée, plus désagréable et, avec le temps, j'ai déposé les armes
en me disant que j'allais mourir d'ennui avec lui... J'avais besoin d'être brassée, j'avais besoin aussi d'être comprise. Mais
non, que le silence et le mutisme. C'est ce qui nous a perdus
tous les deux. Ton père ne s'est pas défendu, il a évité tout

affrontement, et quand j'ai commencé à dire que nous ne nous étions jamais aimés ou presque, il a emboîté le pas. Il a préféré dire «nous», comme je le disais, plutôt que d'admettre qu'il avait tout fait pour être heureux avec moi. À partir de là, Roger, les longues années ont défilé à se regarder sans plus avoir rien à se dire. Que le compagnonnage, jusqu'à ce que, mission accomplie, nous en arrivions à l'âge de faire chacun notre vie. Notre erreur de parcours, la mienne surtout, a été de ne pas insister pour qu'on s'asseoit en cours de route et dialoguer comme le font les couples d'aujourd'hui. Nous avons perdu les plus belles années de notre vie à nous endurer alors que nous aurions pu remédier à la situation. Au bout du rouleau, réduits à se regarder l'un l'autre, à voyager ensemble sans se parler ou presque, c'était insoutenable. C'est donc moi qui ai abordé l'idée de la séparation. Une idée qu'il a vite endossée, trop épuisé pour la combattre. D'ailleurs, il me l'a avoué par la suite, il y avait déjà songé… Mais il a été défaitiste au point d'admettre que c'était là «notre décision» alors que c'était moi, moi seule, qui en étais l'instigatrice. J'étais trop fière pour te dire que tu avais raison, Roger, mais il est vrai que, par devoir, par gratitude d'avoir élevé les enfants et parce qu'il savait que je dépendais encore de lui, ton père ne m'aurait jamais laissée. Et mon idée l'a surpris jusqu'à ce que je lui parle de Dolorès… Il venait de comprendre que j'allais désormais dépendre de quelqu'un d'autre. Mais au point où nous en étions, c'est vrai que nous nous préparions à mourir d'ennui. Le mal était fait, vois-tu? Le temps nous avait eus à l'usure. Nous nous sommes quittés pour ensuite nous ennuyer de nos silences. Sans se l'avouer. Moi, à cause de ma fierté, lui de sa retenue. Je m'en suis rendu compte en lui prenant la main tout à l'heure…

Jeanne se remit à pleurer et Roger, désarçonné, murmura:

– Tu n'as pas à poursuivre, j'ai tout compris, j'ai…

319

– Non, tu n'as pas tout compris et je n'ai pas fini, Roger. Je l'ai quitté même s'il prétend que nous nous sommes quittés. Ça s'est fait de bon gré, bien sûr, mais je n'en pouvais plus… De quoi? Je ne le sais pas. Je crois que c'était par lassitude. Je ne sais trop. Je voulais constater si j'étais en mesure d'assumer ma propre vie. Sans lui. Je l'ai fait, mais avec le secours de ma sœur et, après sa mort, avec l'aide de Julie. Donc, je n'ai pas réussi. Je me suis dégagée de lui pour ensuite m'accrocher à d'autres bouées. Après le départ de Julie, craintive, moi qu'on voyait comme une femme accomplie, j'ai encore eu besoin d'appui. Antoine Rochet s'est pointé, j'ai hésité et j'ai fini par l'accepter. Pas par amour, par insécurité, Roger! Parce que, aussi aimable soit-il, je ne ressens rien pour lui. Rien d'autre qu'un peu d'amitié. Et je me sens malhonnête de le laisser espérer, sachant fort bien que nous n'irons pas plus loin ensemble. Ah! Je n'ai vraiment pas d'allure! Égoïste, centrée sur moi-même, on serait porté à croire que je ne me soucie guère de la peine que je peux causer aux autres. Et pourtant… Je suis à plaindre, tu sais! Quel mauvais souvenir je laisserai aux hommes qui ont croisé ma destinée. Même à toi, Roger!

– Voyons, maman, tu es ma mère, pas une étrangère.

– Oui, je suis ta mère, mais quelle distance entre nous. C'est curieux, nous avons pourtant le même caractère! On devrait bien s'entendre, non? C'est plutôt avec Sylvain, semblable à ton père, que je devrais avoir des différends. Mais non, c'est avec toi! Parce que ça me choque de te voir avec le même tempérament que moi! Fais attention à Line, mon fils, elle est bonasse, elle aussi…

– Oui, trop parfois, mais remarque qu'elle ne se laisse pas faire pour autant. Elle s'affirme de plus en plus avec moi. Quand je m'emporte contre les enfants, tu devrais la voir réagir. Elle va me casser, elle, ce que papa n'a pas réussi à faire avec toi. Autres temps, autres mœurs, les femmes et les hommes d'aujourd'hui ne se laissent plus manipuler. On a appris de vos erreurs, maman! On vous a regardé vivre, tu sais! On se parle, on dialogue, on ne baisse plus les yeux devant l'autre. Ce qui fait qu'on ne mourra pas d'ennui ensemble si on atteint votre âge.

– Oui, je le vois, je le sens... Quoique trop de jeunes couples ne s'accordent pas de chance. Regarde tous ces enfants de parents divorcés... Mais là, on s'éloigne, Roger, revenons à nous, à notre famille. La maladie de ton père me fait durement réfléchir. Non pas que je me sente coupable, c'est la paix environnante qui l'attendait avec Sylvain. Mais s'il se rétablit, je veux l'accueillir chez moi. Je veux qu'il vienne vivre avec moi pour en prendre soin.

– Pourquoi? Tu viens de me dire qu'aucune culpabilité...

– Et je maintiens ce que j'ai dit. Je veux en prendre soin parce que j'ai senti qu'il le désirait. Il me suppliait presque des yeux. Il ne voulait plus que je parte. J'ai baissé la tête pour ne plus voir cette main tendue vers moi...

Jeanne se remit à sangloter et, s'essuyant les paupières d'un mouchoir rose, elle ajouta:

– Et parce que j'ai senti beaucoup d'amour dans son regard.

Roger, ne pouvant se contenir plus longtemps, lui demanda:

– Et toi, maman. Tu l'aimes encore?

Bouche bée, puis refoulant sa fierté, Jeanne répondit à son fils aîné devant lequel elle ne s'était jamais inclinée:

– Je l'ai toujours aimé.

Julie et John avaient fait un bon voyage et le vol n'avait en rien affecté l'état de la future maman. Sans plus attendre, ils s'étaient fait conduire au Ritz Carlton où John avait réservé une suite pour que sa *Honey* soit traitée comme une reine. Rien de trop beau ni de trop cher pour celle qui avait changé sa vie. Au grand désespoir de sa belle-mère, madame Miller, qui trouvait que son fils dépensait trop pour celle... qui ne refusait rien de ses largesses! Ils s'installèrent en vitesse à l'hôtel et à peine rafraîchis, sautèrent dans un taxi pour se rendre à l'hôpital où monsieur Durelle reposait. Roger était reparti, Sylvain ne reviendrait que le lendemain. Il n'y avait donc, dans les fauteuils du parloir, que Jeanne, Carole et Jean-Louis. Ce qui donna l'occasion à John de rencontrer sa belle-sœur et son beau-frère avec lesquels il s'entretint gentiment. Carole le trouva très séduisant, lui la sentit sympathique, et Jean-Louis fut content de faire enfin sa connaissance sans avoir un sou à dépenser.

Monsieur Durelle dormait, on lui avait administré un calmant vu son état agité par un trop-plein d'émotions dans la même journée. Francine, l'infirmière de garde qui avait prolongé son quart, accueillit Julie avec chaleur et la dirigea jusqu'à la chambre de son père, lui demandant d'attendre à l'extérieur, au cas où le patient sommeillerait encore. Mais monsieur Durelle, qui avait sans doute combattu le sédatif, avait les yeux ouverts. L'infirmière lui offrit un sourire, il le lui rendit avec peine et, s'approchant de lui, elle lui murmura:

– Vous avez de la belle visite, monsieur Durelle.

Elle sortit faire signe à Julie d'entrer, mais seule. La consigne était de n'accepter qu'un visiteur à la fois pour la soirée, car le patient montrait des signes de faiblesse selon les derniers examens des médecins. Julie poussa la porte et, l'apercevant, c'est tout juste si son père ne tenta pas de faire un bond pour s'asseoir dans son lit. Oubliant, hélas, sa paralysie. S'en rendant compte, il grimaça d'impatience mais, retrouvant vite son sourire, il tendit une main tremblante en direction de sa fille en prononçant avec difficulté, la bouche de travers:

– M... ma... ma ch... chouette.

Sa stupéfaction fut telle que Julie ne put retenir quelques larmes. S'approchant du lit, elle prit sa main dans la sienne:

— Je suis venue aussi vite que j'ai pu. Pauvre papa! Si tu savais comme ça me fait de la peine. Tu ne méritais pas ça. Pas toi…

Il lui avait mis l'index sur la bouche pour qu'elle n'ajoute rien et, la regardant de la tête aux pieds, le ventre en boule, les joues plus rondes, on pouvait discerner dans son regard, son admiration pour sa petite dernière qui allait être mère. Il l'interrogeait des yeux, désignait la porte de sa main, haussait le sourcil…

— Oui, John est avec moi. Il viendra te voir tantôt. Un visiteur à la fois ce soir. Maman est là aussi, Carole, Jean-Louis… Sylvain va revenir demain.

Julie avait remarqué que son père avait laissé échapper un soupir de soulagement quand elle avait mentionné: «Maman est là aussi.» Comme s'il avait été rassuré. Comme si, sans Jeanne, il se sentait abandonné. Étonnée mais ravie, Julie s'employa dès lors à l'encourager:

— Ne t'en fais pas, tout va bien aller. Tu vas t'en remettre, papa, tu as le cœur solide. Et puis, après, quand viendra la convalescence, je t'emmènerai à Summerside pour l'été. L'air frais de l'océan, la brise du soir, le merveilleux soleil du matin… Toute cette magie va te remettre sur pied.

Il hochait négativement la tête comme si sa fille mettait trop d'emphase dans ses propos. Cloué au lit, Martial Durelle savait qu'il n'était pas aussi solide que sa fille le croyait. Lui serrant la main dans la sienne, il s'en délivra pour glisser ses doigts sur le sautoir de perles qu'elle arborait. Martial avait toujours aimé les perles. Il en avait achetées plus souvent qu'à son tour pour Jeanne et ses filles. Il les trouvait douces au toucher. Il avait dit un jour à Carole, alors qu'elle ouvrait un petit écrin qu'il venait de lui offrir: «Effleure-les, palpe-les, ce n'est pas pour rien qu'on dit que ce sont des perles de satin.» Et là, voyant la mine épanouie de Julie, il était heureux et soulagé. Parce qu'il se souvenait encore des durs moments qu'elle avait passés à Providence avec Warren. Ce faux jeton qui avait osé rejeter sa chouette pour... un homme!

– C'est arrivé sournoisement, cette attaque? Tu t'en souviens, papa?

De la tête, avec effort, il fit signe que non.

– Tu n'avais ressenti aucun malaise avant ce jour?

Épuisé, il parvint à lui faire signe que non. Constatant qu'il était à bout de force, elle préféra s'esquiver:

– John peut-il venir te serrer la main, papa?

Il échappa un soupir et lui fit comprendre par signes qu'il préférerait le voir le lendemain. Acquiesçant à son désir, elle ajouta:

– Carole et Jean-Louis sont là...

Martial ferma les yeux, fit non de la tête et indiqua le corridor du doigt:

– Si je comprends bien, tu préfères te reposer, tu as trop fait d'efforts?

Il fit signe que non et comme il insista de son doigt pointé vers le couloir, elle lui demanda:

– Qui veux-tu ? L'infirmière? Maman?

Au nom de «maman», Martial laissa sortir une espèce de râle. Enfin, sa chouette avait compris. C'était Jeanne que Martial voulait auprès de lui. L'embrassant sur le front, Julie lui promit de revenir le voir dès le lendemain, puis, alors qu'elle se dirigeait vers la porte en lui souriant, il eut la force de lui souffler un baiser de la main. Dans le couloir, face à tous qui s'interrogeaient, elle sourit, essuya une larme et dit:

– Maman, c'est toi qu'il veut voir.

Jeanne allait entrer lorsque l'infirmière qui était allée véri-
fier l'état de son patient, lui dit:

– Si ce n'est pas trop vous demander, madame Durelle, ne
restez pas trop longtemps auprès de lui, votre mari est exté-
nué. Il a réellement fait trop d'efforts et comme il a combattu
le sédatif qui l'aurait détendu… De plus, toutes ces émotions
l'ont passablement chaviré.

Madame Durelle promit, alors que l'infirmière disait aux
autres:

– Je suis désolée, mais ce sera sa dernière visite ce soir.
Monsieur Durelle a abusé de ses forces et il aura besoin d'une
longue nuit de sommeil. Il n'est que dans un état stable, sous
observation. Il n'est pas encore en voie de guérison.

Carole et Jean-Louis se regardèrent et ce dernier, frisant
l'insolence, dit à sa femme:

– Dire que nous avons consommé je ne sais combien d'essence pour venir le voir! Demain, tu reviendras seule en autobus, moi, j'attendrai qu'il soit sur pied. De toute façon, je ne
suis que son gendre!

Renversée, Julie lui répondit sans se soucier de sa sœur:

– Voyons, Jean-Louis! Ce ne sont pas ses ordres, mais ceux
des médecins! Pourquoi cette attitude? John non plus n'a pas
pu le voir…

– Ton mari, c'est le petit nouveau, ça se comprend, mais
moi, après tout ce que j'ai fait pour lui!

– Ah! oui? Quoi donc?

– Je l'ai reçu, nourri, véhiculé…

L'interrompant, Julie faillit éclater de rire et, regardant sa
sœur en souriant, elle lui dit:

– Ton mari a raison, Carole. Mieux vaut que tu reviennes
seule. Après tout, pour papa, un gendre… Et ça va lui faire
ménager de l'essence.

Jean-Louis, indigné, ajustant sa cravate rouge, tourna les talons sans même saluer John, alors que Carole, soumise, haussait les épaules tout en suivant son pingre de mari vers la sortie. Restée seule avec John, Julie lui expliqua qu'il ne verrait son père que le lendemain, que ce dernier était frêle et faible, même si elle avait tenté de lui faire croire le contraire. Puis, se tournant vers l'infirmière qui retournait à son poste, elle lui demanda:

– Auriez-vous la gentillesse de dire à ma mère que nous sommes partis et qu'elle pourra nous téléphoner à notre hôtel dès son retour chez elle? Après un long voyage, dans mon état, je me sens lasse.

– Avec plaisir, madame, vous pouvez compter sur moi.

– Dieu que vous êtes charmante! Mon père a vraiment de la chance d'avoir une infirmière telle que vous.

– Oh! je ne suis pas la seule, vous savez, et votre père est un très bon patient. Dans son état, ils n'ont pas tous un moral comme le sien.

Julie et John se dirigeaient vers l'ascenseur quand, se retournant, la petite chouette à son père demanda à l'infirmière:

– Auriez-vous l'obligeance de me dire votre nom, garde?

– Francine… Francine France, madame.

Jeanne s'était approchée du lit sur la pointe des pieds, mais Martial, plus réveillé que somnolent, l'avait accueillie d'un doux sourire. Dès qu'elle prit place à côté du lit, il étira le bras pour lui prendre la main. Jeanne en fut profondément bouleversée. Il la regardait, soupirait, il semblait vouloir s'accrocher à elle, comme s'il craignait que la mort vienne les séparer. Conscient sans pouvoir clairement s'exprimer, Martial ne pouvait dire à sa femme qu'il avait peur de partir, peur du néant, peur de ce terrible inconnu qu'on appelle l'au-delà. Lui qui n'avait encore jamais pensé qu'un jour ce serait son tour. Jusqu'au moment où, retrouvant ses esprits, sorti de son coma, il se rende compte que son bras gauche, tout comme sa jambe, ne répondait plus. Que sa langue ne pouvait plus se délier pour aller quérir, de ses cordes vocales, les consonnes et les voyelles pour en faire une phrase. Aucun son ou presque... Une corde avait dû paralyser, songeait-il, alors que sa gorge se nouait d'un côté et que sa bouche s'ouvrait à peine de l'autre pour en cracher un râle.

Jeanne le regardait et, sans rien dire, sortit une brosse de son sac à main pour dénouer les cheveux blancs entremêlés de son mari. Chose qu'elle n'avait jamais faite de sa vie. Pas même, lorsque, jeune homme, Martial arrivait chez elle pour la courtiser, les cheveux ébouriffés par le vent. Un geste de tendresse, un doux mouvement de femme, un geste presque maternel. Lui, touché, pressa sa main dans la sienne, tout en tentant de lui dire quelque chose qui ne sortait pas. Après une tentative, un long soupir, il ferma les yeux, les rouvrit et toucha de l'annulaire la bouche de sa femme.

– Tu veux que je te parle, c'est ça, n'est-ce pas?

Soulagé, il fit signe que oui de la tête.

– De quoi? De qui? De nous, Martial?

Autre signe affirmatif et, les yeux au bord des larmes, elle lui rappela des souvenirs qui lui tenaient à cœur:

– Tu te souviens de Saint-Hyppolite? Le chalet de ton père, la petite sur le rocher? Carole qui sculptait des papillons sur le bouleau? Et le beau lac en cœur dans lequel tu aimais te rafraîchir avec tes fistons? C'est si loin, mais quel bon temps, même si ton père était parfois bourru. Surtout lorsque ta chouette enlevait la mousse verte des roches...

Les yeux fermés, Martial souriait. Comme si le film de ces beaux jours se déroulait dans sa tête.

– Tu n'as pas oublié, j'en suis sûre, notre jolie maison de la rue Garon. Souviens-toi, nous en avions à peine les moyens quand nous l'avions achetée. Mais elle était à nous, prête à accueillir les enfants tour à tour. L'hôtel de ville pas loin, ton barbier, l'église Saint-Vincent-Marie-Strambi, le brave curé qui avait baptisé Roger et Carole... Là où ils ont fait leur première communion. Puis, ensuite, les deux autres...

Jeanne s'était arrêtée en apercevant le visage ruisselant de larmes de son mari. Toutes ces images qui venaient de défiler dans ses pensées... C'était beau, mais c'était trop pour son cœur défaillant. Se sentant aussi vulnérable que lui, elle prit une grande respiration:

– Non, Martial, pas de souvenirs, ça te fait mal, ça te chavire. Oublie le passé, pense à maintenant. Nous avons tellement perdu de temps tous les deux... Que de disputes inutiles, que de conflits sans importance, que de longs silences de part et d'autre. Des jours à ne pas se parler, à s'éviter, sans songer que le temps passait et sans en saisir une seule parcelle pour nous réconcilier. Dieu que je me sens coupable! J'avais tort...

Elle allait s'accuser davantage quand elle sentit sa main lui faire mal dans la sienne. Le regardant, elle le vit hocher la tête négativement. À peine, puisque la mâchoire gauche ne répondait pas, mais elle put lire dans ses yeux qu'il n'était pas d'accord avec ses dires, qu'elle n'avait pas eu tort.

– Tu es bien indulgent, j'avais un si rude caractère. Bon, comme tu sembles vouloir en effacer les traces, pensons à ces beaux jours, aussi rares furent-ils, où nous avons ri de bon cœur. Surtout lors de balades en voiture avec les enfants! Souviens-toi quand Sylvain nous demandait pourquoi les coqs ne pondaient pas d'œufs. Nous ne savions quoi lui répondre et Roger, voulant le renseigner, s'était mis à rougir quand tu l'avais sévèrement regardé. Dieu que nous étions pudiques dans ce temps-là! Et Roger qui semblait tout savoir! Il s'instruisait sans doute avec les petits voyous qui flânaient dans le parc. Rappelle-toi aussi Carole qui nous était arrivée en disant que sa petite amie avait une poupée garçon, mais qu'il n'avait pas de petit bâton comme Sylvain pour faire pipi. Nous en étions abasourdis! Pour ensuite en rire après lui avoir expliqué que les poupées n'avaient pas besoin de faire pipi. Les mains sur les hanches, elle nous avait obstiné pour ensuite nous montrer que sa nouvelle poupée reçue aux Fêtes avait un petit trou pour faire pipi.

Martial s'efforçait de rire pour ensuite en sourire. Il revivait tous ces souvenirs et ne souhaitait pas que Jeanne s'arrête. S'en rendant compte, elle continua:

– Ah! que de souvenirs, Martial. Puis, leur départ l'un après l'autre. La maison vide, le silence, la maison morte. Jusqu'à ce qu'on puisse faire rejouer notre musique. Celle de Schubert pour toi, celle de Chopin pour moi. Après avoir écouté tout ce qui était à la mode pour eux à tour de rôle! Que de soupirs de découragement de notre part. Surtout lorsque Roger faisait tourner les disques de Gloria Gaynor! Ça me rendait folle! Et Sylvain avec ceux de Charlebois! Quoique tu l'aimais bien, celui-là... Mais ce n'est pas si loin dans la mémoire, Montréal-Nord. Tu y vis encore, Martial! Comme si tu avais jeté l'ancre dans ce quartier. Puis, avec les ans, la découverte des Maritimes, l'Île-du-Prince-Édouard, Charlottetown, Summerside, French River, les chaises longues...

Une autre larme glissa de l'œil du malade et, constatant que la noirceur de l'extérieur assombrissait de plus en plus la chambre, Jeanne lui chuchota à l'oreille:

– Il faut que je parte, il est tard, tu dois dormir à présent.

Dans un effort, il encercla de sa main le poignet de sa femme comme pour lui signifier de rester, de ne pas partir, de ne pas le quitter... une seconde fois. Troublée, attendrie, et cherchant les mots à lui dire pour lui faire comprendre qu'il devait être raisonnable, elle fut sauvée par l'infirmière qui, délicatement, dégagea le poignet de Jeanne de la main de Martial, tout en disant à ce dernier:

– Il faut laisser partir votre femme, monsieur Durelle. Voyez comme elle est fatiguée, elle a passé toute la journée à vos côtés.

Regardant Jeanne dans l'espoir de la voir désapprouver, il la vit se lever, prendre son sac à main, se pencher vers lui et déposer un baiser sur son front humide. Puis, lui essuyant d'un mouchoir ses yeux mouillés, elle le rassura:

– Ne t'en fais pas, je reviendrai demain. Avec Sylvain!

Impuissant, incapable de la retenir, il la regarda partir tout en lui offrant un triste sourire. Dieu qu'elle était belle, sa Jeanne! Encore plus belle que lorsqu'elle avait vingt ans! Racée, élégante, la démarche fière, il la vit disparaître dans l'embrasure de la porte alors que Francine, l'infirmière dévouée, s'approchant du lit, lui dit:

– Je vais changer votre soluté, monsieur Durelle. Ensuite, je vous épongerai le front, Ça va vous rafraîchir un peu...

Martial, sortant du rêve, retrouvant la réalité, la gratifia d'un rictus amer. Aussi charmante était-elle, l'infirmière venait de lui rappeler qu'il était à la merci de la science, et sa dignité en était offensée. Prisonnier de ce lit, incapable de parler, de manger, il maudissait le fait de n'être plus que l'ombre de lui-même.

Jeanne, de retour chez elle, n'avait pas osé rappeler Julie et John à leur hôtel. Épuisée par la journée, elle s'était fait couler un bain chaud et, après avoir endossé sa robe de chambre de ratine blanche, avait ouvert le téléviseur et regardé la fin d'un film dont elle n'avait pas vu le titre. Il lui semblait reconnaître

Michael Douglas, mais pour ce qui était de sa partenaire… Elle avait préféré ne pas déranger sa petite dernière qui, sûrement épuisée par le voyage et le léger décalage horaire, était sans doute au lit, surtout dans son état. Elle attendit le bulletin de nouvelles qu'elle écouta évasivement, la tête ailleurs. Elle pensait à Martial, au drame qu'il vivait, à son courage mêlé de sensibilité, et elle sentait encore son cœur monter au bord des lèvres. Après avoir éteint les lumières, elle regagna sa chambre sans avoir appelé Antoine pour lui donner des nouvelles de son mari. Non pas par lassitude, elle avait tout simplement oublié son «bon ami» dans le chaos de cette journée.

Il était trois heures du matin lorsque Jeanne fut brusquement réveillée par la sonnerie du téléphone. L'infirmière du poste lui demandait si elle pouvait se rendre à l'hôpital sur-le-champ, l'état de son mari s'étant aggravé en début de nuit. Sans lui en dire davantage pour ne pas la mettre dans tous ses états. Nerveuse, à bout de souffle, combattant le somnifère qu'elle avait avalé pour dormir un peu, elle téléphona à Sylvain qui, alarmé autant qu'elle, l'avisa qu'il arrivait chez elle à toute vitesse pour la prendre et se rendre au chevet du malade. Jeanne n'eut pas le temps de jouer de coquetterie cette fois. Elle n'y songea même pas. Une coup de peigne, une blouse, une jupe, son sac à main, un imperméable, et elle était déjà à bord de la voiture de son fils qui, lui, avait sauté dans un *jeans* et enfilé un chandail de laine bleu marine. Sylvain avait le pied pesant. Si bien que sa mère lui avait dit:

– Ralentis, tu vas trop vite! Ce n'est pas le temps d'avoir un accident, ni une contravention; ton père nous attend!

Il réduisit sa vitesse quelque peu, mais ne put se retenir de brûler deux feux rouges après avoir effectué des semblants d'arrêts. De toute façon, à cette heure, les rues étaient quasi désertes. Ils échangèrent quelques mots, pas plus. Jeanne lui avait dit d'une voix chevrotante:

– Mais qu'est-ce qui a bien pu se passer? Il avait l'air en forme quand je l'ai quitté. Fatigué, certes, mais il insistait pour que je reste encore. Mon Dieu! Faites que ce ne soit rien de grave!

Ils arrivèrent à l'hôpital, empruntèrent l'ascenseur et se retrouvèrent au cinquième étage où le va-et-vient semblait incessant alors que, d'habitude, ce devait être plus tranquille. Ils aperçurent Francine, l'infirmière de garde encore au travail. «Sans doute du temps supplémentare», pensa Sylvain, lui souriant gauchement. Sans se rendre compte qu'elle avait été là toute la journée d'hier, toute la soirée et qu'elle allait partir quand monsieur Durelle… Jeanne, l'apercevant à son tour, lui demanda:

– Seigneur! Qu'est-il arrivé? Où donc est mon mari?

– Dans une autre chambre, branché… Tenez, voilà justement le médecin appelé d'urgence qui vient vers nous. Il vous renseignera…

Elle s'éloigna discrètement et Jeanne, le priant du regard, n'eut pas à lui demander quoi que ce soit, le jeune cardiologue lui défila d'un trait:

– Votre mari a eu une autre attaque, madame. Du côté droit cette fois. D'autres vaisseaux ont éclaté. Je ne vous cacherai pas que ce fut plus virulent, plus fort que son premier AVC.

Baissant les yeux, les sentant fébriles, il baissa aussi la voix:

– Je crois que c'est sans espoir, madame. Nous avons fait ce que nous avons pu, mais, hélas… S'il s'en sortait, ce serait un miracle. Il est actuellement inconscient, branché à plusieurs machines dont un respirateur. Mais, comme je vous le disais, ses chances sont minces. Il vous faudra faire preuve de courage…

Jeanne se mit à pleurer dans les bras de Sylvain et ce dernier sentait son chandail s'humecter de ses larmes. Il la serra plus fortement sur sa poitrine tout en lui asséchant la joue du revers de la main.

– Je peux le voir? Où est-il? Au fond du couloir?

– Oui, madame, aux soins palliatifs, mais il y a une infirmière en permanence à ses côtés. Vous pouvez entrer tour à tour, un seul à la fois. Juste au cas où il détecterait encore une présence familière, ce dont nous doutons dans son état. Je suis vraiment navré, notre mission n'est pas de les perdre…

Jeanne n'attendit pas que le médecin ajoute quoi que ce soit. Suivie de son fils, elle pressa le pas vers la chambre désignée:

– Viens, jette juste un coup d'œil et cède-moi vite la place. Je me dois d'être auprès de lui.

Sylvain poussa la porte, entra, n'avança pas et fit signe à l'infirmière de ne pas bouger de son fauteuil. Son père, aux prises avec des tubes, des aiguilles dans les veines, des machines à sons répétitifs, avait l'air d'un homme au terme de sa vie. Le teint blafard, la respiration saccadée, parfois inaudible, on se demandait si ce souffle court et irrégulier venait de ses poumons ou du respirateur. Effaré, il recula et dit à sa mère d'une voix brisée par l'émotion:

– Allez, entre, je ne crois pas qu'il va s'en sortir. Et je pense qu'il a plus besoin de toi que de moi en ce moment. Ta main tremble, maman. Tu en auras la force?

Sans lui répondre, Jeanne poussa à son tour la porte et, apercevant l'infirmière de garde, elle lui demanda si elle pouvait la laisser seule avec son mari. Cette dernière hésita, puis accepta, lui disant qu'elle resterait tout près et d'avoir recours à elle au moindre mouvement de la part de son mari.

Jeanne approcha un fauteuil tout près de la tête du lit et, regardant Martial, elle sentit qu'il était à l'agonie, presque parti. Retenant sa respiration, retrouvant le plus possible son courage, elle lui prit la main, mais ne sentit aucune pression de la part de la sienne. De la main droite à la main gauche, aucun signe. Des mains moites, presque froides, qui retombaient flasques dès qu'elle s'en dégageait. Regardant partout, voyant toutes ces machines, tous ces tubes, ces intraveineuses, elle était certaine que Martial, impotent, doublement paralysé, ne pouvant communiquer, souffrait. Oui, il devait souffrir dans ce lit qui le retenait partiellement en vie. «Couché depuis tant de jours, les reins, les muscles...» songeait-elle. Il devait souffrir, lui, qui aurait mérité de guérir. Lui qui n'avait jamais fait de tort à personne. Lui qui avait été soumis, patient, tolérant. Lui, que le sort avait désigné pour être accablé d'effroi et de douleurs, alors que d'autres... Non, elle n'allait pas douter de Dieu dans cette ultime étape. Il fallait qu'elle s'accroche à sa foi, à Jésus-Christ, à la Vierge Marie, pour qu'advenant le cas l'âme de son mari se rende en paix dans l'au-delà.

Le regardant, le sentant déjà très loin, il lui fallait, malgré l'émotion qui l'étranglait, l'aider à partir. Elle se devait d'en avoir la force pour qu'il ne souffre plus. Parce qu'elle sentait que Martial s'accrochait à un mince filet, de peur que de l'autre côté... Tout en tentant de prolonger une agonie qui crevait le cœur de Jeanne. Elle lui reprit la main, la pressa dans la sienne et, les yeux baignés de larmes, elle parvint à lui dire:

— Je sais que tu m'entends, Martial. Tu ne peux bouger, tu ne peux communiquer, mais je suis sûre que tu m'entends et que tu me sens à tes côtés. Écoute, je crois que... J'ai peur que ce soit... Je n'ose le dire. J'aurais tellement souhaité te ramener chez moi, mais le Ciel en a décidé autrement, je crois.

Puis, le regardant de près, assurée qu'il buvait ses paroles et qu'il se soumettrait à sa volonté, elle lui murmura d'une voix entrecoupée par les sanglots:

– Ne te retiens pas, Martial, je t'en supplie, ne te retiens pas...

Baissant les yeux, les relevant, elle ajouta d'une voix devenue tremblotante, comme si ses mots allaient le condamner:

– Laisse-toi aller tout doucement et n'aie pas peur. Dans l'autre monde, c'est le bon Dieu qui t'attend.

Jeanne ravala sa salive, s'essuya les yeux, et reprit avec difficulté:

– Ne t'accroche pas, laisse-toi glisser dans l'au-delà, Martial. Je suis là, juste à côté de toi, pour t'y aider. C'est sans espoir, tu souffres et ça m'arrache le cœur. Tu vois le bout du long couloir? Pars, fais-le, ce dernier voyage, va retrouver ceux qui t'attendent. Ton père, ta mère... Ils te tendent déjà la main. Pars, Martial, et de l'autre côté, attends-moi, je viendrai t'y rejoindre dès que mon heure aura sonné. Ce qui ne devrait pas tarder... Et c'est là, dans l'éternité, que nous allons rattraper tout ce temps gâché. C'est là, avec le Seigneur pour témoin, que nous allons apprendre à nous aimer. Comme nous n'avons pas su le faire ici-bas. Comme nous aurions dû le faire... Comme nous aurions pu le faire si on nous avait accordé une dernière chance.

Détournant la tête un instant pour ne plus voir ce visage livide qui ne répondait pas à ses supplices, elle garda quand même une dose de courage pour qu'il puisse saisir la promesse du repos, de la paix... Malgré les machines, l'inertie du malade, l'aspect quasi cadavérique de ses mains tout comme de son visage, elle était encore certaine qu'il l'entendait. Déposant sa main chaude sur la main moite de son mari, elle reprit:

– Allez, pars, ne te retiens pas, laisse-toi aller entre les mains du bon Dieu. Fais-le pour moi, Martial… Fais-le aussi pour tes enfants qui sont brisés de te voir souffrir. Pars et emmène avec toi tous nos visages dans ton voyage. Imprègne-les au fond de ton âme… Ceux que tu quittes dans la sérénité. Ceux que tu as aimés… Roger, Carole, Sylvain, Julie, leurs conjoints, tes petits-enfants et moi. Oui, moi, ta Jeanne qui te gardera toujours dans son cœur.

Étrangement, le corps presque inanimé avait quelque peu tressailli. Sans avertir l'infirmière, convaincue de plus en plus que son mari l'entendait de son profond sommeil, elle se leva, lui souleva la tête pour l'appuyer sur son avant-bras et, lui tenant la main de sa main tremblante, elle lui répéta:
– Va, Martial, n'aie pas peur, la fin n'est que le début d'une autre vie. Pure et belle, infiniment plus belle, dit-on. Ne te retiens plus, envole-toi, fais-le surtout pour moi…
Le regardant, le trouvant soudainement beau dans son agonie, pressant davantage sa main dans la sienne, elle se pencha et lui murmura:
– Je t'aime.

Tout doucement, comme s'il se soumettait enfin, Martial Durelle s'éteignit paisiblement dans les bras de sa femme. Quelques machines s'étaient arrêtées, c'était déjà plus calme dans cette chambre de la dernière phase. Le déposant délicatement sur l'oreiller, Jeanne se remit à pleurer alors que l'infirmière du poste, affolée par l'arrêt des signes vitaux sur les moniteurs, était entrée en trombe.
– C'est plus la peine, c'est fini… murmura Jeanne.
Sortant de la pièce, chancelante après tous ces efforts du cœur, elle regarda son fils:

– Il est parti, Sylvain.

Étreignant sa mère sur sa poitrine, celui qui était, selon elle, aussi «mou» que son père pleurait à chaudes larmes. Sur l'épaule de sa mère. Comme lorsqu'il était petit et qu'un caillou lui avait écorché le genou.

Affaissée dans le gros fauteuil de la salle d'attente, tenant la main de son fils dans la sienne, Jeanne, retrouvant peu à peu ses forces, était songeuse. Il avait mis du temps à rendre le dernier souffle, son Martial. Tant de temps alors qu'elle le suppliait de se laisser aller, de le faire pour elle. Pourquoi ce long sursis dans l'ultime combat? Soudain, dans ses pensées, une étincelle. Attendait-il qu'elle lui dise… «je t'aime»?

Chapitre 12

Apprenant la nouvelle du décès de son père, Julie devint inconsolable. Il était mort avant qu'elle puisse le remercier de tout ce qu'il avait fait pour elle. Il était parti avant qu'elle lui redise combien elle avait été privilégiée d'être sa «chouette». John l'épaula de tout son amour, mais la petite dernière de la famille acceptait mal la mort quasi subite de son père. Elle avait cru en sa guérison, il aurait passé sa convalescence chez elle, où l'air était plus frais, plus sain. Ce qui la consola un peu, c'est qu'il était mort dans les bras de sa mère. Comme si le Ciel avait voulu les réprimander, puis les réconcilier de cette rupture démentielle, cette séparation inachevée parce que, fondamentalement, ni l'un ni l'autre ne s'était vraiment quitté. Sylvain, qui avait vu son père avant qu'il rende l'âme, en gardait une image dans sa tête. Il avait vu un visage paisible, un corps rendu au bout de sa route, prêt pour le dernier voyage. Pour ensuite confier les derniers moments à sa mère. Pour sa part, frustrée de n'avoir pu le voir la veille, Carole, se demandait si son père l'avait vraiment aimée. «Bien sûr…» aurait répondu Martial, et si seulement elle n'avait pas eu son avare de mari dans les jambes, il le lui aurait certes prouvé plus souvent. Ce pingre, ce radin, ce Jean-Louis damné qui se demandait déjà si le beau-père avait pensé à eux dans son testament. Que cela! Il s'était même opposé à ce que Carole lui offre une gerbe de fleurs. C'était inutile, trop cher, du gaspillage. D'autant plus que, selon les dernières volontés du défunt, il serait incinéré. Cette fois-ci, Carole lui avait tenu tête et c'est avec ses économies qu'elle paya un arrangement d'œillets qu'elle apporta elle-même au salon funéraire. La gerbe la moins chère, évidemment, qu'on avait laissée sur la balustrade lors du service religieux en l'église Saint-Vincent-Marie-Strambi, là où tous les enfants avaient été baptisés. Julie et John avaient choisi une énorme couronne de roses rouges, Roger et Line avaient opté pour une croix d'œillets et de roses blanches et Sylvain, une immense corbeille de fleurs de toutes les couleurs. Sur le cercueil, un magnifique coussin de roses rouges pour l'amour, et blanches pour la constance, signé… Jeanne. Lors de la brève exposition à cercueil fermé, peu de gens étaient venus, la famille s'était recueillie dans l'intimité, mais le matin des funérailles, plusieurs anciens voisins, le barbier, l'épicier et sa femme, des gens de l'hôtel de ville, des retraités, d'anciens camarades de travail, quelques cousins et cousines, s'étaient réunis pour lui rendre un dernier hommage. Alors que les cloches de l'église sonnaient et que le corps retournait au complexe pour y être incinéré dans les jours suivants, Jeanne réunit tous ses enfants dans un restaurant afin de les détendre après la dure épreuve qu'ils venaient de traverser. Et lorsqu'elle eut la chance de se retrouver seule avec Roger dans un coin de la petite salle réservée, elle lui rappela:

– Tu n'as pas à t'en faire, ton père a quitté ce monde en paix.

– Je n'en doute pas, lui si bon, être éprouvé si cruellement…

– Mais comme il a entendu jusqu'à la fin ce que je lui disais, il est sans doute parti encore plus heureux, j'en suis certaine.

– Ah, oui? Et pourquoi donc?

– Parce que je lui ai dit que je l'aimais, Roger.

– Tu as fait cela? Comme c'est généreux de ta part…

– Non, pas généreux, je lui ai dit ce que je ressentais. Jamais je n'aurais osé lui mentir sur son lit de mort. Et, curieusement, c'est après cet aveu qu'il a rendu le dernier souffle. On aurait dit qu'il attendait ces mots pour partir. Je t'en prie, garde ça pour toi, je n'en ai parlé à personne d'autre.

– Pourquoi?

– Parce que c'est toi que ça ennuyait, Roger. Tu es le seul que notre séparation bouleversait. Les autres semblaient avoir compris.

L'aîné, regardant sa mère, lui répondit gravement:

– Parce que j'étais sans doute le seul à ne pas y croire.

Puis malgré lui, même en un jour éprouvant pour sa mère, il ne put s'empêcher d'ajouter, sachant Line loin d'eux:

– Et sans arrière-pensée, sans vouloir te blesser, si seulement tu le lui avais avoué de temps en temps de son vivant… Mais, ne t'en fais pas, ce n'est pas un reproche, maman.

Le lendemain, Julie et John décidèrent de retarder d'une journée leur départ afin d'inviter Jeanne à souper au Ritz Carlton. Et pour qu'elle se sente moins seule, ils invitèrent aussi Sylvain. Ce qui avait fait dire à Jean-Louis:

– On sait bien! On n'a pas assez de classe pour le Ritz, nous autres! Le petit restaurant de ta mère après les funérailles, c'était suffisant pour nous deux, Carole. Nous sommes encore les laissés-pour-compte!

– Bien, voyons donc, ils n'ont pas invité Roger et Line à ce que je sache? Et John et Julie n'ont pas à convier toute la famille. Sylvain, c'est pour accompagner maman.

– Pour sûr, mais n'empêche qu'il va se bourrer sur le bras!
– Exactement comme tu l'as fait après le service, Jean-Louis! Tu as mangé comme un goinfre et tu as commandé le vin le plus cher. Tout ça dans ce que tu appelles «le petit restaurant» choisi par ma mère. Et puis, quand est venu le temps des desserts, tu n'as pas pris salade de fruits, tu as choisi une crêpe flambée pour deux que tu as mangée seul. Cette fois, j'en ai été gênée, Jean-Louis! Alors, tu es bien mal placé pour dire que Sylvain va manger sur le bras. Encore chanceux que personne ne t'aie vu, quand tu as demandé au serveur de mettre le morceau de gâteau que Julie n'avait pas touché… dans un *doggie bag!*

Antoine Rochet n'avait pas assisté au service religieux de Martial Durelle. Sur l'ordre de Jeanne qui lui avait précisé:
– Votre place n'est pas là. Vous ne le connaissiez pas et je préfère que ça se déroule en famille. Je ne tiens pas à ce qu'on m'associe à vous aux funérailles de mon époux.
– Je peux au moins lui faire parvenir des fleurs?
– Non, pas davantage, les enfants vont les voir.
– Tout de même, Jeanne, ils savent que vous et moi…
– Ils savent si peu… Qui sait s'ils ne l'ont pas oublié? Non, je vous en prie, Antoine, ni fleurs ni messe chantée. Si vous tenez vraiment à exprimer votre sympathie, faites-lui brûler un lampion. Mais pour le reste, pas question!
Déçu, voulant bien faire mais se sentant évincé, il répondit:
– Comme vous voudrez, Jeanne, mais veuillez, du moins, transmettre mes vives condoléances à vos enfants.
Elle le lui promit, bien sûr, mais n'en fit rien.

Julie et John étaient finalement repartis pour Summerside. Une vie précieuse venait de s'éteindre, mais une autre vie, tout aussi inestimable, allait émerger de ses entrailles bientôt. C'était, selon Julie, l'horloge du temps de l'existence. L'heure sonne quand on arrive et quand on repart. Un principe vieux comme la terre auquel personne ne peut se soustraire. Car, comme elle le faisait remarquer à son mari à bord de l'avion qui les ramenait: «Dès qu'on arrive, on est déjà condamné à partir.» John, suivant moins bien ce genre de citation en français, avait répondu en continuant de regarder les nuages: «*Of course, Honey.*»

La semaine suivante, jour de l'incinération de Martial Durelle, Jeanne s'y était présentée avec Sylvain, Roger et Line. Elle aurait souhaité que tous ses enfants soient là, mais Carole s'était excusée:

– Écoute, maman, je ne peux pas me permettre de prendre une autre journée… Et puis, Julie sera absente, elle aussi.

Jeanne n'avait pas insisté. Elle assista à la brève crémation en sanglotant et, quand vint le moment de disposer des cendres, elle leur dit:

– Vous les déposez dans l'urne que j'ai choisie, je les garde.

Surpris, les enfants se regardèrent. Ils avaient cru que les cendres allaient être enterrées ou, encore, placées dans une niche. Mais leur mère leur avait répondu:

– Non, merci, les niches ce n'est pas pour lui. Les niches c'est pour… Elle se retint en voyant le directeur et changea de ton pour préciser:

– Je trouve ça inélégant, c'est tout. Et comme votre père ne voulait pas être enterré, j'imagine qu'il ne désirait pas pour autant que ses cendres le soient. Voyez? J'ai acheté cette petite urne de céramique blanche. C'est là que va reposer votre père et c'est près de moi qu'il prendra place. Il me suivra où que j'aille, vous comprenez? Ça faisait sans doute partie de ses dernières volontés.

Personne n'osa rien dire et Jeanne, rompue par les événements, se fit reconduire chez elle par Sylvain avec l'urne blanche glissée dans une pochette de velours rouge. Son fils la déposa à la porte de son immeuble et, sitôt montée chez elle, Jeanne posa l'urne sur la grosse commode de sa chambre, la regarda et dit tout bas:

– Je t'avais promis que je te ramènerais chez moi? T'y voilà!

S'étant rapproché de sa mère depuis la mort de son père, Roger l'avait invitée à souper le samedi de la semaine suivante. Mais le temps était frais en ce 18 mai; on aurait pu jurer qu'un vent d'hiver venait souffler son haleine glaciale sur les bourgeons des lilas qui s'en plaignaient, ne bougeant plus. Line avait préparé un poulet en casserole comme elle seule savait si bien le faire et comme entrée, un potage de céleri et chou-fleur. Jeanne, selon son habitude, avait apporté une bouteille de vin blanc, un Saint-Véran que Roger servit très frais dans des verres préalablement givrés.

Gabriel et Charles ne restèrent pas longtemps à table. Dès le repas terminé, ils demandèrent la permission de se retirer, ce qui leur fut accordé par leur père. De cette façon, les adultes pourraient causer en toute liberté. Jeanne, étrangement, n'était pas près de ses petits-enfants, aussi n'étaient-ils guère portés à l'entourer pour se faire cajoler. D'ailleurs, depuis le divorce de Sylvain, elle n'avait revu la petite Maude qu'une ou deux fois au tout début. Depuis? Rien! Sans pour autant s'en plaindre. Jeanne Valance avait certes été une bonne mère pour ses enfants, ils n'avaient manqué de rien, elle en avait pris grand soin, mais aucun ne se rappelait avoir reçu d'elle des caresses, des baisers, de la tendresse. À moins d'être fiévreux, enrhumé ou de s'être blessé en jouant. Madame Durelle faisait partie de ces mères qui n'exprimaient pas par des gestes leurs senti-ments. C'était plutôt Martial qui s'était voué à leur donner de l'affection. Surtout à ses deux filles et un peu plus à sa chouette, la petite dernière. Gabriel et Charles étaient donc descendus voir un film au sous-sol et, à encore à table avec Line et Roger, Jeanne accepta le doigt de porto qui allait l'aider à di-gérer ses excès de gourmandise dans les desserts sucrés de sa bru. Puis, de fil en aiguille...

– Comme on mange bien chez toi, Line. Tu es une cuisi-nière hors pair!

– Merci, madame Durelle! La cuisine, c'est tout ce que je sais faire selon...

– Voyons! Tu me cherches noise, toi? taquina Roger.

– Non, je plaisante, mais votre fils me dit souvent que c'est ce que je fais de mieux.

– Alors accepte-le, ce compliment, Line. Moi, mon mari ne m'a jamais dit une chose semblable. Faut dire que je n'étais pas vraiment un cordon bleu. Je faisais de tout, mais rien de parfait, sauf le pâté chinois que je réussissais assez bien.

Changeant de sujet, Roger lui demanda:

– Carole t'a-t-elle appelée, maman? Au sujet du testament?

– Bien sûr, voyons! Et sur ordre de son parcimonieux mari! Figure-toi donc qu'il pensait mettre la main sur un magot, celui-là! Il a été fort déçu d'apprendre que ton père m'avait tout laissé. Il croyait que, séparés... Nous ne l'étions que de corps, pourtant. Pas brillant, ce Jean-Louis. Comme si un couple qui se distance... De toute façon, mon testament était de même nature. Si j'étais partie avant lui, tout ce que je possède aurait été à lui. Là, désolée pour le gendre, mais il devra attendre que je sois six pieds sous terre pour toucher sa juste part. Je sentais Carole très mal à l'aise...

– C'est inouï tout ce qu'il lui fait faire, ajouta Line. Parfois, il la gêne, il la met dans un tel embarras, mais elle est si soumise…

– Pas soumise, Line, elle est aussi chiche que lui! lança Roger. On dirait qu'il a déteint sur elle et, rappelle-toi, maman, elle entassait tout quand elle était fille. Elle avait ça dans le sang!

– Oui, Roger a raison et ce n'est pas à son âge qu'on va la changer.

– Et comme chaque guenille trouve son torchon!

– Roger! Pour l'amour! Tu parles de ta sœur! Retiens-toi!

– Line n'a pas tort, Roger. Carole n'est pas vilaine pour autant. Elle est différente des autres, je le sais, mais sans lui pour la manipuler…

– Bah! Elle n'a pas besoin de lui! Tu sais ce qu'elle fait, maman, dans l'immeuble où elle habite?

– Non, quoi?

– Bien, écoute ça, tu n'en reviendras pas! Quand *Burger King* fait déposer des coupons-rabais dans le bloc, elle les ramasse tous, elle découpe ceux pour le poulet, le deux pour un, et elle jette le reste! Tant pis pour les autres locataires! Une fois par semaine, ils se régalent d'un petit souper à moitié prix, jusqu'à épuisement des coupons! Faut-il être assez *cheap* pour penser à faire ça? Et tu sais pas ce qu'il a fait, lui? Tiens-toi bien! Il a débranché son télécopieur depuis qu'il a reçu une réclame par *fax*! Paraît qu'il a gueulé durant des heures pour les trois feuilles de papier perdues! Ça s'peut-tu? Plus pingre…

– D'où tiens-tu tout cela, toi? Sûrement pas de lui!

– Non, c'est elle qui en parle à Line au bout du fil comme si de rien n'était. Elle chialait autant que lui pour le papier gaspillé! Et les coupons-rabais, on les a vus épinglés sur son babillard en allant lui porter des outils dont il avait besoin.

C'est tout juste s'ils ont un marteau et un tournevis dans un ti- roir de la cuisine. Pire que ça, je connais un gars qui a travaillé avec lui et sais-tu ce qu'il a fait, le beau-frère, lors d'un dîner pour fêter le départ d'un collègue? Il s'est offert à régler l'ad- dition complète sur sa carte de crédit pour ensuite les faire payer un à un, selon ce qu'ils avaient pris, taxe calculée. Tous trouvaient ça adroit et bien organisé, mais ce à quoi personne n'a pensé, c'est que de cette façon il empochait les *Air Miles* de tout le monde!

Jeanne éclata de rire et, s'essuyant les lèvres, répliqua:

– Je le savais radin, mais pas à ce point-là! Il faut vraiment avoir l'avarice ancrée au corps pour penser à tout ça!

– Pas surprenant qu'il paye sa voiture comptant! Et tu de- vrais le voir marchander parce qu'il a du *cash*! Il va chez tous les concessionnaires de la ville et il finit par avoir un vendeur à l'usure avec les *bargains*! Il joue au parvenu avec sa che- mise blanche et sa cravate rouge. La même depuis quinze ans! Et ce n'est pas tout, quand il vont dans les centres commer- ciaux, la voiture, tu la retrouves le plus loin possible, quitte à marcher pendant dix minutes, pour ne pas se la faire égrati- gner. Même quand il pleut à boire debout! L'été, tu devrais voir! C'est très rare qu'ils utilisent leur air climatisé à l'ap- partement. Ils disent qu'ils préfèrent l'air de dehors pour ne pas admettre que c'est pour ménager. Ça leur prend au moins un quarante degrés avant de le mettre en marche durant une heure, juste le temps de rafraîchir un peu les pièces. À trente- cinq, ils préfèrent crever de chaleur plutôt que de payer une cenne de plus sur leur compte d'électricité. Et Carole est dans le coup, elle aussi!

– Pauvre fille! Je ne l'ai pourtant pas élevée de cette façon. J'aurais tellement souhaité qu'elle soit coquette et fière, et qu'elle s'habille comme Julie. Mais non, que du bon marché qui vient du magasin où elle travaille. Avec son escompte en plus…

— Écoute la dernière, maman, c'est crevant! L'année passée, ils ont été invités à un *pool-party* chez un collègue. Chacun devait apporter quelque chose pour le buffet. Plusieurs sont arrivés avec des plats chauds, d'autres, des viandes froides. Quelques-uns avaient du vin et des fromages… C'est encore le même gars qui s'est aperçu du truc des *Air Miles* qui m'a raconté ça. Toujours est-il que Carole et Jean-Louis sont arrivés les bras chargés de… douze petits pains à salade de chez Maxi! À moitié prix parce qu'il y avait l'étiquette rouge de la veille! Ceux qui s'en sont rendu compte ont failli tomber à la renverse. Inutile de te dire qu'ils sont barrés à vie chez celui qui a la grosse piscine. Parce qu'en plus Jean-Louis s'est garroché dans les plats chauds et qu'il ne s'est pas gêné pour boire le vin des autres. Je le vois d'ici s'en lécher les babines! P'tite face de rat, va! Ils nous ont invités une seule fois chez eux avec les enfants! Une seule fois depuis leur mariage après s'être bourrés la panse chez nous depuis des…

— Roger! Tu les as assez dénigrés… murmura Line.

— Non, non, laisse-moi au moins terminer avec ça! Avec eux, nous étions six à table et, des enfants qui grandissent, ça mange! Tu le sais, maman, tu en as eu quatre! Alors, corrige-moi si je me trompe, mais elle avait fait une salade Iceberg, la moins chère, pas la Boston, et la pomme de salade était si petite qu'on a tous eu un fond d'assiette chacun. Pas même avec des vinaigrettes, juste un peu d'huile, rien d'autre. Ensuite? Un épi de blé d'Inde chacun, alors que les garçons en mangent deux ou trois. Le plat de résistance, c'était une espèce de fricassée… De la viande hachée mélangée dans du riz. Sans goût! Les enfants, pourtant affamés, en ont laissé dans leur assiette. Et puis, pas de vin pour les adultes, que du thé. Pour les garçons, de la limonade ou plutôt de l'eau jaune. Elle a dû verser un sachet dans un gallon d'eau! Mais le comble, ç'a été le dessert. Le beau-frère avait acheté un gâteau glacé chez Maxi, le plus petit. Tu sais, le genre de gâteau qu'on achète pour deux ou trois personnes? On a eu droit à un si petit morceau que celui de Charles s'est défait en deux quand Jean-Louis l'a servi. Pas même frais, son gâteau! Ç'a été la première et la dernière fois, maman! Jamais nous ne retournerons manger chez eux. Line les invite encore, mais par compassion, quasiment par pitié, parce que plus personne ne les reçoit. Les pingres de cette nature, ça finit seuls dans un coin!

– Dommage… murmura Jeanne. Quel mauvais mariage que le sien!

– Peut-être, mais n'oublie pas qu'elle savait qu'il était près de ses cennes quand elle l'a marié. C'était même ça qui l'avait attirée. Faut pas toujours la plaindre, elle a couru à sa perte. Lui, c'est un avare malade! Mais elle, l'économie, c'était et c'est encore en quelque sorte sa drogue. Tu as vu la petite gerbe d'œillets à quinze ou vingt piastres pour les funérailles de papa?

– Roger! Peut-on changer de sujet? Il n'y a pas qu'eux sur terre…

– Oui, oui, ça va, excuse-moi, maman, c'était plus fort que moi. Tu vois? On a commencé à parler d'eux en riant, puis j'ai fini par me pomper. C'est comme ça chaque fois!

Line soupira et, regardant sa belle-mère, elle lui dit:

– C'est parce qu'il dit toujours tout haut ce qu'il devrait, parfois, penser tout bas.

Jeanne, baissant les yeux, les releva pour répondre à sa bru:

– Tout comme moi, hélas… Le portrait de sa mère, celui-là!

Sylvain, de retour dans ce qu'il appelait son sinistre appartement, tournait en rond depuis la mort de son père. Avec ce départ soudain, s'était aussi éteinte la démarche d'une nouvelle vie. Fini le beau projet de la rue Pelletier, le retour aux sources de ses belles années, son coin de ville, sa paroisse, son bonheur d'antan. En mourant, Martial avait emporté dans l'au-delà les vestiges de ce Montréal-Nord d'un autre temps. Jamais plus Sylvain ne reverrait la rue Garon, l'hôtel de ville, le barbier, la pâtisserie, l'église... Tout cela était maintenant en cendres, comme son père. Sa mère ne semblant avoir aucune intention de raviver le passé, il pouvait dire adieu à sa nostalgie et à ses rêves. Il n'y avait pas de doute, il était seul. Complètement seul dans cet appartement qu'il qualifiait de minable quoique charmant. Seul avec ses pensées, avec son assoupissement, seul avec son peu d'ambition côté carrière, comme dans la barque de sa vie intime. Pascale s'était éloignée avec son jeune amant et il n'avait pas revu Maude depuis des mois. Claire? Envolée! Sortie de sa vie et de son esprit... ou presque. Sans doute heureuse à Joliette avec un nouvel amoureux... Partie en fumée, la Claire de ses nuits ardentes. Jamais plus il n'avait osé demander de ses nouvelles à Maggie qui, bouche cousue... Bah, à quoi bon, puisque de toute façon, on ne rebâtit rien sur des ruines. Tourmenté, presque soucieux, il se déboucha une bière. Non, plutôt deux!

Seul, sans rien devant lui sauf l'été qui éliminerait le printemps, il se surprit à penser à l'infirmière qui avait veillé son père presque jour et nuit. Cette Francine France, dont Julie avait trouvé le nom original, son sourire charmant et son regard empreint de bonté. Elle était très jolie, cette infirmière. Belle, distinguée et captivante à la fois. Grande, blonde, les yeux noisette, elle ne pouvait laisser les hommes indifférents. Mais il ne savait rien d'elle. Sans doute mariée avec de grands enfants... Divorcée, peut-être? Un peu plus âgée que lui, il s'en doutait, sans que cela paraisse. Trente-huit ou trente-neuf ans? Mais libre côté cœur sûrement, car elle n'avait pas été insensible aux coups d'œil qu'il jetait souvent sur elle ni aux regards que, peu à peu, ils s'échangeaient. Elle répondait même d'un doux sourire tout en baissant les yeux.

Cette très jolie femme serait-elle celle qui lui ferait oublier les deux autres? Ah! si seulement... Surtout Claire, à laquelle il songeait encore parfois. Mais craintif, peu fonceur, laissant le hasard décider pour lui, jamais l'idée ne lui serait venue de tenter d'ouvrir une porte. Pourtant! Ne lui avait-elle pas jeté un dernier regard compatissant lorsqu'il avait quitté l'hôpital le jour de la mort de son père? Sachant qu'elle ne le reverrait plus, n'avait-elle pas tenté un rapprochement en le réconfortant? Elle lui avait offert un café, elle avait même ajouté, sans qu'il le demande, une salade de fruits et des biscuits. Elle était restée à ses côtés constamment alors que sa mère, éplorée, discutait des mesures à prendre avec les autorités. Puis, elle l'avait laissé partir en le suivant des yeux après lui avoir dit: «Bon courage, monsieur Durelle.» La remerciant d'un signe de tête, il se souvenait ne pas s'être retourné lorsqu'elle avait ajouté: «Au revoir». Peut-être avait-elle dans les yeux la flamme d'une femme qui souhaitait le revoir? Peut-être... «Ah! satanée cervelle! À force de creuser...» songea-t-il intérieurement. Comme si Francine France, à l'instar de Claire, avait pu avoir un soudain coup de foudre! Comme si une infirmière diplômée, avec plus de maturité, avait pu avoir envie de lui au lit... Parce que, pour Sylvain, depuis Claire, le coup de foudre était l'équivalent de rendez-vous au lit! Un endroit sordide, une chambre, du vin, de la bière... Comme si le cœur ne comptait plus dans un amour à première vue. Et comment s'imaginer que Francine pourrait s'intéresser à lui, elle qui pouvait séduire les mâles les plus en vue de son entourage, médecins inclus? Il s'enleva ces vagues idées de la tête, se prépara un souper au micro-ondes et se détendit ensuite dans son petit boudoir en regardant un concert classique à ARTV. Car, à l'image de son défunt père, Sylvain ne dédaignait pas la grande musique. Pas Schubert nécessairement, mais Vivaldi, Mozart et même Mahler... Le lendemain, après le boulot, il commença à vider peu à peu le condo loué par son père. Il avait un mois pour le libérer; l'appartement avait été vendu. Il rangea dans le coffre de son auto, plein de souvenirs et de bibelots qu'il comptait conserver, et vendit les meubles et accessoires à des locataires de l'immeuble. Furetant dans le courrier que le facteur avait laissé, il s'empara des comptes qu'il allait faire parvenir à sa mère qui assurait la succession. La voiture était remplie de petites choses qu'il laisserait à sa mère en passant. Il allait refermer à clé lorsqu'un petit colis encore emballé attira son attention. Il l'ouvrit avec une lime à ongles et découvrit un film que son père avait commandé. Il sourit, mais une bille de chagrin lui obstrua la gorge. C'était le film *The Siege* avec nulle autre que... Annette Bening!

Malgré tout ce qu'il en avait déduit, tel un loup guettant sa proie, Sylvain s'était stationné à trois reprises non loin de l'entrée des employés de l'hôpital où travaillait Francine. À des heures différentes, sans savoir si elle était en devoir ou si elle ne sortirait pas par une autre porte. Il aurait pu lui téléphoner mais, trop timide, ne sachant ce qu'il pourrait lui dire au bout du fil, il s'apprêtait à faire le deuil de l'infirmière lorsque, la troisième fois, jouant de chance, il la vit enfin sortir avec une compagne après le quart de jour. S'approchant des deux femmes avec sa voiture, il descendit la vitre de sa portière et lui sourit:

– Toujours au poste, madame France?

Se retournant, elle hésita, puis le reconnut:

– Monsieur Durelle! Encore dans les parages? Pas la maladie...

– Non, rassurez-vous, je suis venu chercher des papiers à l'administration et, par un heureux hasard, je vous ai vue alors que je m'apprêtais à repartir. Je peux vous reconduire?

– Heu... c'est que ma compagne...

Voyant que Francine semblait intéressée par la proposition de l'homme, l'autre infirmière l'interrompit:

– Vas-y, ne t'en fais pas pour moi, voyons! On se reprendra!

Puis elle partit en direction de sa voiture, laissant Francine avec le bel inconnu qui s'empressa de l'inviter:

– Montez, je vous en prie. Vous avez le temps pour un café quelque part? On vous attend?

– Non, personne ne m'attend et je vous avoue qu'un bon café ailleurs qu'à la cafétéria va me faire oublier l'ambiance de l'hôpital. De plus, avec ce soleil qui persiste... Est-ce possible, vingt-neuf degrés un 28 mai! Je comprends pourquoi vous utilisez votre air climatisé. Et dire qu'il y a quinze jours, on aurait pu croire que l'hiver était encore à nos portes... Dites donc, vous êtes en relâche un mardi?

– Non, j'ai pris congé pour venir chercher ces papiers, mentit-il. C'est urgent, c'est pour la succession de mon père. Et des journées, ils m'en doivent à l'Hydro, je ne prends jamais de congés de maladie ou presque.

Ils firent un bout de route ensemble et Sylvain sentit son auto s'imprégner d'un voluptueux parfum. Sa compagne, pourtant vêtue que d'un blouson et d'un pantalon, dégageait un arôme comme si elle sortait tout droit d'un bal.

– Ça sent très bon ce que vous portez. On vous l'a déjà dit?

– Pas que je me souvienne. C'est une eau de toilette composée de notes de fruits, de fleurs et d'épices. Vous avez l'odorat fin, vous! Je vous en remercie, mais ce n'est que *Hot Couture* de Givenchy. Une de mes collègues le porte aussi…

– Sans doute pas aussi bien que vous. Tiens! Ça vous irait ce petit resto-terrasse?

Sylvain avait immobilisé sa voiture rue Saint-Denis, un peu au sud de Boucher, et ayant déniché une table à deux dans un coin ombragé, elle commanda une eau Perrier et lui, une bière importée. Francine lui demanda des nouvelles de sa mère, de sa sœur qui attendait un bébé puis, baissant la tête comme si elle se sentait coupable, elle avoua:

– J'ai failli me rendre aux funérailles de votre père, mais à la dernière minute, j'ai pensé que ce n'était pas ma place. Je n'étais que son infirmière et durant si peu de temps. Mais j'aurais voulu vous offrir, ainsi qu'aux vôtres, mes condoléances.

– Alors, voilà, vous venez de le faire, Francine! Oh! excusez-moi, je me suis permis une familiarité.

– Aucune offense, voyons, puisque c'est là mon prénom. Vous permettez que j'utilise le vôtre en retour, Sylvain?

Il éclata de rire, elle en fit autant et, retrouvant son sérieux, il lui demanda avec un tantinet d'hésitation:

– Vous… vous avez sûrement des enfants qui vous attendent?

– Non, je n'ai pas d'enfants, je n'en ai jamais eus.

– Un mari, alors? Un conjoint?

– Non plus, je suis libre comme une feuille au vent. Mais, dites donc, c'est une investigation? ajouta-t-elle en riant.

Mal à l'aise, figé sur sa chaise, c'est maladroitement qu'il répondit:

– Non… non, surtout pas! De mon côté, je suis divorcé depuis deux ans, j'ai une petite fille et je suis libre aussi!

– Je ne vous avais pourtant rien demandé, moi, répliqua-t-elle en souriant.

Ce qui le mit encore plus mal à l'aise dans son coin.

– C'est vrai, pardonnez-moi… Que je suis gauche! Tu m'excuses? Tiens! une autre gaffe! Je vous ai tutoyée sans m'en rendre compte. Quel malappris je suis!

Elle lui sourit et le regarda droit dans les yeux:

– C'est une gaffe que je voulais aussi commettre, Sylvain. Nous sommes de la même génération ou presque. Alors, pourquoi pas?

Il laissa échapper un long soupir de soulagement et, plus sûr de lui, il lui fit part du périple intime que fut le sien, sans omettre sa liaison avec Claire.

Quand il eut terminé, elle voulut en savoir un peu plus:

– Ta petite Maude, tu la vois souvent? Vous en avez la garde partagée, ton ex-femme et toi?

– Je l'avais, mais Pascale s'est distancée et je vois la petite rarement. Je pourrais certes me battre contre elle, aller en cour, mais la petite est plus heureuse avec sa mère. Je ne tiens pas à la traumatiser et, à vrai dire, je n'ai pas la fibre très forte…

– Ce qui veut dire qu'elle va grandir sans la présence de son père? Pauvre petite!

– Ne la plains pas, elle est encore très jeune, elle ne se rend pas compte de ce qui se passe. Et comme ma femme a un homme dans sa vie… Un jour, plus tard, j'espère bien que Maude voudra me revoir, me connaître je devrais dire, et je reprendrai tout ce temps perdu.

Francine n'ajouta rien. Cette partie de la vie de Sylvain ne la regardait pas. Avalant une gorgée de bière, il lui demanda:

– Si tu me parlais de toi, maintenant. Est-ce indiscret?

– Non, j'allais y arriver. J'aime le donnant donnant. Tu t'es ouvert tel un livre? Permets-moi d'étaler aussi mes pages.

Commandant une autre eau Perrier, Francine regarda autour d'elle et se rendit compte que la terrasse était bondée. Alors, comme personne ne risquait d'entendre ses confidences avec le bruit, elle avoua à Sylvain qu'elle n'avait jamais été mariée, mais qu'elle avait eu deux hommes dans sa vie. Le premier, à l'âge de vingt ans, un étudiant en droit qui voulait la fiancer. Pourtant, après deux ans de fréquentation elle l'avait laissé, elle ne l'aimait pas suffisamment pour l'épouser. Donc, études accomplies, elle se consacra à sa vocation d'infirmière jusqu'à ce qu'elle rencontre un architecte, un homme dans la trentaine, avec lequel elle vécut en union libre durant neuf ans. Puis, peu à peu, la fin de leur histoire se fit sentir. Ils n'avaient plus rien à se dire, plus rien à s'apporter tous les deux. Et c'est à ce moment qu'elle apprit que son conjoint avait une autre femme dans sa vie. Par l'entremise d'une bonne amie, bien entendu! Découvert, celui qu'elle avait aimé préféra jouer franc-jeu, avouer, et ce fut la rupture. Ils partagèrent les biens acquis en commun et elle garda le condo. Un condo payé dont il ne réclama rien pour se faire pardonner de l'avoir bassement trompée puis abandonnée. Par amour pour une fille de dix-neuf ans! Sa peine fut brève. «On pleure moins longtemps quand on a été bernée», ajouta-t-elle tout bas, comme pour elle-même. Et depuis les cinq dernières années, aucun autre homme n'était entré dans sa vie. Quant à son architecte, elle ne savait pas ce qu'il était devenu. Il était allé s'établir quelque part au Manitoba avec sa jeune maîtresse qu'il comptait épouser. Sylvain l'avait écoutée religieusement, buvant chacune de ses paroles. Ravi de la savoir entièrement libre, il lui demanda néanmoins:

– Vous n'avez pas eu d'enfants? Que dis-je! Tu n'as pas eu d'enfants? Tu n'en as jamais désiré?

– Plus jeune, oui, mais c'est tombé dans l'oubli par la suite. Pour être franche, je n'ai pas pu avoir d'enfants. Une malformation... Et avec l'intervention qui a suivi pour tenter de la corriger, j'ai vite compris que je n'aurais jamais d'enfants. Ce fut loin d'être un succès... Puis j'ai oublié, j'ai appris à vivre sans la maternité. D'ailleurs, ce qu'on ne connaît pas... Le temps a passé et me voilà rendue à trente-neuf ans... Tiens! à mon tour la bévue! Je viens de t'avouer mon âge!

– Mais non, ce n'est pas une gaffe, j'allais te le demander. Je suis aussi dans la trentaine, tu sais.

– Avec sûrement quelques années de moins...

– Bah, pour ce que ça compte, j'aurai trente-cinq ans au début de juillet qui vient, le 11, plus précisément.

– Quelle coïncidence! Et moi quarante, le 29 du même mois! Par contre, nos signes diffèrent, je suis native du Lion, toi du Cancer.

– Ce qui sera un atout précieux! Deux personnes du même signe, ce n'est pas toujours évident, selon une certaine expérience et les croyances... de ma mère!

Dieu qu'elle avait les dents blanches! Seigneur qu'elle était belle, cette femme qu'il avait devant lui! Même avec les cheveux enroulés en chignon. Déjà épris, mais ne voulant pas précipiter les choses, il lui parla de goûts et de couleurs. Il avoua aimer le timbre de voix de Laurence Jalbert, les symphonies de Gustav Mahler, les romans psychologiques, les films dramatiques et la bonne chère. Subjuguée, elle lui apprit à son tour qu'elle était allée voir le film *Unfaithful* avec Richard Gere et Diane

Lane, qu'elle possédait les albums d'André Gagnon, qu'elle aimait aussi, comme lui, les romans psychologiques, les grosses briques de préférence, et que son chanteur préféré était Bryan Adams, parce que les textes de ses chansons étaient comme des extraits d'histoires d'amour. Elle raffolait également des bons plats, du vin rouge et lui avoua, sans prétention, être une excellente cuisinière. Enthousiasmé, rendu plus téméraire après trois bières, il avança sa main jusqu'à la sienne et lui demanda:

– Mais, avec une telle joie de vivre, comment as-tu pu rester si longtemps seule?

Caressant le bout des doigts de la main dans la sienne, elle lui répondit sans le quitter des yeux:

– Parce que tu étais sans doute celui que j'attendais, Sylvain.

L'été s'était déroulé sans heurt ni accroc. Comme si un vent doux avait décidé de souffler sur la vie de Jeanne après la dure épreuve qu'elle avait eu à surmonter. Se remettant peu à peu de la perte de l'être cher, elle avait visité Roger et sa famille un peu plus que de coutume, elle était même allée souper chez Carole et Jean-Louis à deux reprises, sachant qu'elle allait y manger comme un oiseau. Ces derniers avaient sorti quelques piastres de leur bas de laine et s'étaient permis, pour leurs vacances, deux semaines en Floride. En plein été! Dans un petit motel avec cuisinette, bien entendu.

Jean-Louis avait conduit sans s'arrêter, sauf quelques heures ici et là dans des haltes routières afin qu'ils puissent se reposer sur les banquettes de la voiture, lui en avant, elle à l'arrière. Une appréciable économie qui leur sauvait un motel ou un *Bed and Breakfast*. Carole avait apporté une glacière avec des canettes de boissons gazeuses, des sandwichs qu'elle avait faits, des tablettes de chocolat en sac de douze du magasin où elle travaillait, ainsi que des pommes, des raisins secs, de la confiture et des toasts Melba pour les dépanner. Avec des jus de fruits sans nom, évidemment. Ils n'avaient eu à dépenser durant tout le trajet, que pour l'essence de la voiture. Sur place, ils étaient allés faire un marché pour la durée de leur séjour, mais que pour les denrées périssables, car le café, les *Kraft Dinner*, les ragoûts de boulettes en conserve et les pommes de terre en poudre étaient dans une boîte dans le coffre arrière. Des denrées du Canada, parce que moins chères que si elles avaient été payées en dollars US. Pas un seul repas au restaurant. Pas une seule bière au bar, que celles achetées au dépanneur en face du motel. Et de longues journées à se promener sur la plage et à se baigner dans la piscine pour éviter les algues auxquelles Jean-Louis était allergique et les *jellyfish* que Carole craignait. Les soirées, ils les passaient assis sur leur petit balcon avec vue sur la rue, parce que c'était moins cher qu'avec vue sur la mer. Ils étaient revenus bronzés avec un seul film à faire développer et plein de petits pains de savon, du shampooing, du rince-bouche, des casques de douche et une serviette de plage, propriété du motel, mais «gracieuseté» dans leur tête. Carole était retournée au boulot faire pâmer ses amies avec ce hâle qui était plus beau que ceux d'ici, tout en vantant les mérites de leur «chic hôtel» de Miami. Un hôtel de luxe non loin de leur modeste motel et dont ils n'avaient vu que le hall d'entrée un certain matin, parce qu'ils avaient entendu dire qu'on offrait aux touristes des croissants et du café… gratuitement!

Sylvain, de plus en plus épris de Francine France, avait consacré son été tout entier à la fréquenter. Ils avaient assisté à des concerts et effectué de courts voyages à travers le Québec, car l'infirmière n'avait pas de vacances avant septembre. Et c'est ensemble qu'ils avaient fêté leur anniversaire respectif en s'échangeant de petits cadeaux. Francine lui avait acheté un album des œuvres de Mahler et lui, de son côté, lui avait offert quelques roses rouges encerclées d'une jolie chaîne d'argent surmontée d'un rubis.

S'étant ouvert à sa mère de son amour pour sa nouvelle flamme, celle-ci en fut ravie. Elle n'avait pas oublié la charmante infirmière qui avait si bien pris soin de son mari, mais elle ne savait pas que son fils l'avait revue et qu'ils avaient fini par créer un lien. Très heureuse pour Sylvain, elle l'avait invité à deux reprises à venir souper avec Francine et, dès leur première rencontre, l'infirmière qu'elle ne connaissait que professionnellement la subjugua par sa délicatesse. La seconde fois, les voyant se tenir la main, énumérer leurs goûts en commun, planifier un voyage en Jamaïque pour l'hiver prochain, elle se rendit compte que son fils, après deux échecs successifs, avait enfin rencontré celle qui allait le rendre heureux.

Au début de l'été, Sylvain n'avait eu la garde de Maude qu'une seule journée, et la petite, distante avec Francine qui ne savait guère comment s'y prendre avec elle, pleurait pour retourner chez sa maman. Jeanne, qui avait eu vent du fâcheux incident, avait compris que son fils et sa dulcinée, allaient être très heureux ensemble... sans enfants!

Line et Roger avaient aussi rencontré l'infirmière dont ils se souvenaient à peine, mais l'aîné se montra ravi du choix de son frère. Line, attirant Sylvain à l'écart, lui avait prédit:

– Cette fois, tu ne te trompes pas, elle est faite sur mesure pour toi.

Carole et Jean-Louis les avaient reçus pour un simple brunch, mais ils s'étaient efforcés d'être à la hauteur de l'infirmière qui les impressionnait. Quoique Sylvain fit bien rire sa mère par la suite, quand il lui raconta que Carole leur avait dit, dès qu'ils furent à table:

– Je voulais vous préparer des œufs bénédictines sur muffins anglais avec une sauce hollandaise, mais Jean-Louis avait une folle envie d'œufs brouillés.

Julie se rappelait très bien la charmante infirmière avec laquelle elle avait échangé quelques mots, et était plus qu'enchantée d'apprendre qu'elle était maintenant au bras de son frère. Ce qui lui avait fait dire à sa mère:

– Tu vois? On le croit mou, renfermé, sans audace, et il est allé la chercher de lui-même! Sans que personne intervienne! Je pense que tu le sous-estimes, maman! Sylvain a du cran quand il veut quelque chose. Et cette jolie femme va lui faire une compagne admirable. Imagine le beau couple qu'ils vont former à côté de celui qu'il projetait avec sa petite peste de Pascale! Ah! celle-là! L'autre, Claire, était gentille, mais si jeune… Dis-lui que ma maison leur est ouverte, maman!

Jeanne avait revu Antoine à quelques reprises, mais sans grand enthousiasme. Elle était allée au restaurant avec lui. Ils avaient parlé de choses et d'autres, lui de son fils, elle, de ses enfants et de la grossesse de Julie qui s'annonçait bien. Elle avait ajouté:

– Je pense qu'elle n'aura qu'un seul enfant. Si vous avez remarqué, la progéniture n'est pas nombreuse au sein de ma famille. Roger en a deux, Sylvain n'a qu'une fille, Carole, aucun… Moi qui étais mère de quatre enfants.

Ce à quoi Antoine avait répliqué:

– Vous étiez mère, mais étiez-vous maternelle, Jeanne?

Embêtée par la question, madame Durelle fut incapable de répondre. Ils se revirent, lui chez elle pour le thé, elle chez lui pour un café, puis, un après-midi, elle l'avait accompagné à un concert en plein air. Elle refusait toute sortie qui aurait pu lui permettre de devenir trop galant. Pour ne pas dire... audacieux! Elle évitait désormais les salles de cinéma où il aurait pu être tenté, une fois encore, de lui prendre la main. Ils faisaient l'épicerie ensemble, ils bavardaient, elle rentrait et il soupirait d'impatience. Peut-être d'amour même, mais elle faisait comme si elle ne voyait et n'entendait rien. Pour elle, Antoine Rochet était un bon ami, rien de plus. Surtout pas un soupirant et encore moins un compagnon à long terme.

Au début du mois d'août, Sylvain apprit de la bouche de son ex-femme, qu'elle déménageait à Toronto avec sa fille et son jeune amant. Elle avait obtenu une promotion à la condition de s'exiler durant trois ans dans la Ville-Reine. Sylvain, peu intéressé par le sort de sa petite «garce» d'antan, lui avait répliqué:

– Ce qui veut dire que je ne reverrai plus la petite?

– Tu n'auras qu'à te déplacer de temps à autre et je ne t'empêcherai pas de la voir. D'ailleurs, je vais venir visiter ma famille à l'occasion et Maude sera avec moi. On pourra essayer de se rencontrer.

– Ce qui est loin d'être une garde partagée, même occasionnelle, selon l'entente.

– Va te faire voir, toi! Une entente que tu ne respectes même pas, Sylvain Durelle! Pour l'argent, la pension, ça va, mais pour la petite, c'est toi qui s'en es éloigné graduellement. Alors, n'essaye pas de me faire de troubles, parce que j'ai toutes les preuves et les témoins comme quoi tu t'en sacres, de ta fille! Tu l'as quasiment abandonnée! Avec le résultat qu'elle ne veut plus rien savoir de toi ni de la «madame». Elle ne veut plus retourner chez toi. Lorsque je lui en parle, elle se met à pleurer avant même que je puisse la convaincre. Et la «madame», c'est une nouvelle conquête? La petite jeune t'a laissé tomber? Tu vois? Je ne suis pas la seule!

– Toujours aussi langue sale… Oui, je refais ma vie, Pascale! Avec une femme qui te vaut dix fois! Et pour ce qui est de Maude, je ne te causerai aucun problème, ne crains rien. Pars! Va vivre ailleurs avec le gars que tu as mis à ta main! Et la petite, si jamais je passe par Toronto, j'arrêterai la voir. Sinon, c'est elle qui reviendra vers son père avec le temps.

– Reste à voir! Quand elle saura que tu l'as rejetée, que tu t'en es fiché, elle va peut-être changer d'idée. Et puis quand elle apprendra que son père est un flanc mou, pas de couilles…

– Va au diable et que je n'entende plus parler de toi, petite vipère! Et tu me posteras ta nouvelle adresse pour les gâteries que je ferai parvenir à la petite, c'est tout ce que je veux!

– Je…

Mais Pascale ne put ajouter un mot de plus. Sylvain, en colère, avait brusquement raccroché. Déçu quand même de perdre ainsi sa fille, il ne put faire autrement que d'admettre que son ex-femme avait toutes les cartes en main. Mécontent, irrité, il savait, néanmoins, qu'il s'était éloigné lui-même de la petite, la laissant de plus en plus aux bons soins de sa mère. Ce que lui avait aussi reproché Claire… Contrairement à son défunt père, il n'avait pas fait de Maude sa «chouette». Parce que, tout en désirant ce qu'il y avait de mieux pour sa fille, il n'avait pas la fibre paternelle. Il n'avait jamais été porté à la prendre dans ses bras ou à la bercer tout en la serrant sur son cœur. Père responsable, certes, mais dépourvu de ces gestes de tendresse et d'affection que réclament les enfants. En quelque sorte, tout comme sa mère, quoi!

Jeudi 5 septembre 2002. Beau, moins chaud que les jours précédents, mais on sentait que la belle saison allait incessamment faire place aux feuilles mortes. Les rues étaient désertes avec le retour des jeunes à l'école. On entendait moins les rebonds des ballons dans les entrées de garage et les piscines familiales se vidaient peu à peu de leur eau filtrée. Roger avait repris le chemin des classes grognon, maussade, prêt pour un autre combat avec ses nouveaux élèves. Line était revenue à son poste de secrétaire scolaire et Gabriel et Charles, leurs fistons, étaient maintenant dans un collège privé où leur éducation, selon leur père, serait plus appropriée et leur conduite, mieux surveillée. Carole vendait toujours ses babioles dans le magasin grande surface qui ne pouvait se passer d'elle alors que Jean-Louis manipulait encore la calculatrice dans la même petite fonction qu'on lui avait attribuée, il y a nombre d'années. Jeanne, voyant l'automne et l'hiver venir, devenait de plus en plus songeuse dans son condo de l'Île-des-Sœurs. Allait-elle rester, isolée, loin des enfants? Devait-elle vendre, se rapprocher, revenir vivre dans le nord de la métropole? Carole avait insisté maintes fois pour qu'elle achète dans l'immeuble qu'elle habitait, mais plus elle y pensait, plus elle hésitait. Se rapprocher d'elle et de son pingre de mari ne serait pas une corde de plus à son arc. Elle avait presque peur d'attraper… leur maladie!

Jeanne était absorbée dans ses pensées aussi noires que roses lorsqu'on frappa légèrement à sa porte. Surprise, elle s'avança sur la pointe des pieds et, regardant par l'œil magique, reconnut Antoine qui, frais rasé, bien peigné, lui dit, sentant son pas se rapprocher:

– N'ayez crainte, Jeanne, c'est moi. Puis-je entrer? J'aurais à vous parler, si vous me le permettez.

Quelque peu déçue d'être dérangée en fin de matinée, elle retira la chaîne de sécurité, déverrouilla et ouvrit la porte à Antoine qui, élégant dans sa tenue vestimentaire, avait à la main un bouquet de roses rouges qu'il lui tendit. Elle le regarda un peu mal à l'aise:

– En quel honneur? Ce n'est pas mon anniversaire…

– Non, je sais, mais ces fleurs iront de pair avec ce que j'ai à vous dire.

Étonnée, elle le fit passer au salon et lui offrit un café qu'il accepta volontiers. Puis, ayant agencé les roses dans un vase de cristal, sans détour, elle lui demanda:

– Alors, Antoine, quel bon vent vous amène si tôt et pourquoi ces fleurs? Comme vous le voyez, je suis directe, je n'aime pas tourner autour du pot.

– Oui, je vous connais, Jeanne, et cette attitude me plaît parce qu'elle va me permettre d'aller droit au but.

– Alors, faites! Je n'attends que cela!

Prenant un ton doucereux, Antoine lui dit:

– Écoutez-moi bien, je ne sais trop par où commencer… Oui, je le sais, j'aimerais vivre avec vous, Jeanne, ou vous avec moi. Je pense qu'il serait temps d'unir nos vies, de nous établir ensemble.

Stupéfaite, ayant pensé à tout sauf à cela, elle lui répondit:

– Vous n'y pensez pas? Voyons! Je n'ai jamais eu l'intention de m'établir avec qui que ce soit! Je veux bien de votre amitié…

Il l'interrompit et, un peu plus sûr de lui, il lui rétorqua:

– Non, ce n'est pas de l'amitié pour moi, c'est beaucoup plus. Notre fréquentation a pris de l'ampleur, Jeanne. Et si le fait de vivre avec un homme vous gêne, je suis prêt à vous épouser, à faire de vous ma femme.

– Quoi? Sans même me demander si la proposition m'intéresse?

– Je vous le demande, Jeanne. Solennellement, avec l'intervention de mon bouquet de roses. Ne me décevez pas, je vous aime... Si vous saviez comme je vous aime.

Elle se leva, marcha de long en large, retrouva son calme et répondit:

– Je devrais être flattée, honorée de votre demande...

– Vous oubliez l'aveu! Je vous aime, Jeanne! Je le répète!

– Je n'oublie rien, Antoine, et je ne fais pas la sourde oreille, mais je suis désolée, je ne suis pas intéressée par votre demande. Je n'ai eu qu'un homme dans ma vie. Je ne...

– Jeanne! Pour l'amour du Ciel! Vous étiez séparés!

– Ce qui ne veut pas dire, monsieur Rochet, que mon mari n'était pas l'homme de ma vie. Et qui sait si notre séparation n'a pas été une triste erreur de jugement. Rendus si loin tous les deux... J'ai compris bien des choses depuis son décès. J'étais à son chevet lors de son agonie, juste à côté de lui. J'ai saisi tout le sens de ce que voulait dire «à la vie, à la mort» à ce moment-là et j'aurais donné beaucoup pour que rien de tout cela ne soit arrivé. À notre façon, nous nous aimions l'un l'autre, Martial et moi.

Antoine, déçu, chaviré, avait sourcillé quand elle avait réutilisé le «monsieur Rochet» pour s'adresser à lui. Dès lors, il sentit la partie perdue, Jeanne ne serait jamais à lui. Il avait pourtant misé sur tout ses atouts afin de finir ses jours avec elle: gentillesse, dévouement, délicatesse, confidences, sorties, bouquets de fleurs... Il n'avait jamais été inconvenant avec elle, sentant qu'elle avait encore trop de pudeur pour lui effleurer ne serait-ce que la main. Mais il avait espéré qu'avec le temps... Il avait souhaité qu'au gré des jours, maintenant veuve et loin de ses enfants, elle se rapprocherait de lui. Il avait même prié pour que le Ciel lui vienne en aide, car il aimait profondément celle qui semblait vouloir fouler ses sentiments par un refus quasi formel. Ne sachant que dire, il restait muet et c'est elle qui enchaîna:

— Je ne voudrais pas vous blesser, vous êtes un homme bienveillant et sympathique, mais je n'ai aucune intention de refaire ma vie.

— Vous me brisez le cœur, Jeanne, nous pourrions être si heureux.

Laissant échapper un soupir, elle lui reprit avec affabilité:

— L'aveu m'a touchée, Antoine, mais je ne peux pas vous le rendre. Vos sentiments surpassent de beaucoup les miens. Je vous aime bien, mais en toute amitié, je vous le redis. Et si votre désir était de vivre à mes côtés, je suis navrée de ne pouvoir le combler. Je ne serai jamais votre conjointe ni votre épouse, Antoine. Je ne veux plus de vie à deux. Il y a eu Martial et aucun autre ne va lui succéder. Je veux être libre, ne plus appartenir à personne, ne pas avoir à partager. Je veux finir mes jours seule, avec mes enfants, bien sûr, mais personne d'autre.

— Pourtant… Si vous tombiez malade?

— Vous voulez dire qu'il est bon de s'unir à notre âge au cas où l'un des deux tomberait malade? Voyez-vous, c'est justement ce que je ne veux pas vivre. On ne se marie pas que pour prendre soin l'un de l'autre…

— Ne vous ai-je pas dit que je vous aimais, Jeanne?

— Oui, à deux reprises sinon trois, mais moi, je ne vous aime pas, Antoine. J'aurais préféré ne pas avoir à vous le dire, j'ai tenté de vous le faire comprendre, mais comme vous insistez, je me dois d'être franche, je m'en excuse.

Encore sous le choc de la déception, il voulut persévérer:

— J'ai pourtant beaucoup d'argent… Je pourrais vous choyer…

– Comme si l'argent achetait le cœur! Vous n'avez rien compris à ce que je vois. J'ai tout l'argent qu'il me faut pour vivre seule. D'ailleurs, vous savez, à trente ans, on s'approprie et, trente ans plus tard, on se départit. J'ai besoin de moins en moins de choses pour être heureuse. Quand la sagesse se fait sentir... Ah! si seulement les hommes pensaient comme les femmes!

– J'y pense, n'en doutez pas, mais il n'est pas dit que parce que l'on vieillit, tout s'éteint. Quand on a la santé...

– Encore faut-il en avoir aussi le désir, Antoine. Moi, les voyages, les bijoux, les vêtements, les sorties, je n'en ai que faire. Ce dont je rêve maintenant, c'est d'une quiétude, d'un doux bien-être, d'une accalmie. Seule. Avec de la musique et des livres... Libre. Et je songe à vendre. Je veux partir d'ici. Je ne comptais pas vous le dire ce matin, mais votre visite, votre demande... Oui, je vais partir, je mûrissais ce projet depuis quelque temps, alors, comme vous pouvez le voir, loin de moi l'idée de refaire ma vie.

Décontenancé, Antoine se leva, déposa sa tasse et la regarda d'un air malheureux:

– Bon, puisque c'est comme ça, je crois que je n'ai plus rien à faire ici, moi. J'étais venu dans l'espoir d'entendre autre chose...

– Je regrette sincèrement de vous décevoir, Antoine. Si j'avais su que vous aviez de telles arrière-pensées, je n'aurais pas accepté cette amitié que vous m'offriez. Je me serais faite plus distante...

– Comme si vous ne l'aviez pas été, Jeanne! Avouez au moins que vous aviez deviné que je vous aimais. Vous n'êtes quand même pas sotte!

– Non, mais encore naïve, parfois... Je n'ai rien perçu..., mentit-elle.

– Dans ce cas-là, excusez-moi de vous avoir importunée, madame Durelle. Désormais, vous n'entendrez plus parler de moi.

Antoine sortit et referma la porte derrière lui sans qu'elle fasse un geste ou qu'elle ajoute un mot. Elle l'avait laissé partir avec sa douleur et sa rage au cœur, sans même tenter de le retenir pour que tout se termine en douceur. Verrouillant sa porte, elle se versa un autre café et se détendit dans son fauteuil tout en regardant les roses rouges dans le vase. Pauvre homme…, pensa-t-elle, mais sans plus. Elle ne lui avait rien laissé croire, elle avait toujours fui ses avances, mais bien sûr qu'elle avait «deviné» qu'il l'aimait. Elle n'était point sotte, il le savait, et pas du tout naïve comme elle le prétendait. Ce qu'elle n'avait pas eu l'honnêteté d'admettre, c'est qu'elle avait poursuivi avec lui à cause de… sa dépendance. Non, il ne fallait pas qu'on sache qu'une femme qu'on croyait si forte, puisse sur un certain point être si faible. Surtout quand elle se retrouvait sans appui, elle qui venait de lui affirmer dans une vaine fierté vouloir vivre seule. Elle l'avait laissé partir sans le moindre mot pour le retenir. Parce qu'elle ne voulait plus le voir revenir. Au fond d'elle-même, Jeanne souhaitait qu'Antoine sorte de son existence. Elle ne savait comment le lui dire et voilà qu'il venait de se pendre lui-même. Avec le petit ruban blanc qu'il avait retiré de la gerbe de roses rouges.

Jeanne fit sa toilette, se maquilla, se vêtit plus convenablement et appela un taxi pour aller faire ses emplettes dans un autre marché que celui d'Antoine et des gens de l'immeuble. Puis, de retour, elle rangea tout dans le garde-manger et le réfrigérateur. Délivrée de son prétendant, un poids de moins sur ses épaules, Jeanne sentit qu'il était vraiment temps pour elle de partir, de quitter cet immeuble de l'Île-des-Sœurs et d'aller vivre ailleurs… Sachant maintenant où elle irait!

La vie à l'Île-du-Prince-Édouard s'écoulait paisiblement, sans que rien vienne la perturber. Surtout chez les Miller où la cigogne était attendue le mois suivant. Julie ne travaillait plus avec son beau-père. Plus fatiguée avec son gros ventre et sa prise de poids soudaine, elle se contentait, en attendant le moment venu, de parfaire quelques plans de gestion pour l'une des entreprises de son mari. Sa belle-mère s'était considérablement rapprochée d'elle et ne la percevait plus comme une intruse dans le clan familial. D'autant plus qu'elle ne voulait rien perdre du rapport étroit qu'elle avait toujours entretenu avec John, son fils préféré. Il lui arrivait de cuire des gâteaux aux carottes et d'aller en porter un à sa bru qui, pourtant, surveillait de plus en plus son alimentation pour ne pas grossir davantage.

Chaque soir, John restait auprès de celle qu'il appelait *Honey* et faisait tout en sorte pour qu'elle se repose le plus possible. Profitant du temps plus frais à Summerside qu'à Montréal, Julie et John avaient fait au cours de l'été de longues marches le soir, ce qui était recommandé dans son état. Car si Julie n'avait aucun problème de grossesse, elle avait pris trop de poids, ce qui risquait de rendre l'accouchement plus difficile. Avec John, elle se rendait parfois à French River voir son beau-père et, de temps à autre, à Charlottetown afin de souper au petit restaurant qu'ils affectionnaient.

De son ordinateur, essayant de combler le vide de ses journées, Julie faisait parvenir des courriels à Sylvain, qui lui répondait. Elle lui parlait de John, de son bonheur avec lui et, en retour, son frère lui narrait sa belle histoire d'amour avec Francine. Elle s'entretenait de la même façon avec Line qui lui parlait de Roger, des enfants, de sa mère, et qui lui donnait aussi des nouvelles de Carole et de Jean-Louis qui, parfois, la faisaient bien rire. Pour la fête de madame Durelle en juin, Carole lui avait offert un petit tapis bleu poudre comme descente de lit, alors que la chambre de sa mère était verte. Roger s'était chargé du souper et tous avaient été invités. Jean-Louis avait mis sa chemise blanche et sa cravate rouge, et était reparti de chez son beau-frère avec une grosse bouteille d'eau Naya, afin de constater si elle était plus digestible que celle en cruche qu'il achetait à bon prix. Foutaise! Tous le savaient! Il voulait simplement repartir avec quelque chose… sur le bras! C'était ainsi, en riant, en souriant, que Julie se désennuyait, tout en faisant le décompte des jours jusqu'à son accouchement.

– *Honey, it's for you!* Ta mère est au bout du fil.

John avait répondu alors que Julie sortait du bain tourbillon avec une serviette de ratine autour de la taille.

– Fais-la attendre! Le temps d'enfiler une robe de chambre et des pantoufles.

John causa brièvement avec sa belle-mère et tendit ensuite le récepteur à Julie qui s'empressa de dire à sa mère:

– Quelle bonne surprise! Je sortais du bain! Comment vas-tu?

– Très bien et toi, ma fille? La grossesse, ça s'endure?

– Oui, sauf que j'ai les pieds un peu enflés. Je marche moins ces temps-ci. Ça irait mieux si j'étais moins grosse. Je suis souvent à bout de souffle, mais j'achève, le temps passe…

– Tu sais, j'étais énorme lorsque j'étais enceinte de Roger. J'avais pris tout près de cinquante livres. Ne t'en fais pas, au deuxième, on engraisse moins, le chemin est fait, la rétention d'eau est moindre…

– Maman! Ne me parle pas d'un deuxième! J'ai de la misère à me rendre au bout de celui-là! Je sais que John aimerait en avoir plusieurs, mais ce n'est pas lui qui les porte! S'il fallait que les hommes le fassent une seule fois…

– Toutes les femmes ont dit cela, Julie, et la plupart en ont eu quatre ou cinq. Surtout dans mon temps! Mais je te comprends, tu sais, de nos jours... Et pour l'accouchement, ne t'en fais pas, tu vas voir, ça va bien se passer. Je t'ai aussi appelée pour te dire que... Tu sais, Antoine Rochet? Mon brave ami Antoine?

– Oui, que lui est-il arrivé? Pas...

– Non, non, bien en vie et en santé, mais ça s'est terminé, lui et moi. Pas plus tard qu'hier, ma chère!

– Quel drôle de ton... Que s'est-il passé? Il semblait pourtant charmant...

– Bien sûr qu'il l'était! Trop même! Non, c'est moi qui ai mis un frein à ce qu'il qualifiait de fréquentations. Écoute, Julie, je l'ai accompagné à quelques endroits, mais jamais rien de sérieux. Il ne m'a même jamais pris la main, j'évitais qu'il le fasse, ce qui l'a gardé respectueux envers moi.

– Alors, qu'est-ce qu'il a fait?

– Rien de mal. Il est arrivé ici avec des fleurs et il m'a demandé d'aller vivre avec lui et de l'épouser si possible.

– Bon, je vois! Ça ne t'a pas intéressée et tu ne t'es pas gênée...

– Non, j'ai été complaisante, j'ai même mis des gants blancs, mais ça l'a quand même déçu et contrarié. Il disait m'aimer et vouloir finir ses jours avec moi.

– Peut-être était-il sincère?

– Sans doute! Antoine n'a plus l'âge des enfantillages, mais j'ai finalement été obligée de lui dire que je ne l'aimais pas, que je le trouvais gentil, mais que je n'éprouvais rien pour lui.

– Ce qui a dû lui causer tout un choc.

– Évidemment, mais j'ai fini par comprendre, nonobstant son soi-disant amour, qu'il désirait qu'on s'unisse pour se soigner l'un l'autre si l'on tombait malade. Belle perspective de bonheur, n'est-ce pas? Et comme il est beaucoup plus âgé que moi, il plaidait sans doute sa propre cause. Tout a été étalé pour s'assurer d'une certaine sécurité, il m'a même fait miroiter son argent.

– La pire chose à faire avec toi…

– Tu me connais, non? Je ne me suis pas emportée, j'ai gardé mon calme, mais je lui ai dit que je n'avais besoin ni d'un homme ni d'argent pour poursuivre ma vie. Alors, dépité et choqué, il est parti en me disant qu'il ne reviendrait plus. Il a refermé la porte et je n'ai rien fait pour le retenir. Je n'avais pas à m'excuser de quoi que ce soit, Julie, je n'ai jamais rien fait pour l'attirer, moi, cet homme-là! Et voilà que je respire, que je me sens libre comme l'air, car, aussi bien te le dire, je commençais à le trouver pas mal lourd sur mes épaules, Antoine Rochet! Je n'ai été la femme que d'un seul homme, je le lui ai dit, il l'a mal pris, il est parti. Et je ne me sens pas en dettes envers lui!

– Bien, tel que tu me l'expliques, maman, c'était sans doute la meilleure chose à faire. Tu as été franche, tu n'as pas pris trop de détours…

– Non, parce qu'il n'est pas dans mes habitudes de longer les murs pour dire ce que je pense. Surtout si on me provoque en quelque sorte… J'ai d'ailleurs ajouté que j'allais quitter l'Île-des-Sœurs, que j'allais vendre mon condo.

– Sérieusement ou pour le décourager davantage?

– À dire vrai, Julie, je n'en peux plus de vivre ici. Après avoir passé toute ma vie dans notre petite maison de Montréal-Nord, l'immeuble de l'Île-des-Sœurs, c'est loin d'être le bonheur, tu sais! Je m'ennuie ici, je veux partir, finir ma vie ailleurs, me rapprocher…

– De Line et Roger, j'imagine?

– Non, pas plus que de Carole et Jean-Louis. Je veux me rapprocher de toi, Julie, et voilà pourquoi je t'appelle. Demande à John s'il ne pourrait pas me dénicher une petite maison à Summerside ou dans les environs. Quelque chose de joli, mais de simple.

– Oh! maman! Tu es sérieuse? Quelle bonne nouvelle! Ce serait merveilleux de t'avoir près de moi. Les autres viendraient nous visiter… Mais, j'y pense, ma maison est si grande…

– Non, Julie, je t'arrête, pas de mère ni de belle-mère dans les jambes! Une vie de couple, ça se vit à deux. Surtout avec l'enfant qui vient. Non, je veux ma petite maison bien à moi, avec une chambre d'amis et un petit jardin. Tu crois qu'il y a quelque chose de semblable à vendre dans ton coin?

– Sûrement! Et comme John connaît tous les agents immobiliers… Mais tu la veux quand, cette maison, maman?

– Le plus tôt possible, Julie. Je veux mettre le condo en vente incessamment et je suis certaine que j'en serai débarrassée en moins d'une semaine. Il ne faudrait pas perdre trop de temps…

– Tu as bien pensé à ton affaire? Tu es sûre que tu vas te plaire ici? Tu sais, l'hiver…

– Julie! C'est moi qui t'ai fait connaître ce coin! Je m'y sens chez moi depuis si longtemps! Pour ce qui est de l'hiver, il est peut-être plus froid qu'ici, mais plus calme. Et à mon âge, ma petite, on reste au chaud, on lit, on tricote.

– Voyons, maman, tu es encore si jeune…

– Beaucoup moins jeune qu'avant, ma fille. Prends l'exemple de ton père…

– Si tu savais comme il me manque. Je pense souvent à lui…

– Parce qu'il est parti très vite, Julie. Tu sais, dès qu'on entre dans la soixantaine, les calendriers à venir ne s'envisagent plus à perte de vue.

– Je vais tenter de le croire, mais, bon… Alors, si je trouve, tu es prête à acheter sans même visiter?

– Écoute, je te fais confiance, tu as plus de goût que moi pour les maisons. Que ce soit juste coquet et bien entretenu, je n'en demande pas plus. Et s'il n'y a rien à Summerside, demande à John de regarder du côté de Charlottetown, ce n'est pas si loin.

– Non, maman, nous allons trouver ici. Je te veux près de moi! J'aimerais tellement que tu sois là pour mon accouchement! Et si tu vends avant qu'on trouve, rien ne t'empêche de tout mettre en entreposage et de venir habiter avec nous pour quelque temps…

– Ce serait en dernier recours, mais je suis certaine que John va me trouver quelque chose. Je lui fais confiance. Il a tellement d'amis et d'influence. Je te laisse, Julie, repose-toi et rappelle-moi. Moi aussi, j'aimerais être avec toi lorsque l'enfant naîtra.

– Quelle joie ce serait! Je vais pousser John, crois-moi! Mais, une dernière question. As-tu fait part de tes intentions aux autres membres de la famille?

– Non, pas encore, je le ferai lorsque vous trouverez. Rien ne presse et, de toute façon, ils vont comprendre, je n'ai plus envie de vivre à Montréal. J'ai besoin de changer d'air, d'ambiance, d'atmosphère… Loin de ma vie antérieure, avec juste quelques souvenirs dans le cœur.

Elles avaient raccroché. Jeanne était soulagée et Julie, enchantée de cette très bonne idée. Faisant part à son mari du projet de sa mère et lui demandant s'il croyait être en mesure de trouver ce qu'elle cherchait, il lui répondit en la serrant dans ses bras: «*Of course, Honey.*»

Dès le lundi suivant, Jeanne trouva un agent immobilier par l'entremise du concierge, et ce dernier l'assura qu'il trouverait un acheteur en moins de dix ou douze jours. Il y avait énormément de demandes pour l'Île-des-Sœurs. Le jeudi de la même semaine, Julie lui téléphona pour lui apprendre tout excitée:

– Maman? John a trouvé la maison de tes rêves! Un joli bungalow de cinq pièces avec une chambre d'amis au soussol. C'est très propre, bien entretenu et ça pourrait être libre dès la fin du mois, si ça t'intéresse. Je l'ai visitée, c'est joli, coquet, il y a une cour, une belle terrasse à l'arrière et un joli perron en pierres des champs à l'avant. C'est ici à Summerside, à deux rues de chez moi!

– Alors, je l'achète! Les yeux fermés, Julie! Je vous fais confiance. John connaît le propriétaire?

– Bien sûr, c'est un homme âgé qui l'a bâtie de ses mains autrefois. Sa femme est morte il y a trois ans et, comme ses enfants habitent le Nouveau-Brunswick et l'Ontario, il veut se rapprocher de l'un d'entre eux. Il allait s'apprêter à la mettre en vente quand John l'a interpellé. Et tu as obtenu un meilleur prix, maman, parce qu'il n'y aura pas de pourcentage à verser à un agent. Il a aussi assuré John qu'il pourrait vider la maison du peu de meubles qu'elle contient et te la céder pour le 27 ou le 28 septembre, les dates prévues pour son déménagement. Il y aura certes un ménage à faire, de la décoration, de la peinture. Mais John a plusieurs hommes de main parmi ses employés.

– Ne t'en fais pas avec ça, Julie. Dès qu'il sera parti, fais laver toute la maison, murs, plafonds et planchers, et je m'arrangerai pour la redécorer en octobre et novembre. L'important, c'est de m'y installer. Dieu que je suis contente!

– D'ici quelques jours, toute la paperasse sera réglée entre John et lui. Et tu n'auras qu'à signer ce qu'on te fera parvenir par la suite. Alors, on donne le *cash down?* Tu ne changes pas d'idée?

– Non, bien sûr que non! Et je serai des vôtres dès que possible! Bon, je te laisse, je n'ai plus de temps à perdre, il me faut aviser tous les autres de la famille!

Mais, avant même qu'elle en informe ses autres enfants, ce qu'elle comptait faire le soir même, elle reçut un appel de son agent immobilier:

– Madame Durelle? C'est fait! Le couple qui s'est présenté hier matin achète votre condo. Ils sont prêts à signer les papiers. L'autre, la dame âgée, a mis trop de temps à se décider. Vous êtes prête à vous rendre chez le notaire dès demain?

– Et comment donc! Ma fille m'a trouvé une maison à Summerside et j'y serai dès la fin du mois.

– Ça ne peut mieux tomber! Le couple acheteur aimerait prendre possession du condo pour le début d'octobre.

Folle de joie à l'idée de quitter cet immeuble et de se retrouver près de sa fille, là où les étés étaient si beaux, Jeanne en sautillait presque. Comme une toute jeune fille qui affronte sa vie de femme. Avec le cœur léger et des étincelles dans les yeux. Elle réussit à joindre Sylvain à son travail sans plus tarder, et c'est lui qui eut la primeur de «sa bonne nouvelle». Quelque peu triste quoique content pour elle, il lui avait dit:

– Tu vas être si loin…

Et Jeanne lui avait répondu:

– Sylvain! J'étais tout près et je vous voyais si peu souvent. Au moins, là-bas, vous aurez peut-être envie de venir m'embrasser de temps en temps!

Le soir venu, elle appela Line et Roger et, contrairement à ce qu'elle s'attendait, son fils aîné se montra ravi de sa décision.

– Tu seras moins seule, maman. Et Julie sera heureuse de t'avoir auprès d'elle. Ne crains rien, nous irons te visiter avec les enfants.

Non, Roger n'avait pas vociféré cette fois, parce que, connaissant la dépendance de sa mère, il redoutait qu'avec le temps elle devienne plus craintive face à la vie et, qui sait, peut-être dépendante de lui? D'autant plus qu'elle avait repoussé les avances de monsieur Rochet... Mais il y avait d'autres solutions et, selon Roger, soulagé, Jeanne avait sans doute trouvé la bonne.

Depuis qu'elle avait vendu et acheté, personne de l'immeuble n'avait eu vent de l'affaire. Le concierge, tel que promis, était resté muet sur le sujet. Tout comme l'agent qui était venu discrètement avec les acheteurs potentiels. Parce qu'elle ne voulait pas qu'Antoine l'apprenne et revienne à la charge.

Carole et Jean-Louis, il fallait s'y attendre, se montrèrent mécontents d'une telle et aussi rapide décision. Ils voyaient «leur mère» s'en aller très loin avec son avoir et celui de feu Martial. Un héritage qui serait plus à la portée de la main de Julie que de la leur.

– C'est ça, avait dit Jean-Louis, on lui offre un appartement dans notre immeuble, elle rechigne et elle s'en va à l'Île-du-Prince-Édouard! À des tonnes de kilomètres de nous! Bien je te le jure, Carole, elle va attendre notre visite longtemps! Avec ce que ça coûte pour aller là en avion et avec le prix de l'essence qui grimpe sans arrêt si on prend l'auto... Non! Ta mère fait à sa tête? Tant pis pour elle! Elle ne nous verra pas souvent à moins qu'elle ne se déplace!

Carole n'avait rien répondu, peinée, chagrinée de voir sa mère s'éloigner, sachant qu'avec «lui» et le contrôle de leurs salaires, elle n'allait pas la revoir de sitôt.

Les trois autres semaines du mois s'écoulèrent à un rythme effarant. Jeanne avait tout emballé ou presque et un camion était déjà venu prendre les meubles. Un déménagement onéreux certes, mais un sentier plus heureux à l'horizon. Les voisins avaient fini par se rendre compte qu'elle partait et le bruit parvint aux oreilles d'Antoine qui ne l'avait pas revue depuis qu'elle l'avait poliment rejeté. Il attendit que le jour du départ vienne, que sa bien-aimée s'apprête à partir pour ne plus revenir, pour lui faire glisser une lettre sous sa porte par une voisine de pallier. Le soir même, on allait la recevoir chez Roger où étaient conviés tous les membres de la famille, Francine incluse. Car, le lendemain à l'aube, après une dernière nuit chez son fils aîné, Jeanne prendrait l'avion qui allait la conduire vers son nouveau destin. N'ayant plus de meubles ou presque, elle avait déjà loué une chambre d'hôtel au centre-ville la veille et, ce matin, elle était pour la dernière fois revenue au condo afin d'y prendre ses bagages et laisser les clés et ses instructions au concierge qui ferait suivre les dernières boîtes de ses effets personnels.

L'appartement était maintenant vide et elle n'avait plus que trois valises qu'on lui descendit sans trop faire de bruit pour ne pas attirer l'attention. En bas, juste à la porte de l'immeuble, un taxi l'attendait. Une dernière fois, elle fit le tour de chaque pièce, revivant en images son séjour avec sa sœur Dolorès puis l'arrivée de Julie, et soupira de chagrin et de joie à la fois. Sortant avec son sac à main en bandoulière, elle allait refermer la porte lorsqu'elle aperçut l'enveloppe jaune sur le parquet, coincée dans l'embrasure. Elle se pencha, la ramassa, comprit qu'il s'agissait d'une lettre et la glissa dans la poche de son imperméable afin de la lire en cours de route. Une lettre de «lui», bien sûr, elle ne pouvait en douter. Elle sortit et emprunta l'ascenseur à l'insu des voisins, sauf de la dame qui avait déposé la lettre et qui l'épiait de sa porte entrouverte. Prenant place dans la voiture dont le chauffeur avait ouvert la portière, elle remercia le concierge de son amabilité, referma la porte et ne distingua pas, à une fenêtre du couloir de l'entrée, Antoine qui, tristement, la regardait s'en aller.

Devait-elle lire cette lettre? Allait-elle en être bouleversée? Contenait-elle des reproches qui risquaient de la blesser? Un instant, l'idée de la brûler sans la lire lui effleura l'esprit, mais elle chassa vite cette pensée, ne pouvant croire qu'Antoine soit du genre à la blâmer ou à l'injurier. La voiture empruntait la fin du pont lorsqu'elle se décida enfin à décacheter l'enveloppe jaune. Elle en sortit une longue feuille blanche habilement pliée, une seule, rédigée à la main et sur laquelle elle put lire en assez gros caractères:

Chère Jeanne,

Je savais que le jour allait arriver, que vous alliez partir discrètement et que je ne vous reverrais jamais. Si vous saviez comme j'ai espéré un appel de votre part, ne serait-ce que pour me dire adieu. Hélas en vain, car au moment où vous lirez ces lignes, vous vous rendrez compte que notre dernier regard l'un pour l'autre remonte au jour où vous m'avez refusé votre main.
J'aurais pu vous rappeler, aller frapper à votre porte, mais je craignais que vous considériez ces gestes comme une insistance de ma part. Et puis, tout comme vous, j'ai ma fierté. C'est vous qui m'avez repoussé, Jeanne, moi je ne demandais qu'à vous aimer et à vous le prouver. L'écart d'âge entre nous a peut-être joué un rôle. Qui sait? Le fait d'être septuagénaire ne m'avantage guère. Mais une certitude demeure, je vous aurais aimée plus que votre mari, Jeanne. Et rien ne nous aurait séparés,

pas même le temps. Et ce que vous n'avez pas compris, malheureusement, c'est cet élan de sincérité de ma part.

Je n'ai plus l'âge de pleurer, je vais lentement disséminer ma douleur, c'est certain, mais je veux que vous sachiez qu'aucune autre femme ne va entrer dans ma vie. C'est vous que j'aimais et que j'aime encore, c'est vous que je vais aimer jusqu'à ma mort.

Navré de vous voir partir, j'ai tenu à vous observer comme si c'était là un ultime sursis. Je me suis donc permis de vous regarder d'une fenêtre du couloir d'en bas, vous éloigner de moi. Sans que vous vous en doutiez. Et au moment où vous lirez ces lignes, ce sera fait. Je vous aurai contemplée une dernière fois, Jeanne, afin de graver à jamais votre visage dans mon cœur.

Je vous remercie de tous ces bons moments passés ensemble et, où que vous alliez, si vous avez une certaine sensibilité, songez que vous aurez laissé derrière vous, un homme chagriné qui vous aurait comblée.

Adieu, ma bien-aimée,

Antoine

Jeanne fut touchée d'une telle ardeur, mais elle n'en laissa rien paraître et ne versa aucune larme. Voyant par son rétroviseur qu'elle lisait, le chauffeur n'avait pas osé la déranger et elle, pensive, se remémorait les quelques bons moments passés avec Antoine. Bien sûr qu'il l'aurait comblée, mais il aurait fallu qu'elle puisse l'aimer... Elle reprit la lettre, la relut plus attentivement, sourcilla à deux reprises, la plia et l'enfouit dans son sac à main.

Malgré sa belle main d'écriture et un style épistolaire plutôt rare pour un homme sans trop d'instruction, Antoine avait commis quelques bévues dans son émouvant «cri du cœur». Elle avait sursauté là où il lui disait qu'il l'aurait aimée plus que son mari. Comment pouvait-il se permettre d'évaluer l'amour de Martial pour elle durant quarante ans? Comment pouvait-il prétendre, sans l'avoir connu, que son mari l'avait peu aimée? Parce qu'ils étaient séparés? Voilà qui lui valait une note défavorable. Le second rictus s'était manifesté lorsqu'elle lut de nouveau: «si vous avez une certaine sensibilité». En doutait-il? L'avait-il perçue tout ce temps comme une femme au cœur de pierre parce qu'elle n'avait pas répondu à ses avances? Plus elle relisait la lettre, moins elle en était touchée. Après l'avoir enfouie, sortie, relue trois fois, elle la rangea définitivement au fond de son sac, se promettant bien de s'en défaire, de la détruire, pour que jamais personne ne la trouve. De peur qu'on pense un jour qu'elle avait eu dans sa vie un autre homme que son mari. Par crainte aussi qu'on s'interroge sur son comportement et qu'on donne raison à l'homme éploré qu'elle avait quelque peu utilisé comme un… briquet jetable! Elle échappa un long soupir et, à ce moment, le chauffeur de taxi lui demanda:

— Nous voici rendus, madame. Devant quelle maison dois-je m'arrêter? Vous ne m'avez donné que le nom de la rue, pas l'adresse.

Voyant l'auto s'immobiliser, Line sortit pour venir l'accueillir et l'aider avec ses valises. C'était samedi, tous étaient en congé. Les enfants, encore en pyjama, s'amusaient avec un jeu Nintendo en l'absence de leur père. Line lui servit un copieux déjeuner et lui versant un café, elle lui dit:

— Croyez-le ou non, mais Roger est déjà parti faire les courses. Il voulait être le premier à la Société des alcools et, ensuite, passer à la pâtisserie chercher ce qu'on a commandé hier. Puis, à la charcuterie…

– Voyons! Pourquoi toutes ces dépenses? Ce n'est pas mon anniversaire, ce n'est que mon départ. Vous n'aviez pas à le souligner de la sorte! Déjà que vous m'hébergez pour ma dernière nuit…

– Voyons, madame Durelle, c'est la moindre des choses. Nous allons être un bout de temps sans vous voir et vous connaissez Roger, non? Il adore recevoir, préparer des petits plats, servir le vin… C'est sa plus belle qualité! Et ça lui permet de décompresser après une semaine à l'école.

– Oui, je sais, il a toujours été généreux de sa personne. Si seulement il pouvait prendre sa vocation moins à cœur.

– Oui, je sais et j'ai tellement hâte de voir le jour de sa retraite! C'est à ce moment-là qu'il va devenir un autre homme. Hé! les enfants, habillez-vous avant que votre père revienne!

– Si tu savais avec quel soulagement j'ai quitté définitivement le condo ce matin. Je ne peux pas croire que je ne verrai plus cet immeuble! Ça me déprimait, Line, ça me tuait peu à peu…

– Pourquoi être allée à l'hôtel hier soir? Vous auriez pu venir ici et Roger serait allé avec vous ce matin prendre vos effets.

– Pour être plus près, pour ne pas déranger Roger qui a tant de choses à faire… Et puis, aussi bien être franche, ça m'a permis de me détendre de me retrouver seule dans une grande chambre avec un bain débordant de mousse pour relaxer, un film à la télévision, le vide, le silence… Un peu comme Roger quand il tente de s'évader de ses élèves. Et ce matin, arrivée tôt, je n'ai pas mis de temps à quitter le condo. Peu de gens m'ont vue partir. Non pas que je voulais filer à l'anglaise, mais je t'avoue que je n'avais rien à leur dire. Je ne comptais pas d'amis dans cet immeuble-là. Sauf lui... mais je ne l'ai pas revu. Je me demande même s'il sait que je suis partie, ajouta-t-elle dans un très pieux mensonge.

En fin d'après-midi, Carole téléphona pour dire à Roger qu'elle et Jean-Louis se mettaient en route pour assister à ce souper du grand départ. Sylvain les avisa qu'il arriverait un peu plus tard, car Francine ne serait chez elle qu'à dix-huit heures. Mais, à dix-neuf heures trente, tout ce beau monde était à table. Francine France avait apporté à madame Durelle de jolies fleurs qui servirent de centre de table et Sylvain, un très beau livre de pensées et de réflexions que sa mère garderait sûrement sur sa table de chevet. Carole et Jean-Louis... rien! Line avait préparé des entrées de fruits de mer alors que Roger servait l'apéro. Puis, ce furent l'émincé de poulet aux champignons, les légumes du marché, les grelots, le rôti de bœuf ou le saumon avec sauce hollandaise. Un souper d'apparat, une table de grand restaurant pour souligner le départ de celle qui allait vivre, au loin, l'automne de sa vie. Tous s'étaient régalés, Jean-Louis s'était empiffré, et le vin rouge comme le vin blanc coulaient à flots dans les verres de cristal. Pour le dessert, Line proposa une crème brûlée, des pâtisseries françaises, des fruits frais en salade et un gâteau à la mousse de framboise. Carole et Jean-Louis goûtèrent à tout... sans exception! Et pour clore ce repas grandiose en beauté, Roger offrit les digestifs alors que Line préparait le café expresso. Sylvain opta pour un verre de porto, Francine également, mais Carole et Jean-Louis reluquèrent la liqueur Poire William qu'ils n'avaient pas la chance de déguster souvent. Jeanne, tout comme Line, trempa ses lèvres dans un petit verre de crème de menthe verte et Roger, plus friand de digestifs costauds, se servit deux doigts de Metaxa, le cognac du peuple grec. On parla de tout, de rien, du travail de l'un, de l'autre, de Julie et John, de la «nouvelle vie» de maman à Summerside et Francine, discrète, parce que ne se sentant pas de la famille, lui demanda:

– Vous allez vous plaire là-bas, madame Durelle?

– Ah! mon Dieu! Si vous saviez comme c'est beau, ce coin-là! Sylvain en sait quelque chose, il m'a accompagnée au mariage de sa sœur. Et comme John et Julie ont choisi ma maison, je ne doute pas du confort que j'y trouverai, même si j'ai insisté pour que ce soit d'une grande simplicité.

– Vous l'avez eue à un bon prix? lança Jean-Louis.

– Oui, mais je ne t'en dirai rien! Toi, quand il n'y a pas d'argent dans les propos...

Carole avait froncé les sourcils lorsque Line avait esquissé un sourire qui lui avait déplu. Jeanne, comme si de rien n'était, continuait à bavarder avec Francine:

– Si jamais vous venez nous voir, je vous ferai visiter le Parc National et vous verrez l'endroit qui a servi au tournage de *Anne, la maison aux pignons verts.* Vous connaissez? Le roman de Lucy Maud Montgomery...

– Bien sûr, j'ai vu la série à deux reprises, en anglais et en français. J'ai adoré l'époque! répondit Francine.

– Alors, comme vous me semblez sentimentale, je vous ferai traverser le sentier des amoureux qu'Anne, l'héroïne, empruntait si souvent.

– Maman! Arrête! Ça va me coûter un voyage! lança Sylvain en riant de bon cœur.

– Oui, puis un voyage pas mal cher, parce que ce n'est pas de l'autre bord de la rue, l'Île-du-Prince-Édouard! pesta Jean-Louis. Carole et moi avec nos maigres revenus...

– Aïe! le beau-frère! À d'autres! lui rétorqua Roger. Sors tes piastres de la banque un peu! Déroule ton tapis, t'en as de caché en dessous! Mais ne viens pas me dire en pleine face que ma sœur et toi, avec vos maigres revenus... Vous allez laisser ça à qui, tout ce que vous entassez? Vous autres...

Line l'avait pincé au dos pour qu'il s'arrête, parce qu'elle sentait, au ton de son mari, que la conversation risquait de s'envenimer. Il était vingt-deux heures, les enfants étaient au lit et Roger, sans s'en rendre compte, venait de bâiller au nez des invités. Il était temps que le souper se termine, madame Durelle semblait fatiguée. Elle s'était levée tôt le matin et devrait se lever encore plus tôt le lendemain.

Constatant qu'on était à la toute fin du gargantuesque repas, Sylvain se leva et, prenant la main de Francine dans la sienne, il demanda aux convives de se taire un instant. Puis, solennellement, regardant sa mère, il leur annonça:

– Je serai bref, mais je tenais à vous le dire ce soir. Francine et moi allons nous marier l'an prochain.

Tous restèrent bouche bée et, intimidée mais souriante, Francine France regarda sa future belle-mère comme pour solliciter son approbation. C'est Line qui, la première, rompit le silence:

– Quelle bonne nouvelle! Un mariage dans la famille! Mes félicitations!

Tous enchaînèrent dans le même tourbillon, sauf Jeanne qui trouvait qu'une si courte fréquentation... Mais Sylvain, devinant son trouble, la rassura:

– Tu sais, maman, à notre âge, on n'a pas besoin de se courtiser longtemps pour se connaître. J'espère que tu approuves au moins mon choix?

– Sylvain! Quelle question! Francine est la plus exquise des femmes!

Puis, se tournant vers l'infirmière, elle ajouta, un peu taquine:

– Vous n'avez vu que le bon côté de son caractère, vous savez.

Francine éclata de rire:

– Lui de même, madame Durelle! On découvrira le revers de nos médailles plus tard.

– Vous comptez vous marier quand? Je serai si loin...

– Voyons, maman, ça te permettra de revenir. John et Julie également. On compte se marier au mois de mai, ça vous donnera tout le temps.

On les complimenta à tour de rôle et Roger, poussant un peu plus loin la curiosité, demanda à son frère:

– Tu ne vas pas l'emmener vivre dans ton minable appartement, au moins?

Et c'est Francine qui lui répondit:

– Ni dans le mien, Roger, il n'est pas plus grand que le creux de ma main.

– Ne vous cassez pas la tête, j'ai déjà trouvé, j'ai donné un dépôt sur une jolie petite maison, leur annonça Sylvain.

– Ah! oui? Où donc? s'informa Jean-Louis.

– À Montréal-Nord, sur la rue Garon.

Jeanne, estomaqué, resta figée un court instant avant de demander:

– Laquelle? Près de chez nous?

– Oui, maman, la plus près de ton cœur, puisque j'ai racheté la maison de notre enfance. Par un hasard déconcertant, je suis passé à pied et j'ai vu la pancarte. Elle avait déjà été revendue depuis le jeune couple d'antan et aujourd'hui, celui qui l'habitait avec sa conjointe vient d'être transféré à Toronto. Crois-le ou non, mais je l'ai presque eue pour une bouchée!

– Combien? risqua Jean-Louis.

– C'est personnel, mais tu n'en reviendrais pas, le beau-frère. Et puis, j'imagine papa en train de me surveiller quand j'en reprendrai possession en signant les papiers. Comme il va être heureux du haut du ciel! Sa petite maison... Celle de tant d'années... Je suis retourné une fois de plus dans le quartier par nostalgie, et soudain... C'était comme si la maison m'attendait, maman. Comme si papa m'avait lui-même guidé vers son rêve pour que j'en fasse une réalité...

Sylvain qui rêvassait encore tout en déployant sa nostalgie, baissa la tête, posa les yeux sur sa mère et vit de grosses larmes se détacher de ses paupières. Secouée, émue, attendrie, Jeanne sentait son cœur battre à tout rompre. Sylvain, «le portrait de son père», aussi modéré que l'était Martial, avait racheté dans sa grande affectivité, la maison de sa jeunesse. Pour y retrouver ses joies d'enfant, l'église Saint-Vincent-Marie-Strambi, la vue sur l'hôtel de ville, le barbier... Et pour y couler des jours heureux avec la femme de sa vie. Celle qui allait lui faire oublier tous les déboires de son premier mariage, ainsi que son échec avec... l'autre. Francine qui, tout comme lui, rêvait d'une maison où elle en saisirait l'âme. Une maison avec un petit jardin, un parasol sur le terrain, et l'odeur ancrée de son bien-aimé. Jeanne, la voix tremblante, le cœur serré, murmura:

– Comme il sera plaisant de revoir tout ça quand je viendrai vous visiter.

– Il y aura une chambre pour toi, maman. Nous la choisirons avec soin et la décorerons avec goût, Francine et moi.

– En autant que ce ne soit pas celle que nous partagions à l'étage, ton père et moi. J'en serais incapable, ça me crèverait le cœur d'émotion.

Tous s'apprêtèrent à quitter après avoir embrassé Jeanne et lui avoir souhaité un bon voyage et du bonheur dans sa nouvelle maison. Sylvain refit le trajet avec sa dulcinée et Jean-Louis, de son côté, réintégra son appartement avec Carole. En cours de route, sans quitter le chemin des yeux, il dit à sa femme:

– Ils se marient! Encore des dépenses!

– C'est l'an prochain, on a le temps d'y penser, répondit Carole.

– Bah, d'un autre côté, tu as ton tailleur bleu…

S'emportant pour une fois, elle lui rétorqua:

– Bien, voyons donc! Je l'ai porté à son premier mariage, Jean-Louis! Je ne vais quand même pas arriver habillée de la même façon cinq ans plus tard!

– Bien, quoi? Je vais bien remettre mon complet gris, moi!

– Avec ta cravate rouge? lui lança-t-elle d'un ton narquois.

Épilogue

P ar le petit hublot de l'avion qui la transportait à l'Île-du-Prince-Édouard, Jeanne regardait les nuages épais qui se déplaçaient en formant des visages. À un certain moment, elle aurait pu jurer qu'elle avait reconnu Martial à travers l'un d'eux. Elle en avait frissonné. Était-ce ces nuages constamment en mouvance qui constituaient l'éternité? Puisque plus haut, il n'y avait que du bleu à l'infini, sans oscillation, sans rien. Où donc se perpétuait ce qu'on appelait la vie éternelle? Allait-elle rejoindre un jour celui à qui elle avait fermé les yeux ou bien... Elle chassa ces noires pensées de son esprit et murmura sans qu'on l'entende avec le bruit des moteurs: «Pardon, mon Dieu! J'ai un instant douté... Seigneur Jésus, ayez pitié de moi!»

À l'aéroport de Charlottetown, John faisait le guet, prêt à l'embrasser et lui souhaiter la bienvenue. Julie, avec les pieds enflés, le ventre trop rond, ne supportait plus les longues balades en voiture et avait préféré attendre sa mère à la maison. Tout au long du trajet sur le Sentier de la Confédération, Jeanne causa avec son gendre. Elle s'informa de sa mère, de son père, de ses frères, et ce dernier lui répondait avec une exquise amabilité. Se retournant pour lui dire un mot, le regardant pendant qu'il surveillait la route, Jeanne le trouva encore plus beau que lors de leur dernière rencontre. John avait des yeux débordant de tendresse, un sourire captivant et, vêtu d'une chemise à carreaux et d'un *jeans* délavé, il affichait, malgré lui, ce côté adolescent qu'on ne perd pas toujours avec le temps. Une femme ne pouvait qu'être comblée avec un homme comme celui-là. Quelle chance pour Julie! Tomber pile sur lui, après avoir été si malheureuse avec les autres, songea sa mère. D'autant plus qu'elle avait du tempérament, même si elle s'était beaucoup adoucie depuis son mariage avec lui. Et sans cette rencontre dont elle était, sans l'avoir provoquée, l'instigatrice, Jeanne Valance n'en serait pas là, à s'apprêter à vivre ses plus beaux jours dans ce joli coin de son pays.

La sortant de sa rêverie, John lui indiqua un magnifique terrain de golf parmi tant d'autres qui attiraient les touristes autant que l'océan et, madame Durelle, soupirant d'aise, se sentait déjà chez elle dans cette région éloignée qu'elle avait toujours affectionnée. Son gendre lui apprit en outre que bon nombre de touristes du Québec étaient revenus à Summerside cette année. Pour visiter le *Fox Museum* et y découvrir la fascinante histoire du commerce de la fourrure du renard roux. Et pour visiter la *Silver Fox Inn*, une maison cossue ayant appartenu à un homme qui s'était enrichi dans le commerce de la fourrure du renard. Une résidence unique avec des pièces remplies d'antiquités. Aussi pour jouer au golf, comme il le lui mentionnait plus tôt, puisque l'Île-du-Prince-Édouard en était devenue le paradis avec ses vingt-cinq terrains dont certains étaient classés haut de gamme. Ce qui avait favorisé son père qui avait loué tous ses chalets et qui avait permis à son jeune frère Matthew de se trouver un bon travail d'été à ses côtés. Il parlait, elle l'écoutait et, soudainement, elle l'interrompit:

– Je ne peux pas croire, John, que je ne serai plus ici en touriste mais en permanence, comme résidante. Tu crois qu'on va bien m'accepter dans le quartier où je vivrai?

– Voyons, madame Durelle! La belle-mère de John Miller! Et la mère de Julie que tout le monde aime. On va vous adorer ici et vous allez voir, les gens sont *friendly,* pas distants comme on en voit chez vous… Mais il vous faudra l'être avec eux, car s'ils sentent que vous êtes *cold* ou snob avec eux, vous n'aurez aucun service de leur part.

– Ce qui n'est pas dans mes habitudes… répondit Jeanne, qui venait tout de même de saisir un certain rappel à l'ordre de la part de son gendre qui avait appris à la connaître.

Ils atteignirent enfin Summerside et la belle grande maison de John que Jeanne aimait tant. À peine descendue de la voiture, elle vit Julie qui s'avançait pour se jeter dans ses bras.

– Prends garde de ne pas tomber toi! Il y a de la rocaille…

– Maman! Je suis si heureuse de te voir! Je ne peux pas croire que tu arrives pour ne plus repartir. Ma mère à Summerside pour y vivre! Il y a cinq ans, je ne l'aurais jamais cru!

– Il y a cinq ans, j'étais plus jeune, moins sereine, moins avisée, ma fille. Tu sais, dans le fond, je n'ai rien voulu changer de ce que j'étais, moi, c'est la vie qui s'en charge avec le temps. La soixantaine, tu sais… Au départ, on combat cette décennie puis, peu à peu, on s'y résigne. La sagesse s'en fait le baume. Et je te ferai remarquer qu'il y a cinq ans je connaissais à peine ce très beau coin du pays. C'est avec ton père… Mais, je te regarde, toi! Tu crois être capable de reperdre tout ce poids après ton accouchement? Sais-tu que tu es encore plus grosse que je ne l'étais pour Roger? As-tu consulté? Est-ce normal?

– D'après mon médecin, j'ai atteint mon plafond, maman. Je ne prendrai plus de poids, je vais même en perdre un peu.

Je suis enflée, je fais de la rétention d'eau, je souffre d'hypertension... Dire que tout s'était si bien passé et que sur les derniers milles, les ennuis m'ont rattrapée. En autant que tout se déroule bien. Tu sais, quand je me regarde, j'ai peur. Je ne peux pas croire qu'un bébé va sortir de là sans que j'en souffre terriblement. Moi, qui n'ai pas un seuil de douleur élevé...

– Ne crains rien, tout va bien se passer, je serai à tes côtés, ma fille. Viens, rentrons, ce n'est pas chaud et tu n'as qu'un gilet sur les épaules.

Confortablement installées dans l'un des vivoirs, Julie offrit à sa mère une tasse de thé avec des biscuits au gingembre, ses préférés. Elles causèrent de tout et Jeanne en profita pour annoncer à sa fille le mariage de Francine et Sylvain, prévu pour le printemps prochain. Ravie, Julie s'était écriée:

– Enfin! La perle rare pour lui! Il était temps qu'il soit heureux, mon frère! Surtout avec tout ce qu'il a enduré avec... Bon, passons! Mais comme tu la connais plus que moi, l'infirmière, comment est-elle?

– Charmante, distinguée et fort jolie. Tu l'as vue, non?

– Oui, j'ai même causé avec elle à l'hôpital, mais brièvement, pas assez pour m'en faire une idée. Mais je me souviens qu'elle était jolie femme.

– En plein pour ton frère! Elle a une grande maturité, elle vient d'avoir quarante ans, un peu plus vieille que lui, mais si charmante, si avenante...

– Elle a déjà été mariée? Elle a des enfants?

– Non, ni l'un ni l'autre. Elle a déjà vécu une longue relation, mais elle n'a jamais été mère et ne le sera jamais. Le résultat d'une opération ratée, selon ton frère.

– Bon, voilà qui devrait lui plaire, parce que tu sais, lui, les enfants...

– Oui, je sais. Pauvre petite Maude, pas de papa…

Les deux femmes changèrent finalement de sujet de conversation et Julie demanda à sa mère si elle désirait voir la maison qui l'attendait.

– J'en meurs d'envie! C'est tout près d'ici, n'est-ce pas?

– On peut même s'y rendre à pied. Tu viens avec nous, John?

– *Of course, Honey*, j'ai beaucoup de choses à expliquer à ta mère. Il lui faudra noter tout cela *on a notepad*.

Jeanne n'en croyait pas ses yeux. Un bout de rue, un petit tournant et le bungalow détaché s'offrait à sa vue. Quelle joie ce serait d'inviter Julie à venir avec son bébé, c'était à quelques pas et, de l'extérieur, c'était déjà très joli. Julie tourna la clé dans la serrure et Jeanne, entrant la première, resta rivée sur place. Elle n'en revenait pas! Tous les meubles qui l'avaient précédée avaient été disposés chacun dans sa pièce. Avec goût, sur des carpettes rectangulaires ou rondes pour ne pas dissimuler les planchers de bois verni. Ses tableaux accrochés aux murs avec d'autres, achetés par Julie, pour compléter le décor. Dans la cuisine, tout était en place, dans le salon aussi. Sa chambre était immense et Julie, pour en garnir les angles vides, avaient acheté quelques antiquités, commode, table de coin, qui rehaussaient de beaucoup les meubles hérités de Dolorès. Jeanne était sidérée, elle en avait les larmes aux yeux. Dans le salon, ce qu'elle n'avait jamais eu rue Garon, mais dont elle avait toujours rêvé, un superbe foyer avec des bûches empilées de chaque côté.

Julie, avec l'aide de décorateurs, avait tout planifié pour que sa mère entre dans une maison prête à être habitée. Sans qu'elle ait à se soucier de la peinture ou de la décoration qu'elle disait vouloir entreprendre dès son arrivée. Enceinte, Julie n'avait donné que des ordres et supervisé les travaux qui avaient été exécutés avec soin. Sa mère, les yeux grands ouverts, la regarda et lui dit:

– Et moi qui te priais d'y aller en toute simplicité. J'avais déjà des échantillons de peinture. Et ce que je vois, c'est un château, pas une maison, Julie! Oh! John! Merci de tout cœur! Tu y es sûrement pour quelque chose.

– Non, madame Durelle, c'est Julie, seulement elle et les décorateurs. Moi, j'ai fait l'inspection, pas plus. Tout est *in good shape?* Ça vous plaît?

– Quelle question! Mais dites-moi vite ce que je vous dois tous les deux. Je veux d'abord vous rembourser et, après, régler l'achat de la maison.

– Maman, ne règle que la maison si tu veux bien. La décoration, c'est notre cadeau à John et à moi. Notre cadeau pour être là près de nous, près de moi, avec ce qui s'en vient.

– Ah! ça, non! J'ai les moyens, je veux vous dédommager.

– Non, maman, pas avec de l'argent. Si tu tiens absolument à effectuer un remboursement, nous l'accepterons, mais d'une autre façon.

– N'importe laquelle! Dis-moi comment, combien, quand…

– En gardant le bébé que j'aurai, maman. Que cela. Et cette fois, malgré toi, tu vas devenir une grand-mère exceptionnelle, je le sens.

– Que cela? Je l'aurais fait sans le moindre présent, Julie. Je suis maintenant en âge d'apprécier un tout petit enfant. Tu sais, la sérénité, les cheveux blancs camouflés sous les châtains… On a beau faire semblant, le cœur s'attendrit avec le temps. Au fait, t'ai-je dit que Sylvain avait racheté la maison de votre enfance sur la rue Garon? Celle que ton père aimait tant? C'est là qu'il va s'installer avec Francine. Que de nostalgie dans le sang, celui-là…

Jeanne leva les yeux sur sa fille et la vit essuyer des larmes qui coulaient sur ses joues. Émue, heureuse et touchée à la fois, elle répondit à sa mère entre ses sanglots:

– Comme c'est généreux de sa part… La maison que papa aimait tant. Je suis certaine que c'est pour lui faire plaisir, là-haut, qu'il a tout mis en œuvre pour racheter ce qui lui avait appartenu. Sylvain est un tendre, maman, un homme au cœur de guimauve. Et je vois papa d'ici le regarder entrer dans cette maison, avec le bon Dieu pour témoin. Quel beau geste! Et comme il sera plaisant de s'y retrouver quand nous irons les visiter. C'est la plus grande joie de ma journée, maman! Pour le repos de l'âme de papa…

Jeanne, sensible, se retenant pour ne pas pleurer, constata néanmoins que, malgré tous les égards à son endroit, Julie avait été, toute sa vie, la «chouette» indéfectible de son père chéri.

Jeanne s'était vivement installée dans sa maison de la rue avoisinante de celle de sa fille et, déjà, les voisins immédiats la saluaient, sachant qu'elle était la belle-maman de John Miller. Elle s'était déjà liée d'amitié avec une dame plus âgée qu'elle, veuve, et qui parlait français. Elle avait habité dans la région d'Évangéline, mais comme son fils travaillait à Summerside, avec sa femme, elle s'était rapprochée de lui. Son accent était délicieux et faisait le charme de Jeanne. Le soir, lorsqu'elle était seule, il lui arrivait d'aller prendre le thé chez cette amie de parcours du nom de Virginie Landry. Ses voisins de droite, les Webster, un couple dans la trentaine, étaient fort aimables. Leurs deux enfants, Nancy et Jonathan, bien élevés. Vraiment, Jeanne était bien tombée côté voisinage et, selon les recommandations de son gendre, elle n'avait pas cherché cette fois, à être… ni snob ni distante!

Comme octobre annonçait de plus en plus l'automne déjà installé, elle en profita pour semer des vivaces, attacher des arbustes et finir par se découvrir une passion pour l'horticulture, elle qui n'avait jamais coupé une branche d'un lilas au temps de la rue Garon. Chère petite maison d'antan que Francine et Sylvain allaient habiter. Et Julie qui en avait été si bouleversée quand elle le lui avait appris… Jeanne ferma les yeux et, lentement, délibérément, s'évada de cette décevante pensée qui la tenaillait encore dans un reliquat de fierté.

Une dizaine de jours s'étaient écoulés et Jeanne, de plus en plus habituée à son quartier, avait découvert, pas bien loin, une épicerie, un dépanneur pour le lait et le pain, un salon de coiffure et un petit centre commercial où elle pouvait se rendre à pied. Son seul regret était de ne jamais avoir appris à conduire. Sans Julie et John, elle ne pouvait guère s'éloigner de son secteur, quoique Maureen, ou plutôt «Mrs. Webster» comme elle l'appelait, l'invitait souvent à l'accompagner dans de plus gros centres commerciaux à l'autre bout de la ville. Une camaraderie d'occasion, quoi! Trop jeune pour s'en faire une amie, mais comme elle avait une petite voiture à portée de la main…

Il était vingt-deux heures en ce dimanche 13 octobre, lorsque le téléphone sonna chez Jeanne.

Décrochant le récepteur de la cuisine, elle reconnut la voix de Julie qui lui disait à travers ses sanglots:

– Maman! Il faut que je me rende à l'hôpital! Ça s'en vient!

– Comment? Déjà? Tu n'étais due que le 18 ou le 19…

– Oui, mais je devance, je crois, j'ai des crampes terribles! J'ai peur de le perdre! Enfile un manteau, on passe te prendre!

Plus nerveuse que sa fille, Jeanne retoucha sa coiffure, endossa son imperméable et sortit pour attendre la voiture de John. Deux minutes à peine et, fort agité, John arrivait en klaxonnant, ne l'ayant pas aperçue sur son perron. Elle descendit en toute hâte et se glissa à l'arrière à côté de Julie qui se plaignait alors que John, pied au fond, se rendait à l'hôpital en toute vitesse. On l'installa dans la chambre adjacente de la salle d'accouchement et c'est sa mère qui, forte de son expérience, lui disait de respirer plus vite, plus fort et de s'agripper à elle quand viendrait une douleur.

– Oh! maman! Ça fait si mal... Jamais plus... *Never again, John!*

Le pauvre mari, inefficace, aurait voulu lui tenir la main, mais hurlant dans ses contractions, elle le repoussait pour ne se fier qu'à sa mère. Comme plusieurs femmes qui, dans leur fortes douleurs, regardent leur mari comme s'il en était responsable. John, se sentant visé, s'éloigna sur un regard approbateur de sa belle-mère. Il était incapable de l'entendre crier et gémir sans que ça lui fende le cœur. Il l'aimait tant! Pourquoi l'avait-elle regardé avec des yeux remplis de reproches, sinon de mépris? Il ne pouvait s'imaginer, le pauvre homme, que le rictus qu'il discernait dans le regard de Julie n'était destiné qu'à son bas-ventre dans ces durs moments de résistance aux douleurs qui se succédaient. Elle devait bénéficier de l'épidurale afin de ne rien sentir ou presque, mais, hélas, l'enfant poussait déjà, le travail était trop avancé pour que le médecin puisse la lui fournir quand il arriva à son chevet.

Et c'est quatre heures plus tard, à deux heures du matin, le 14 octobre 2002, que Julie mit au monde, dans un dernier effort excessivement souffrant, un gros garçon joufflu dont les premiers cris avaient du coffre. «Un costaud comme son père!» s'était écrié le médecin. John aurait souhaité faire sa part, assister de plus près, mais comme sa main tremblait, c'est Jeanne qui coupa le cordon de ce petit-fils qui, sans qu'elle le sache encore, allait la combler de bonheur. L'enfant était en bonne santé. Neuf livres, vingt-deux pouces, c'était le plus gros bébé parmi les quatre de la pouponnière. Mais l'un d'entre eux était une mignonne petite fille d'à peine six livres. Aucune compétition de ce côté, évidemment.

Heureuse d'avoir maintenant son fils sur son ventre et de poser ses lèvres sur sa petite tête, Julie pleurait de joie. Parce qu'elle avait craint de le perdre et qu'il était là, bien en vie, en force surtout, avec ses pleurs dignes d'un enfant de deux mois. Voyant que John était un peu plus en retrait et essuyait une larme, elle lui tendit la main et il s'avança pour l'étreindre, l'embrasser sur le front et lui dire:

– *Thank you, Honey...* Tu m'as donné un beau garçon! *Gee!* Je pense qu'il est le plus gros de tous les Miller à ce jour!

Puis, embrassant sa belle-mère et la serrant contre lui, il lui dit:

– *Thank you,* madame Durelle! Merci! Sans vous, je ne sais pas ce que j'aurais fait. Un homme, c'est pas fort dans ces moments-là. Merci encore, *Mom... Oh! I'm sorry.*

– Non, ça va John, appelle-moi *Mom* comme tu l'as déjà fait au bout du fil quand je parlais avec Julie. Si je dois passer le reste de ma vie ici, je ne veux pas être madame Durelle sans cesse. Avec *Mom,* j'aurai l'impression d'être aussi un peu ta mère. Mais là, il faudrait prévenir *your real mother,* John! Depuis le temps qu'elle rêve d'être grand-mère...

– En pleine nuit? Non, j'irai la réveiller demain matin. Je ne veux pas la voir surgir ici maintenant. *I know her*, et Julie a besoin de se reposer.

– *Well said!* Bien dit, John, approuva le médecin qui revenait. Ta femme est épuisée, elle doit reprendre des forces. *And tell me, Julie*, vous avez l'intention de l'allaiter, ce gros bébé-là?

– Oui, docteur, pour un certain temps. Comme ta mère l'a fait pour toi et tes frères, John!

À ces mots, Jeanne avait baissé les yeux. Parce qu'elle n'avait allaité aucun de ses enfants. Elle aurait pu, bien sûr, mais elle n'avait pas senti le besoin de le faire. Et pour s'en disculper, elle dit à son gendre:

– Moi, ce n'était plus à la mode dans mon temps. Peut-être que ça l'était encore ici, dans les patelins, dans les villages, mais pas dans les grandes villes.

Madame Miller avait été ravie d'apprendre qu'elle était grand-mère d'un gros garçon, mais son sourire s'esquiva quand on l'informa que c'était Jeanne qui avait coupé le cordon de l'enfant. Ce rôle, selon elle, revenait à son fils, pas à sa belle-mère, mais son mari lui fit vite oublier cet incident en lui disant que le petit porterait leur nom et perpétuerait la lignée. Elle en était fière, certes, mais au fond de son cœur elle aurait souhaité que ce soit une fille. Elle se disait intérieurement: «Ah! ces Miller! De père en fils, tous des géniteurs de mâles! Depuis l'arrière-grand-père de John!»

On n'attendit pas longtemps avant de le baptiser et, selon l'ardent désir de Julie, son fils allait porter le prénom de son grand-père maternel. Sa mère en avait été ravie: «Comme ton père va être fier, de l'autre côté!» Le fils de sa «chouette» avec son prénom à lui. On le baptisa donc Martial, mais avec les Miller et les anglophones en majorité à Summerside, il devint vite Marty pour tout le monde, au grand bonheur de madame Miller qui avait souhaité un prénom anglais pour son petit-fils. Elle avait même suggéré Joey, Jason ou Kevin. Mais Julie avait tenu son bout, même si Martial allait devenir… Marty!

La nouvelle se répandit dans la famille et les présents arrivèrent par FedEx ou par la poste. Line et Roger avaient fait parvenir au petit un superbe habit de velours rouge, sans oublier, évidemment, le bouquet de fleurs pour la maman. Francine et Sylvain avaient envoyé un bel ensemble de tricot bleu, bonnet et chaussons inclus en ajoutant, pour Julie, un magnifique camée sur chaîne en or, d'une mère tenant son enfant dans ses bras. Pour ne pas être en reste, Carole avait fait parvenir par courrier régulier une petite couverture de laine blanche, avec une tache à peine visible, que Jeanne discerna quand même sur la bordure de satin. Sans doute à rabais au magasin où elle travaillait. Avec une petite carte bleue égayée d'un nuage, tirée d'un paquet de cinq cartes sans texte pour un dollar de chez Rossy, dans laquelle elle avait écrit à l'intention des parents: «Avec tous nos compliments, Carole et Jean-Louis.» Jeanne était froissée, mais Julie, plus indulgente, avait dit à sa mère:

– Bien, le cœur y était! Du moins, celui de Carole à défaut de celui de son mari.

L'automne s'étiola calmement, sans heurt, sans bruit, dans la paix la plus totale à Summerside ainsi qu'à Montréal, où tous les membres de la famille roulaient bon train. Jeanne téléphonait souvent à Line et Roger, à Sylvain un peu moins, et de temps en temps à Carole qui, malheureusement, n'avait jamais rien de neuf à raconter. Grand-mère à part entière, elle leur parlait de Marty, son petit-fils adoré né un 14 tout comme elle, sa raison de vivre, quoi! Ce qui avait quelque peu contrarié Roger qui avait dit à sa femme:

– Je suis bien content qu'elle se soit attachée à cet enfant mais, maudit, elle n'a jamais eu le moindre égard pour les nôtres! Même lorsque Gabriel et Charles étaient petits!

Line, plus compréhensive, tenta de le rassurer:

– Elle vient tout juste de découvrir l'art et la joie d'être grand-mère, laisse-la, elle a traversé assez d'épreuves… Sa séparation, sa crainte de vivre seule, la mort de ton père, son sentiment de culpabilité… Laisse-la se consoler avec son petit-fils, Roger, elle est loin, elle n'a que lui là-bas pour la garder en vie. Et ne sois pas hargneux, elle n'a jamais été portée sur Maude non plus. Tu te souviens? Jamais elle ne demandait à la voir… Ta mère vient à peine de découvrir sa fibre de grand-mère.

Malgré le plaidoyer de sa femme, Roger ne fut pas convaincu:

– Je veux bien le croire, mais une fibre, ça devrait se ressentir dès le premier des petits-enfants. Prends ta propre mère, Line, elle était folle de joie quand Gabriel est né! Non, ma mère a une préférence, c'est clair et net, c'est évident!

Line préféra ne rien ajouter de peur, qu'une fois de plus, un autre froid s'installe entre la mère et le fils. Ces fréquentes petites altercations dont elle et les enfants étaient les seuls à en subir les conséquences.

Noël arriva et bébé Marty fut comblé comme un petit roi par ses grands-mères et ses parents, lui qui avait à peine deux mois. Des cadeaux arrivèrent aussi de la part de Francine et Sylvain, un gros ourson de Line et Roger, et des présents pour Jeanne, Julie et John. Bref, un échange par la poste d'une maison à une autre, d'une province à une autre, de tout ce qui pouvait réjouir le cœur. Jeanne fit même parvenir de jolis présents à Carole et Jean-Louis, mais Julie s'en abstint. Se doutant bien qu'ils n'enverraient rien, même pour le petit, elle mettait ainsi un frein aux cadeaux… à sens unique. Mais le lundi, 23 décembre, un courriel arriva sur le site *Mail* de John qui s'empressa d'en aviser Julie. Directement de l'ordinateur de Jean-Louis, une carte virtuelle adressée à tous, madame Durelle incluse, même si elle n'habitait pas avec eux. Une carte de Yahoo illustrée d'une feuille de houx et sur laquelle on pouvait lire en dessous de tous les noms, celui du bébé compris, «Joyeux Noël à tous! *Merry Christmas to all!* Carole et Jean-Louis.»

2003 s'était levé dans le froid, le verglas, la pluie, bref, dans les bassesses de ce qui s'appelle l'hiver. Bien au chaud et à l'abri dans sa coquette maison de Summerside, Jeanne plaignait les gens des grandes villes comme Toronto ou Montréal d'avoir à combattre de telles intempéries pour aller gagner leur vie. Avec le temps, elle avait oublié que Martial, jadis, bravait aussi la froide saison pour nourrir sa marmaille. Confortable près de son foyer, les bûches de bois toujours prêtes, elle lisait, écoutait de la musique, invitait sa voisine Maureen à prendre le café et, parfois, Virginie Landry pour partager son souper. Cette dernière lui parlait de sa terre natale, les Îles-de-la-Madeleine, de son coin, Havre-Aubert, avec un accent si poétique, que Jeanne avait l'impression d'écouter Viola Léger au temps de *La Sagouine*. Quand le temps se faisait plus clément, emmitouflée dans son manteau long avec capuchon, écharpe autour du cou, elle se rendait chez Julie bercer le poupon qui semblait déjà reconnaître la voix de sa grand-mère. Surtout quand elle lui chantonnait... *Partons, la mer est belle.* S'il avait fallu que Roger la voie avec le bébé dans les bras, serré sur sa poitrine... Elle qui avait assis Gabriel et Charles sur ses genoux, qu'une ou deux fois seulement. Mais l'art d'être grand-mère venait tout juste d'atteindre Jeanne en plein cœur. Tel un dard enrobé de tendresse et d'amour pour ce petit «trésor».

Julie retrouvait peu à peu sa taille, ce qui la soulageait. Elle voulait redevenir, pour elle comme pour John, celle qu'elle était avant d'être mère. Mais sans encore oser lui avouer qu'elle n'allait pas lui donner quatre enfants. Pas même un de plus.

Marty allait être fils unique, elle en avait fait le serment. Jamais plus de gros ventre et d'un autre accouchement. Et comme les Miller étaient des géniteurs de garçons, elle se voyait mal avec, autour d'elle, une équipe de joueurs de hockey! John, toujours aussi tendre, aussi amoureux, aussi affable, n'avait pas sourcillé lorsqu'un certain soir elle lui fit enfin part de ses intentions. Oubliant la progéniture souhaitée, il lui avait dit en l'embrassant dans le cou: «*As you wish, Honey...*»

Le 25 avril 2003, Sylvain Durelle venait de prendre possession de la maison de la rue Garon, cette jolie demeure dont son père s'était départi avec peine après sa séparation. Cette maison dans laquelle Martial avait élevé sa famille et qu'il reluquait encore lorsqu'il faisait sa marche quotidienne de son vivant. Il avait certes failli en acheter une autre, tout près, sur la rue Pelletier, mais Dieu était venu le chercher avant qu'il réalise son rêve de retrouver ses coins de rues avec Sylvain. Et ce dernier, aussi nostalgique que son défunt père, avait parcouru les rues de son ancien quartier jusqu'à ce que, par hasard, il aperçoive la pancarte sur le terrain de la maison de son enfance. Son sang n'avait fait qu'un tour dans ses veines et, le cœur battant, il l'avait achetée sans en négocier le prix, sans poser la moindre question. Pour son propre bonheur et par respect pour son défunt père. Il l'avait achetée pour «Martial», à travers lui, sachant que, de là-haut, son âme en pleurerait de joie. Francine l'avait trouvée charmante et se promettait bien de lui redonner tout son cachet d'antan. Pour que celui qu'elle aimait et qui allait devenir son mari y retrouve les couleurs et les odeurs de sa jeunesse.

Ils avaient complètement fini de s'installer lorsque le samedi 10 mai s'annonça avec un merveilleux dix-huit degrés et un soleil étincelant. Une splendide journée! Celle où Sylvain Durelle allait faire, de Francine France, sa femme jusqu'à la fin des temps. Tous étaient prêts pour l'heureux événement. Jeanne, Julie et John étaient arrivés la veille et séjournaient dans un chic hôtel du centre-ville. *Grandma* Miller s'était fait une joie de garder Marty. Elle allait pouvoir le cajoler à son aise et le ravir à son autre grand-mère pour quelques jours. Mais Julie était partie inquiète. C'était la première fois qu'elle s'éloignait de son petit qui, à sept mois, avait un constant besoin d'elle. Fort heureusement, l'allaitement maternel avait pris fin le mois précédent. Julie n'avait pas cru bon de l'allaiter plus longtemps, de peur que le sevrage soit plus difficile avec le temps. John l'avait rassurée, le petit serait très bien avec ses grands-parents paternels ainsi qu'avec Matt et sa petite amie. On allait en prendre grand soin, mais Julie avait averti sa mère:

– Moi, je reviens dimanche, maman. Je ne reste pas un jour de plus. Que le mariage, la nuit et le retour.

Jeanne, songeuse, avait répliqué:

– Moi également, Marty me manque déjà.

Francine portait une robe de dentelle beige lui frôlant presque la cheville. Les cheveux remontés en chignon, un petit chapeau brun à voilette, gants et souliers s'y mariant, elle arborait à son cou un joli rang de perles que Sylvain lui avait offert. Dans sa main gauche, un tout petit bouquet de roses pêches orné de deux rubans. Lui, dans un somptueux complet noir, avait opté pour la chemise blanche et le nœud papillon de satin noir. Pas pour la forme, mais pour que la photo d'un si beau jour soit solennelle. Jeanne était resplendissante dans un bel ensemble vert et Julie, ayant retrouvé sa ligne, portait une robe ajustée aux imprimés de rose sur mauve, avec une mante lui couvrant les épaules et descendant jusqu'au bas du dos.

John était élégant, bien sûr, si bien qu'une amie de Francine avait murmuré à une autre collègue:

– Il ressemble à Robert Urich quand il jouait dans *Vegas* à la télévision.

Un élégant mariage civil d'un très beau couple accompagné d'êtres chers et de quelques amis, dans une stricte intimité. Francine qui n'avait plus sa mère, avait présenté son père à tous, ainsi que son unique frère, sa femme et leurs deux filles. Line, très remarquée dans une jolie robe noire avec boléro blanc, bijoux adéquats, était au bras de Roger, très soigné dans son complet noir à fines rayures blanches. Et que dire de Gabriel et Charles, vêtus tels deux petits princes. Malheureusement, Carole jurait parmi les convives dans son petit tailleur bleu devenu trop étroit pour elle et ses boucles d'oreilles de plastique. Ce tailleur qu'elle avait porté au premier mariage de Sylvain et que son mari l'avait forcée à endosser en lui disant que personne n'allait s'en rappeler. Sa mère la regardait et soupirait. Car Jeanne tout comme Julie, avaient bien sûr reconnu l'ensemble défraîchi. Sans parler de sa coiffure maison, résultat de ses rouleaux chauffés dans l'eau.

Jean-Louis, la tête haute, son complet gris bien pressé, retouchait du pouce et de l'index, le nœud de sa cravate… rouge! Avec, dans la poche de son veston, un mouchoir à trois pointes rouges, cousues sur un bout de carton. Ce qu'on ne retrouvait plus nulle part de nos jours et qu'il avait retiré, jadis, du veston d'un oncle décédé, couché dans son cercueil, pour le garder. Comme il l'avait fait des boutons de manchettes avec lesquels on allait l'enterrer, juste avant que le coffre soit refermé.

Ils se retrouvèrent tous dans un grand restaurant où une petite salle leur était réservée et, après avoir dansé, bu et mangé, les mariés se virent offrir des présents de la part de tous les invités. Ils déballèrent un à un ces cadeaux de prix ainsi que le chèque de mille dollars dissimulé dans une rose de satin de la part de Jeanne. Des présents de bon goût, quoi! Même celui de Carole et Jean-Louis qui consistait en un joli vase chinois. Sauf que Jeanne, plus attentive, le regardant de plus près, s'écria intérieurement: «J'ai déjà vu ça quelque part, moi, ce vase-là!» La fête se termina et le charmant couple que formait Francine et Sylvain s'empressa de se rendre à l'aéroport afin de prendre l'avion qui les emmènerait en Jamaïque pour une courte lune de miel. Jeanne causa longuement avec Line et Roger, Julie en profita pour tenir compagnie à Carole et son mari pendant que John, toujours aussi aimable, parlait de son coin de pays avec le père de la mariée et la collègue de Francine qui trouvait qu'il ressemblait au beau Robert Urich.

Finalement, tous retournèrent à bon port quoique Roger aurait souhaité que sa mère prolonge son séjour. Mais, habile, rusée, elle décréta qu'elle préférait retourner avec John et Julie, qu'elle n'aimait pas voyager seule en avion. La nuit vint, le matin se fit voir et l'avion décolla de l'aéroport pour ramener Jeanne, Julie et John au bercail. Une fois de plus, entre ciel et terre, Jeanne crut percevoir le visage de Martial dans les nuages. Fermant les yeux, détournant la tête, elle songea à Marty, son petit-fils chéri qui, là-bas, l'attendait.

Les jours firent des bonds et le petit Marty, de plus en plus attaché à sa grand-mère, ne la quittait guère. Gros bébé robuste, il se tenait déjà debout sur les genoux de Jeanne qui, le sentant fléchir, le serrait dans ses bras avec toute la tendresse que son petit-fils lui insufflait. Dieu qu'elle l'aimait, cet enfant-là! Beaucoup plus qu'elle avait aimé ses propres enfants et, s'en repentant, plus qu'elle avait aimé Gabriel, Charles ou la petite Maude. Jamais elle n'avait caressé un enfant de sa vie et voilà que, celui-là, comme si c'était vraiment le dernier, l'avait remuée jusqu'aux entrailles. Julie, heureuse de voir sa mère s'attacher à son fils, avait repris ses tâches dans les affaires de son beau-père, sans que John s'y objecte. Ce que souhaitait *Honey* n'était jamais discuté. Sauf par madame Miller qui n'admettait pas que Julie n'élève pas elle-même son enfant et qui n'appréciait guère que le petit tente de s'en dégager chaque fois qu'elle le prenait. Ce qui n'était pas le cas avec… l'autre grand-mère!

Juin 2003 s'afficha soudainement au calendrier et Jeanne était fort heureuse de voir l'été venir, aussi frais pouvait-il être à Summerside. Planifiant la saison estivale et ayant même l'intention d'inviter Carole pour une fin de semaine à ses frais, sans son mari, bien entendu, elle comptait se rendre à Montréal en août, chez Francine et Sylvain, rue Garon, et faire d'une pierre deux coups en visitant Line, Roger et leurs enfants. Mais, fortement imprégnée dans sa tête, une autre intention subsistait. Une idée qui avait germé et qu'elle ne voulait pas dissoudre de ses pensées. Complotant discrètement avec monsieur Miller, elle lui demanda s'il pouvait lui louer le chalet d'antan pour un jour et une nuit. Comme la plupart des touristes n'arrivaient qu'en juillet, le père de John s'empressa de lui dire qu'il le lui offrirait avec ses compliments, le moment venu. Comblée, elle ajouta:

– J'aimerais être là le vendredi soir 13 juin et revenir le lendemain en matinée. Vous croyez que vous pourriez me véhiculer ou trouver quelqu'un que je pourrais dédommager pour le faire? Je voudrais que ce soit fait à l'insu de Julie et de John, bref, de tout le monde jusqu'à mon retour. Puis-je compter sur vous?

Monsieur Miller l'avait vite assurée de son appui et de son entière discrétion. Il la déposerait en soirée et son fils, Matthew, la ramènerait le lendemain. En autant qu'elle n'aie pas peur de passer la nuit seule à French River. Personne d'autre n'allait être dans les parages. Et Jeanne de lui murmurer:

– Ne craignez rien, je ne serai pas seule.

Le vendredi 13, il ne fallait pas être superstitieuse, Jeanne s'engouffra dans la voiture de monsieur Miller sans que personne s'en rende compte. Pas même Virginie Landry qui, au moindre bruit, avait le nez à sa fenêtre. John négociait un contrat chez un notaire de l'endroit et Julie s'était couchée très tôt, ayant passé une mauvaise journée avec Marty qui avait souffert d'un reliquat d'otite. Le trajet se fit sans incident et, en cours de route, Jeanne demanda timidement à son bienfaiteur:

– Une dernière faveur, monsieur Miller…

– *Yes…* demandez, madame.

– Vous serait-il possible de placer sur la colline les deux chaises que mon mari et moi utilisions durant nos vacances?

– Ce soir? Aucun problème! Je les ai encore, vous savez. Elles tiennent le coup, même si l'une est plus courbée que l'autre.

– Ça ira… C'est juste pour cette fois…

Ils arrivèrent à destination et Peter Miller s'empressa de réchauffer le petit chalet en ouvrant tous les radiateurs. C'était cru, c'était frais, mais Jeanne, ayant apporté ses vêtements de nuit les plus chauds, s'en accommoderait. Elle vit monsieur Miller se diriger avec les chaises et une lampe de poche jusque sur la colline et redescendre pour lui dire:

– Tout est en place et, comme il ne vente pas, elles ne partiront pas. J'ai même enfoncé les pattes dans l'herbe encore fraîche.

– Merci infiniment, vous pouvez partir maintenant, me laisser, je vais me coucher, il se fait tard.

– Vous êtes certaine de ne pas avoir peur, seule ici, toute la nuit?

– Non, ne craignez pas pour moi, je vais fermer à clé, je vais me barricader et j'ai mon téléphone cellulaire. Mais, dites-moi, votre fils, Matt, il viendra à quelle heure demain matin?

– Vers neuf heures, si ça vous convient. C'est un lève-tôt.

Il partit, Jeanne tira le verrou, se fit une tasse de thé et s'empressa de se coucher car, honnêtement, elle ne se sentait pas tout à fait brave, seule dans ce recoin inhabité, avec des bruits aussi étranges que divers. Un vendredi... treize!

N'ayant pas fermé l'œil de la nuit, anxieuse, angoissée, Jeanne se leva dès qu'elle sentit que le noir, tournant au gris, allait bientôt faire place au jour. Quelque peu chancelante par la fatigue de cette nuit blanche, elle chaussa des bottes de pluie, enfila un pantalon chaud, son imperméable et, sac de jute sous le bras, elle se dirigea à pas lents vers le petit sentier qu'elle avait tant de fois emprunté.

Saisie de frissons par la brise du vent frais qui s'était élevé, elle atteignit la pointe de la petite colline et, apercevant les deux chaises, elle respira d'aise. Elle prit place dans l'une, la sienne, celle de gauche tout comme naguère et, regardant l'autre, vide, la toile du siège au vent comme lorsque Martial ne venait pas, elle sentit un pincement au cœur. Puis, exaucée dans ses prières, elle vit peu à peu se lever le plus merveilleux soleil de l'univers. Comme s'il n'appartenait qu'à elle. Comme si, ailleurs, l'astre ne brillait pas de la mëme façon qu'il le faisait à French River. Éblouie, enivrée par cette vision unique, elle le regarda passer du rouge à l'orange, puis du rose au jaune dans sa pure clarté. Un soleil qui se promettait d'être ardent en ce samedi 14 juin, à quelques jours de la percée de l'été.

Fascinée, tremblante de froid et de joie, elle se leva et, les yeux fixés sur l'astre qui, déjà, l'envahissait de ses rayons, elle s'exclama à haute voix: «Martial! C'est pour toi que je suis ici! As-tu vu ce lever de soleil? C'est le plus beau qu'il nous aura été donné de voir à French River.»

Reprenant son souffle, retrouvant son calme, elle enchaîna d'une voix plus faible mais combien chaleureuse: «Je suis venue ici pour toi, que pour toi, mon mari. Tu sais quel jour on est, n'est-ce pas? C'est mon anniversaire aujourd'hui. Soixante-trois ans, Martial! Une presque vieille dame! Et c'est avec toi que je voulais le souligner ce jour de fête. Dès mon réveil. Ici! Là où nous nous sommes un jour quittés, là où nous allons nous réconcilier, cher époux adoré. Tiens! voilà que je deviens sentimentale… Moi qui n'ai jamais employé de tels vocables tout au long de notre vie à deux. Toi non plus, hélas… Mais vient un âge où la retenue n'a plus sa place. Je t'ai aimé, Martial, sans vraiment m'en rendre compte. Je t'ai aimé sans jamais te le déclarer, sans même y penser, trop occupée avec la maisonnée… Mais, comme je t'aime encore, est-il trop tard pour te le dire? Je sais que tu me vois, Martial, je sais même où tu es, j'ai pu t'apercevoir à deux reprises. Et comme je sais où se trouve le nuage à travers lequel j'ai vu ton visage, me permettras-tu de t'y rejoindre quand viendra mon tour? Ai-je des choses à me faire pardonner? Je t'entends me répondre non, mais comme nous avons eu tous les deux nos torts… Damnée séparation! Non, qui sait, peut-être était-elle nécessaire pour que je sache enfin combien je t'aimais? Comme toi tu m'aimais… Parce que je l'ai senti, Martial, quand je t'ai demandé de te laisser aller et que tu m'as serré la main de tes doigts affaiblis. Tu t'en allais, tu t'en souviens? Mais tu résistais, tu semblais avoir encore des choses à me dire. Puis, je t'ai supplié de t'en aller et tu l'as fait quand je t'ai dit que je t'aimais. Pas avant. Comme si tu attendais cet aveu pour consentir enfin à mourir. Et c'est avec amour que j'ai recueilli sur ma joue, le vent doux de ton dernier soupir.»

Jeanne pleurait. À chaudes larmes. Et dans sa vive douleur, elle se sentait envahie d'une ardente chaleur. Comme si la brise, pourtant fraîche, s'était changée en un souffle d'été. Comme si, de son nuage, Martial avait dirigé des rayons de soleil sur son front. Péniblement, titubante par l'émotion qui l'étranglait, elle se dirigea tout près du faîte de la colline, à quelques pieds du ravin qui laissait voir la mer. Défiant le vertige, ouvrant son sac de jute, elle y plongea une main tremblante pour en retirer l'urne qu'elle avait toujours gardée avec elle. La contemplant, sentant le cœur lui monter au bord des lèvres et essuyant de sa manche, ses paupières mouillées, elle en souleva le couvercle et, regardant les nuages, murmura: «Ne t'en fais pas, Martial, on trouvera bien celui où l'éternité a ton visage. Et ne crains rien, j'irai poser mon âme auprès de la tienne quand viendra le jour. Je te trouverai, je suivrai ta trace, j'ai déjà parsemé le ciel de cailloux blancs… Parce que je t'aime.»

Puis, levant le bras le plus haut possible, Jeanne agita l'urne avec vigueur et les cendres de son mari, emportées aux quatre vents, se dispersèrent dans le ciel comme pour atteindre un nuage blanc et se perdre dans le néant. Poussant de la main quelques cendres échappées pour qu'elles se perdent dans la mer avec l'urne qu'elle avait laissé tomber, Jeanne jeta un dernier regard sur les deux chaises longues et, lasse mais heureuse, éprouvant un doux bien-être, elle redescendit la côte en traînant d'une seule ganse son sac vide. Elle n'osait pas se retourner de peur de revoir, à travers l'infini de clarté, un nuage, un visage… Le pied posé sur le bout du sentier, elle respira d'aise. Le camion du jeune Miller, dont le moteur en marche ronronnait, l'attendait.

*Cet ouvrage a été composé en times corps 12,5/3
et achevé d'imprimer au Canada en janvier 2005
sur les presses de Quebecor World Lebonfon, Val-d'Or.*